胃癌手术操作全真图谱

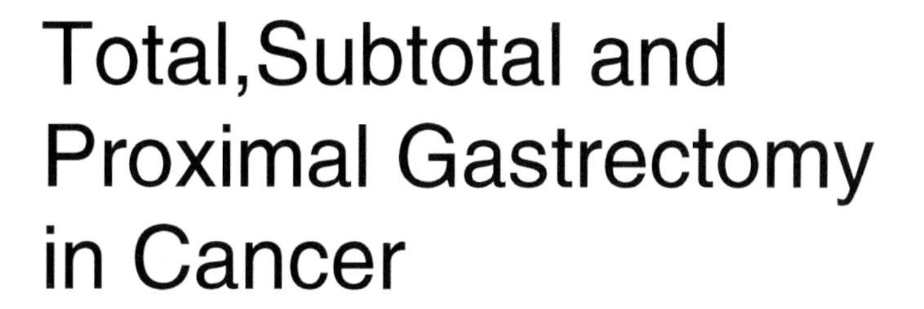

Total,Subtotal and Proximal Gastrectomy in Cancer

A Color Atlas

主编［意］ Walter Siquini
主审　李兆亭
主译　王天宝

SPM 南方出版传媒
广东科技出版社｜全国优秀出版社

·广　州·

图书在版编目（CIP）数据

胃癌手术操作全真图谱/（意）塞奎尼（Siquini.W.）主编；王天宝主译. —广州：广东科技出版社，2016.1
ISBN 978-7-5359-6457-1

Ⅰ. ①胃… Ⅱ. ①塞…②王… Ⅲ. ①胃癌—外科手术 Ⅳ. ①R656.6

中国版本图书馆CIP数据核字（2015）第286134号

责任编辑：丁嘉凌
封面设计：林少娟
责任校对：梁小帆
责任印制：彭海波
出版发行：广东科技出版社
（广州市环市东路水荫路11号 邮政编码：510075）
http：//www.gdstp.com.cn
E-mail：gdkjyxb@gdstp.com.cn（营销中心）
E-mail：gdkjzbb@gdstp.com.cn（总编办）
经 销：广东新华发行集团股份有限公司
排 版：广州市友间文化传播有限公司
印 刷：广州市岭美彩印有限公司
（广州市荔湾区花地大道南海南工商贸易区A幢 邮政编码：510385）
规 格：889mm×1 194mm 1/16 印张10.75 字数220千
版 次：2016年1月第1版
2016年1月第1次印刷
定 价：138.00元

主编

Walter Siquini
Division of General Surgery
"Madonna del Soccorso" Hospital
San Benedetto del Tronto
(Ascoli Piceno)
Italy

ISBN 978-88-470-5748-7 ISBN 978-88-470-5749-4 (eBook)
DOI 10.1007/978-88-470-5749-4

Library of Congress Control Number: 2015939930

Springer Milano Heidelberg New York Dordrecht London

Printed on acid-free paper

Springer-Verlag Italia Srl. is part of Springer Science+Business Media (www.springer.com)

谨以此书献给我的母亲Antonietta、妻子Cristina及女儿Elisa与Sofia！

她们的支持、耐心及宽容是本书顺利出版发行的重要保障！

主审简介

李兆亭 1923年1月生于上海，外科学教授，博士生导师，山东省普通外科奠基人之一。1945年毕业于上海医学院医疗系，后于上海中山医院任外科住院医师及总住院医师。1951年调至山东省立医院，历任外科主治医师、副主任医师、副主任；兼山东医学院外科教研组副主任、讲师、副教授。1976年调任山东省千佛山医院外科主任、副院长；同时为山东医学院教授。1986年调至山东医科大学附属医院。中华医学会山东分会普外科学组顾问，中国抗癌协会山东分会普外科肿瘤学术组顾问，《中国现代普通外科进展》杂志名誉主编，《腹部外科杂志》及《中国普外基础与临床杂志》编委。主要研究胃肠道恶性肿瘤的诊治，1960年完成胰十二指肠切除术。多次参加大面积烧伤抢救，挽救了大量患者的生命。曾先后发表《胃窦部癌肿的淋巴结转移的规律》及《直肠癌侧方淋巴结转移的处理》等论文，荣获省科委和厅级科技奖。在诊治疑难、少见乃至罕见病症中独辟蹊径，有真知灼见，临床效果良好。培养博士及硕士研究生30余名。主编《常用腹部手术学》及《实用普通外科》。参编《黄家驷外科学》《外科学》《沈克非外科学》《医学大百科全书》及《胃肠外科学》等专著。

主译简介

王天宝 山东省人，中山大学附属第一医院外科主任医师，外科学医学博士，博士后研究员，硕士研究生导师；新疆生产建设兵团第七师医院副院长。1994年7月获医学学士学位；1999年7月获外科学硕士学位，师从青岛大学陈咸增教授；2002年7月获山东大学医学博士学位，得到山东大学李兆亭教授悉心指导；2002年9月至2004年10月，于中山大学附属第一医院胃肠外科从事博士后研究工作，师从中山大学汪建平教授。现为中华医学会肠内与肠外营养专业委员会青年委员、中国抗癌协会肿瘤营养与支持治疗专业委员会委员、广东省抗癌协会肿瘤营养专业委员会委员、广东省康复医学会性功能障碍康复专业委员会常务委员、广东省科技厅科技咨询专家。《中华胃肠外科杂志》《中华肿瘤防治杂志》《中华结直肠疾病电子杂志》《中华临床营养杂志》及《肿瘤代谢与营养杂志》编委或通讯编委。主要研究胃肠及腹膜后恶性肿瘤、直肠肛门良性疾病及各种疝的诊治，擅长胃癌、结直肠癌及腹膜后肿瘤根治性切除术。现主持课题10项。以第一作者发表SCI论文10篇，在《中华医学杂志》等杂志发表论著60余篇。主编《实用胃肠恶性肿瘤诊疗学》（上、下册）《胃肠手术策略与操作图解》《盆腔外科手术与图谱》《普通外科图像解剖与诊断丛书》《实用代谢疾病诊断与治疗》。主译《Chassin结直肠肛门手术策略与操作图解》。参编《中华结直肠肛门外科学》《胃癌外科学》《直肠癌保肛手术》及《围手术期病理生理与临床》。

编　　者

Alessandro Cardinali	Division of General Surgery , “Madonna del Soccorso” Hospital , San Benedetto del Tronto , Italy
Pietro Coletta	Division of General Surgery , “Villa Igea” Private Hospital ,Ancona , Italy
Giorgio Cutini	Division of General Surgery , “Villa Igea” Private Hospital ,Ancona , Italy
Giovanni de Manzoni	Department of Surgery , General Surgery and Surgery of Esophagus and Stomach , Verona , Italy
Francesco Falsetti	Division of General Surgery , Jesi Hospital ,Jesi , Italy
Emilio Feliciotti	Department of Surgery , “Ospedali Riuniti” University Hospital , Ancona , Italy
Raffaella Ridolfo	Division of General Surgery , Senigallia General Hospital , Senigallia, Italy
Walter Siquini	Division of General Surgery , “Madonna del Soccorso” Hospital , San Benedetto del Tronto , Italy
Pierpaolo Stortoni	Division of General Surgery , “A. Murri” Hospital ,Fermo , Italy
Valerio Caracino	Division of General Surgery , Pescara Hospital ,Pescara , Italy

译者前言

当初出茅庐的医学生们刚接触外科临床时，内心充满激动与渴望，满眼求知欲。他们不辞劳苦地询问病史，细致、耐心地查体，充满激情地参加手术，热忱地希望协助患者解决各种问题，甚至还对不同手术医生水准加以点评。他们梦想着有一天也可以像前辈们一样，潇洒自如地操控手术刀，为患者解除病痛。他们是外科事业发展的希望与未来，衷心祝福他们能迅速成长为德艺双馨的外科大师。然而外科医生的成长之路漫长且充满艰辛，尽管外科手术主要由切开、分离、缝合、打结及止血等基本操作组成，但要娴熟掌握并有机地组合使用，绝非一日之功，非下苦功不可，可能需要15～20年方可成为一名卓尔不群的外科医生，其艰辛可见一斑。

要成为一名优秀的外科医生，除了上述基本技能外，还有许多其他更重要的修养需要加强。我的外科启蒙导师青岛大学陈咸增教授要求打结后两线尾相差不能超过4cm，否则不及格，因为20年前，术中往往需要助手牵拉缝线，线尾最好对齐；还要求缝针必须用持针器正确夹持后方可交还给器械护士，此点对避免术中缝针遗失至关重要，相信每一个外科医生都有令自己痛苦万分的术中找针经历；陈老师语重心长地指出，选择了医生这一神圣的职业，就要求一生勤奋和读书。我的博士导师山东大学李兆亭教授，博学、儒雅、大度、慈爱，令我们后来者高山仰止。老人家谆谆教导我们，要在不断地学习和实践中提高自己的医德、医风和医术；提高没有止境；要从书本上学、从实践中学、从成功中学、从失败中学、从总结中学；要做一个学术型外科医生，而不是一个开刀匠；医者的职责是治病救人，不管患者的地位、贫富，这是医道；患者以生命相托，“医乃仁术”，我们应尽一切可能，全心全意为其医治，解除其病痛，这是“大医精诚”的核心。我也有幸从师于中山大学汪建平教授，其博大的胸怀、极深的外科造诣与锐意进取的精神是我们终生学习的榜样。汪老师要求我们医务工作者务必“守真”：对患者真心实意，切勿蒙骗；指导学生严肃认真，不可敷衍；科学研究真实严谨，不容抄袭臆造；待人接物真诚谦和，不可虚狂。总之，优秀的外科医生务必守真慎独、勤于实践、敢于担当、勇于探索、严谨治学、缜密思考、及时总结。

目前，我国胃癌发病率居恶性肿瘤第二位，是因肿瘤死亡的第三大原因。不幸的是，我国胃癌患者多处于进展期，手术范围大，部分需要联合脏器切除，术后并发症多见。我们统计的与围手术期死亡相关的主要术后并发症发生率如下：腹腔出血0.28%～3%，胃大出血约0.43%，十二指肠残端破裂1%～4%，胃肠吻合口漏约5%，食管空肠吻合口漏约7%，食管胃吻合口漏约9%，胆漏约0.76%，胰漏1.3%～3%，乳糜漏高达11.8%，重症急性胰腺炎约0.63%。因此，外科医生应千方百计减少并发症，这涉及适应证选择、术前评估与处理、麻醉、术中决策、手术操作、术中应急处理及术后并发症防治等，其中术中决策与手术操作最为重要。

Walter Siquini教授及其团队每年实施大量的胃癌根治术，难能可贵的是他们依手术步骤拍摄了高清晰的术中照片，并将这些手术写真图片编撰成书，这在国内外均属少见，确实是一件值得祝贺的事情。该专著简约而不简单，详细而不冗繁。书中所用图片分辨率极高，手术操作步骤一目了然，具有很高的可信度和实用性。另外，一些手术技巧是其他专著少见的，比如利用管状胃的小弯侧贮袋作为吻合器放置通道行食管胃吻合、残胃大弯侧转角与空肠吻合、残胃大弯侧半口空肠吻合并小弯侧直线化处理等，对读者开拓视野及提高手术技艺颇有裨益！根据原书内容特点，译成中文后，我们将书名定为《胃癌手术操作全真图谱》。

然而，手术是否安全与成功不单单取决于手术操作，还包括围手术期营养评价与支持、重要器官功能维护、术前评估、外科手术基本操作与吻合技术、手术策略、术中应急处理和术后并发症的防治等。译者也想增补这些内容，但恐有绠短汲深或画蛇添足之虞！感兴趣的读者朋友可参阅我们主编的《胃肠手术策略与操作图解》（广东科技出版社，2015）有关章节，希望能提供些许帮助。

感谢Walter Siquini教授等原著作者与Springer公司为出版此书而付出的辛勤汗水！本译著得到了广东科技出版社及其各位编辑的大力支持，在此深表感谢！希望此中译本能够反映原作者的本意，不至于误导读者。由于译者经验有限，语言运用能力有待提高，书中不妥或错误在所难免。请广大读者朋友不吝赐教，欢迎您的指导和建议：zsdxwtb@163.com。

于羊城

2015年11月14日

前 言

编写这本《胃癌手术操作全真图谱》的想法始自20年前，当时由衷羡慕我的导师Eduardo Landi教授在胃次全切除术胃空肠手工缝合时所展现的娴熟与精准的手术技艺。Eduardo Landi教授谆谆教导我们，医学院认定一名优秀的外科医生的标准就是可以成功实施胃空肠吻合术。因此，我用几个月时间记录胃空肠吻合术的详细步骤并绘制草图，确保无任何偏差，收到良好效果。

2011年，Italian Research Group for Gastric Cancer出版专著*Surgery in the Multimodal Management of Gastric Cancer*，我有幸撰写“全胃及胃次全切除术（D2淋巴结清扫术）：技术要点”，初始稿件包含早期我所做的术中记录，但因过于详细，不得不忍痛割爱予以删减。虽然如此，Springer公司对原始稿件颇感兴趣，建议我编写一本详细讲解胃癌手术的彩色图谱。

基于此，我们编著了这本拙作，以飨读者。本书编写目的在于详细讲解开放及腹腔镜胃癌全胃切除及胃次全切除的手术技巧，包括手工及器械吻合法，探讨淋巴结清扫的手术要点，讨论近端胃切除的适应证、管状胃的制作及胸内食管胃吻合的手术策略。

本书详细讲解了在各种情况下进行简单且有效的处置方法，以确保食管空肠吻合、胃空肠吻合及管状胃食管吻合的安全性，最大限度地降低吻合口漏的风险。

本书腹腔镜全胃切除术及胃次全切除术由Giorgio Cutini博士、Pietro Coletta博士和Francesco Falsetti博士编撰，在此致以由衷的感谢！

Raffaella Ridolfo博士、Pierpaolo Stortoni博士及Emilio Feliciotti博士予以无私的帮助并撰写部分章节，Raffaella与Emilio还为本书彩绘大量精美的手术示意图，为拙作增色颇多，在此予以公开铭谢。

我的同事Alberto Buonanno博士、Alessandro Cardinali博士、Sandro Cognigni博士、Dezia Fiorelli博士、Dino Giusti博士、Raffaele Nigro博

士、Davide Pellegrini博士及Giulia Tonini博士每天协助我完成大量的胃切除术，这是本书得以完成的基础，特致谢意！

最后，感谢手术室护士Amelia Faleroni、Teresa Iacoponi、Andrea Liodori、Mauro Marabotto、Simone Mecozzi、Angela Merlonghi、Regina Rosetti、Giuseppe Rossi及Giacomo Sabini，是她们耐心、娴熟地拍摄了大量清晰的术中照片，确保本书具有一定的可读性和实用性。

本书是所有上述编撰人员共同努力的结果，希望这些术中照片、示意图及其图注可以很好地诠释胃癌手术的技巧及其风险的规避策略，帮助读者成功实施这种复杂且令人陶醉的外科手术。

另外，我们也希望通过本书以及Springer公司，能将我们医学院发展的这种精准的外科艺术推向全球，相信年轻一代外科医生开卷有益并发扬光大。

希望我的导师能为上述微不足道的工作感到欣慰！

Walter Siquini
San Benedetto del Tronto, Italy
May 2015

目 录

第一章　患者体位……………………………………………………………… 1

第二章　全胃切除术及胃次全切除术共同手术步骤…………………… 5

第三章　全胃切除术………………………………………………………… 26

第四章　手工法胃次全切除术……………………………………………… 44

第五章　吻合器法胃次全切除术…………………………………………… 66

第六章　近端胃切除术……………………………………………………… 77

第七章　腹腔镜全胃切除术及胃次全切除术（D2 淋巴结清扫术） … 111

第八章　淋巴结清扫术……………………………………………………… 134

第九章　术中特殊情况的处理……………………………………………… 152

第一章

患者体位

Raffaella Ridolfo, Pierpaolo Stortoni, Emilio Feliciotti, Walter Siquini

本章介绍患者准备、正确体位以及手术者合理的站位。

R. Ridolfo（通讯作者）
Division of General Surgery , Senigallia General Hospital , Senigallia, Italy
Division of General Surgery
"A. Murri" Hospital , Fermo , Italy
e-mail: raffaella.ridolfo@email.it

P. Stortoni
Division of General Surgery ,
"A. Murri" Hospital , Fermo , Italy
e-mail: pierpaolostortoni@libero.it

E. Feliciotti
Department of Surgery ,
"Ospedali Riuniti" University Hospital ,
Ancona , Italy
e-mail: feliciotti@live.it

W. Siquini
Division of General Surgery ,
"Madonna del Soccorso" Hospital ,
San Benedetto del Tronto , Italy
e-mail: walter.siquini@sanita.marche.it

W. Siquini (ed.), *Total, Subtotal and Proximal Gastrectomy in Cancer A Color Atlas*,
DOI 10.1007/978-88-470-5749-4_1,

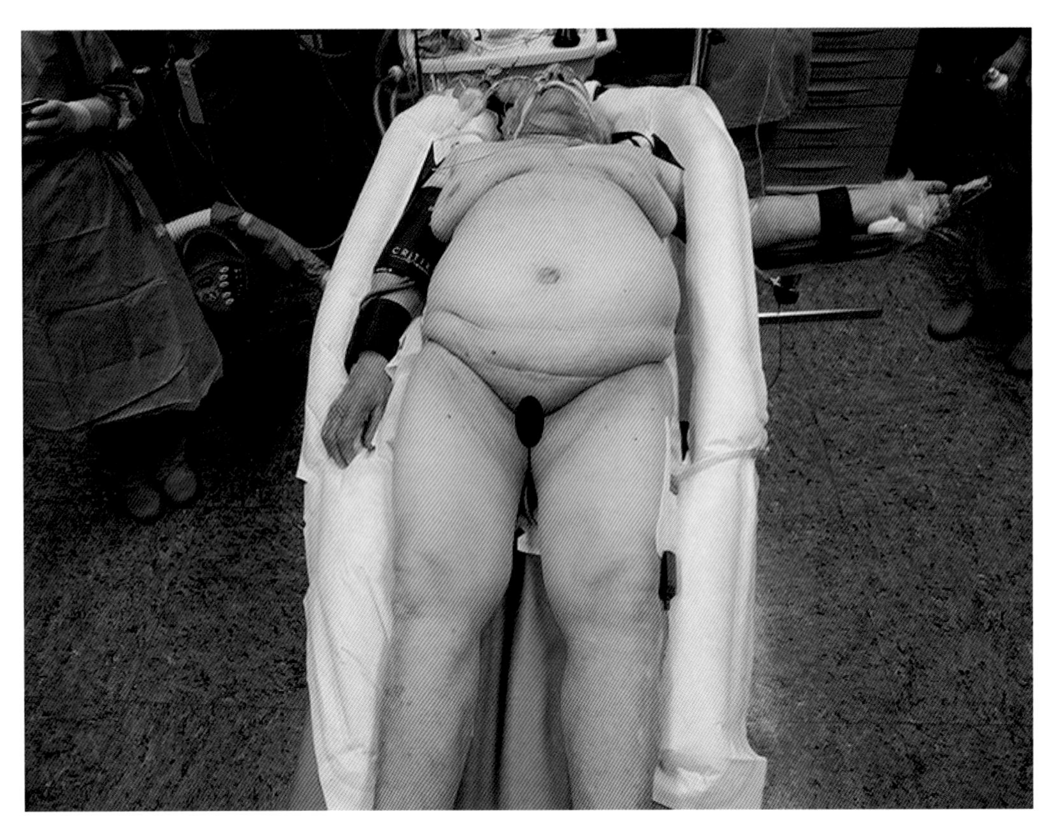

图1-1 患者取平卧位，按麻醉师要求左上肢外展，右上肢内收，放于身体一侧，便于术者及助手站位。患者身下放置加热毯。麻醉成功后，留置导尿管及鼻胃管。在将患者移至手术室之前，用电动理发推子将体毛剪除，其范围：上界达两乳房连线，下界达耻骨连线，外侧界达腋中线。

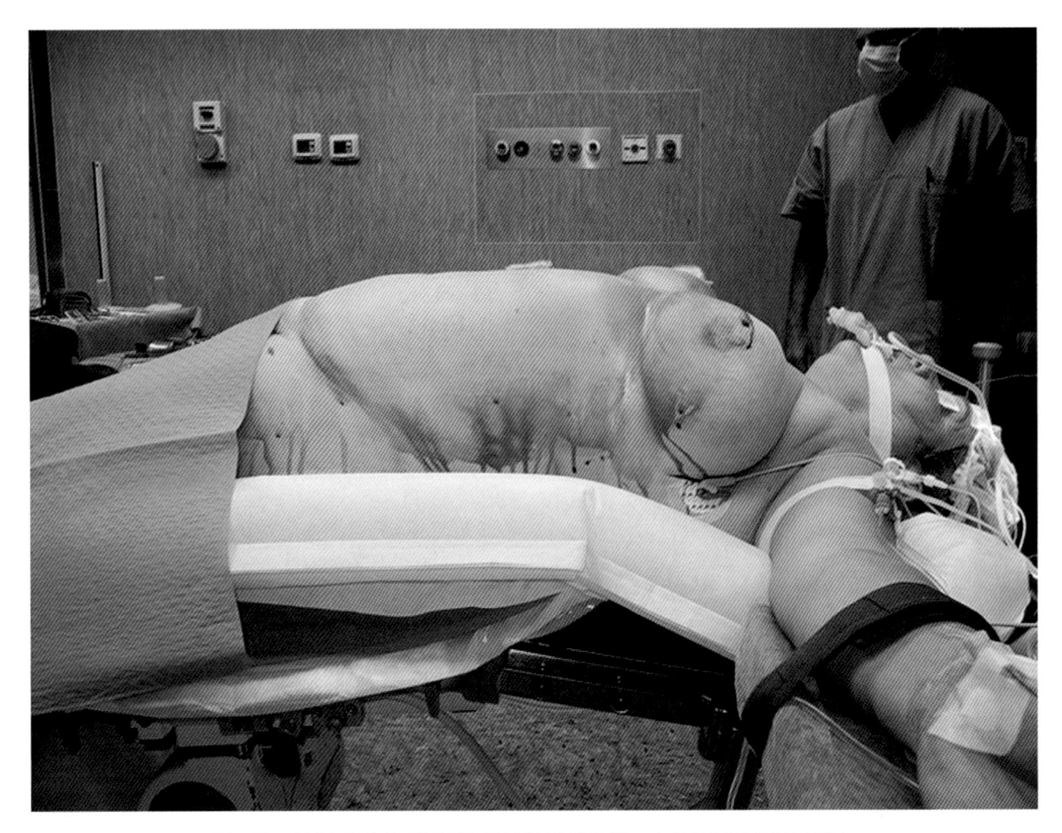

图1-2 将手术床自患者胸部予以适当折曲，可更好地显露术野。

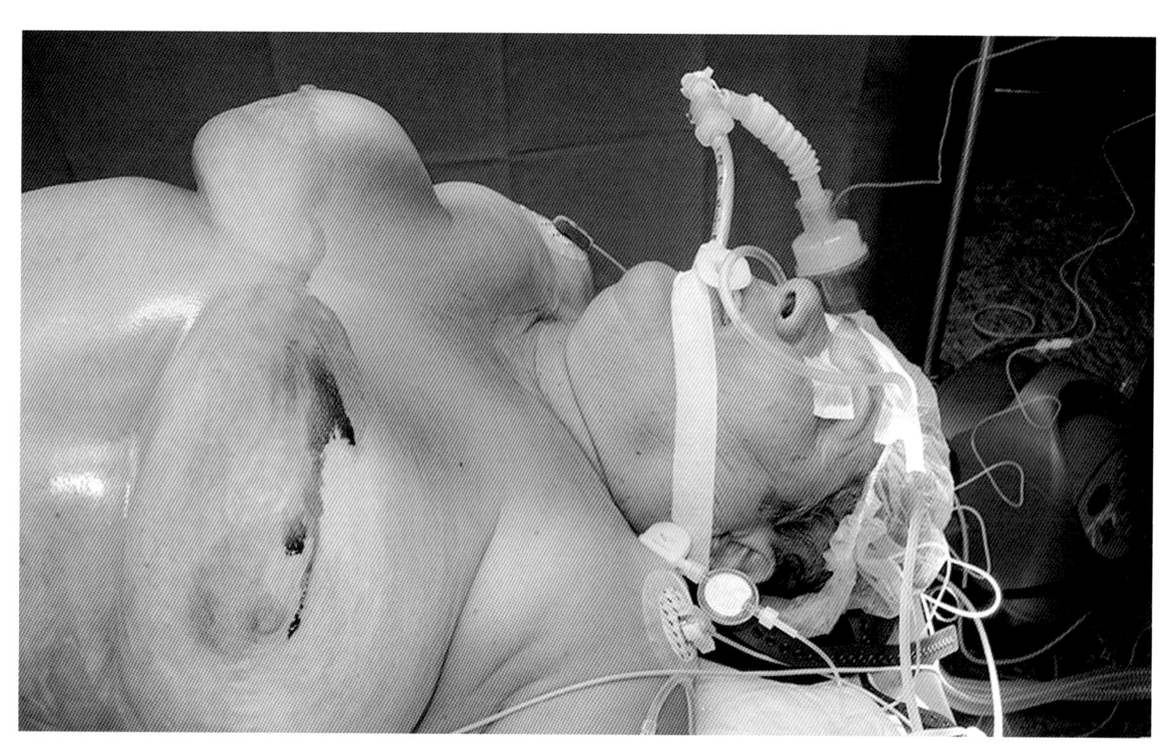

图1-3　在手术室留置术后镇痛硬膜外导管及桡动脉导管以监测动脉血压。

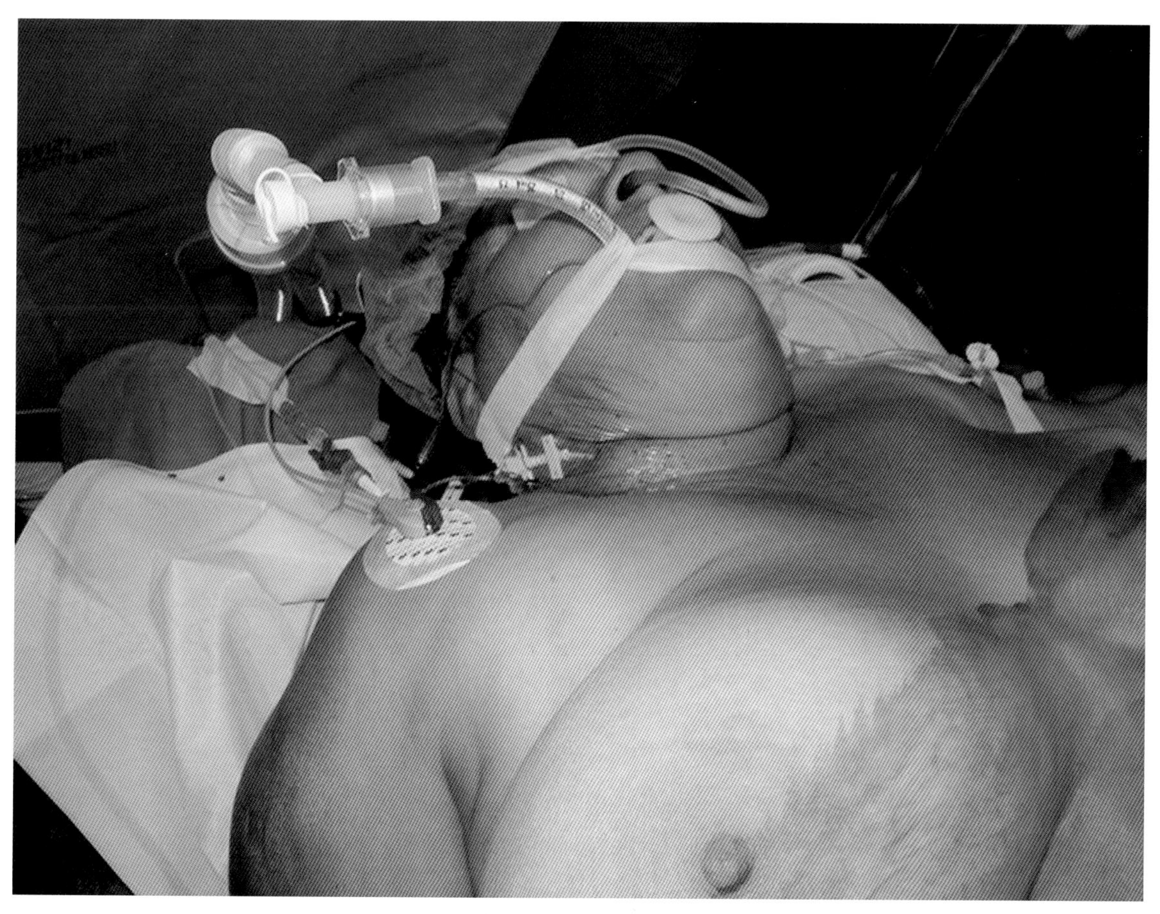

图1-4　在手术室留置中心静脉导管（CVC），便于术中补液和术后肠外营养输注。

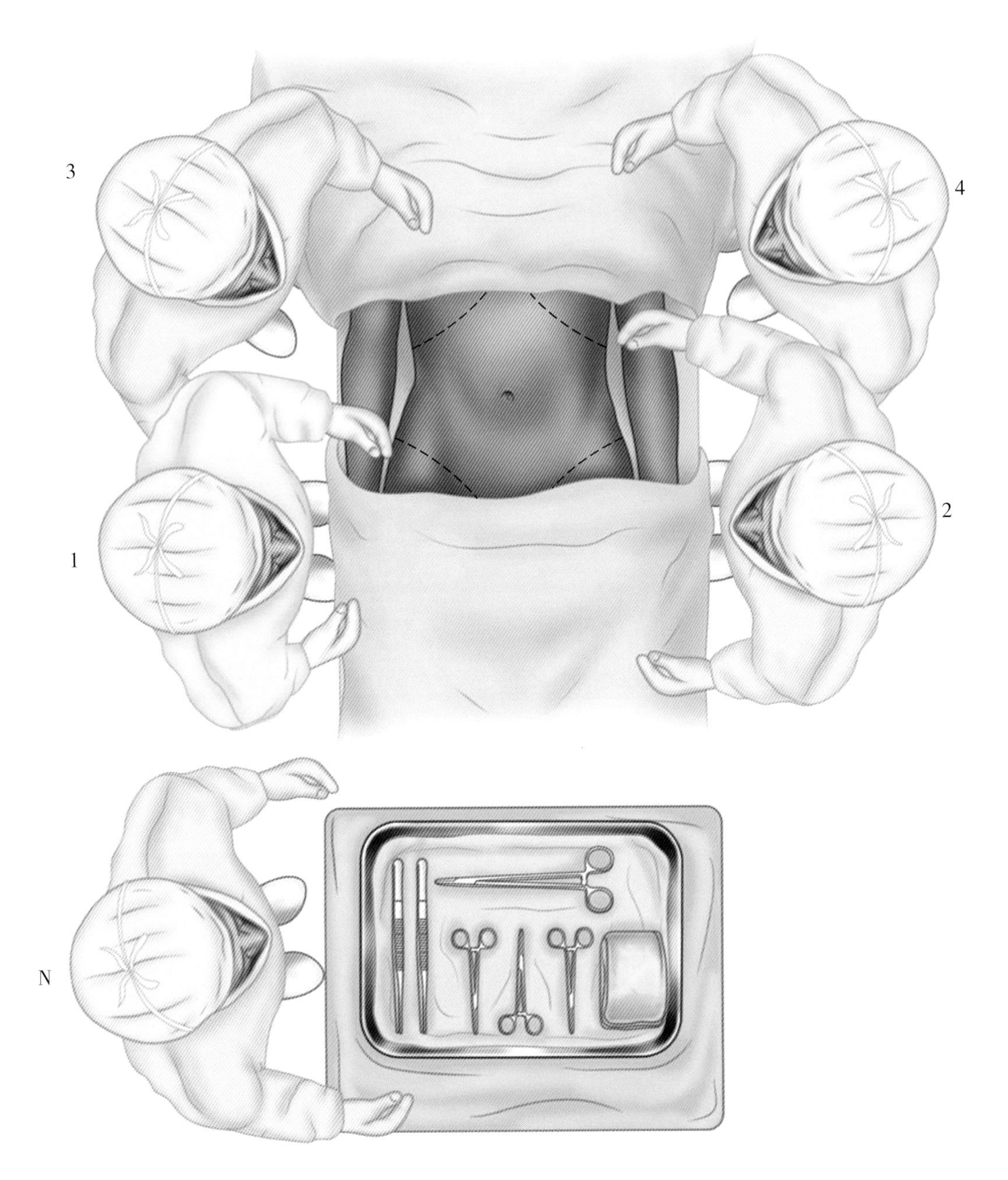

图1–5 手术组成员站位：术者（着绿色衣服者，1）站于患者的右侧，第一助手（2）位于术者对侧，另两名助手分别站于术者左侧（3）和第一助手（4）右侧，洗手护士（N）站于术者的右侧。

第二章 全胃切除术及胃次全切除术共同手术步骤

胃癌手术良好的设计和管理是获得理想手术效果的基础。正确、稳妥地摆放患者体位是手术成功的第一步。麻醉师需密切监测患者生命体征，预防并控制术中低体温、术后疼痛及营养不良。依据手术类型和患者体形设计手术切口，以便于显露术野并减少手术部位感染。腹腔探查、腹水或腹腔灌洗液细胞学检查对肿瘤分期和判断患者预后颇为重要。手术操作务必轻柔，依据解剖结构及其间隙，遵循精准的手术步骤。首先自横结肠游离大网膜，然后处理胃网膜右动脉、静脉及幽门血管，再离断十二指肠，最后结扎切断胃左动脉、静脉。

P. Stortoni（通讯作者）
Division of General Surgery ,
“A. Murri” Hospital , Fermo , Italy
e-mail: pierpaolostortoni@libero.it

E. Feliciotti
Department of Surgery , “Ospedali Riuniti”
University Hospital , Ancona , Italy
e-mail: feliciotti@live.it

R. Ridolfo
Division of General Surgery , Senigallia
General Hospital , Senigallia, Italy
e-mail: raffaella.ridolfo@email.it

W. Siquini
Division of General Surgery ,
“Madonna del Soccorso” Hospital ,
San Benedetto del Tronto , Italy
e-mail: walter.siquini@sanita.marche.it

W. Siquini (ed.), *Total, Subtotal and Proximal Gastrectomy in Cancer A Color Atlas*,
DOI 10.1007/978-88-470-5749-4_2, © Springer-Verlag Italia 2015

一、切口

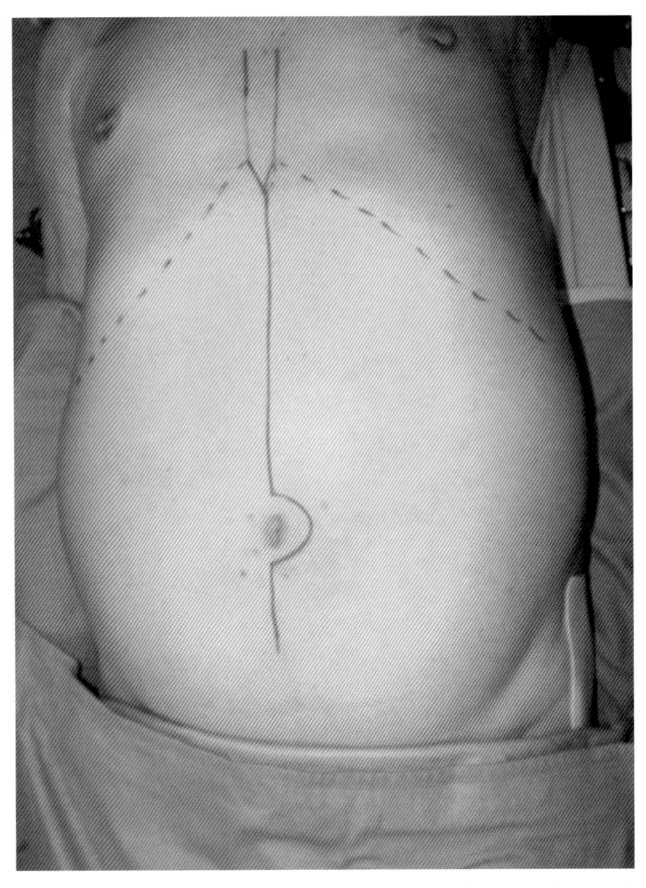

图2-1 聚维酮碘（碘过敏者使用苯扎氯铵）消毒2遍。上腹正中切口起自剑突，下达肚脐之下，该切口适用于正常体形和体重的患者，可顺利完成全胃切除术和胃次全切除术。

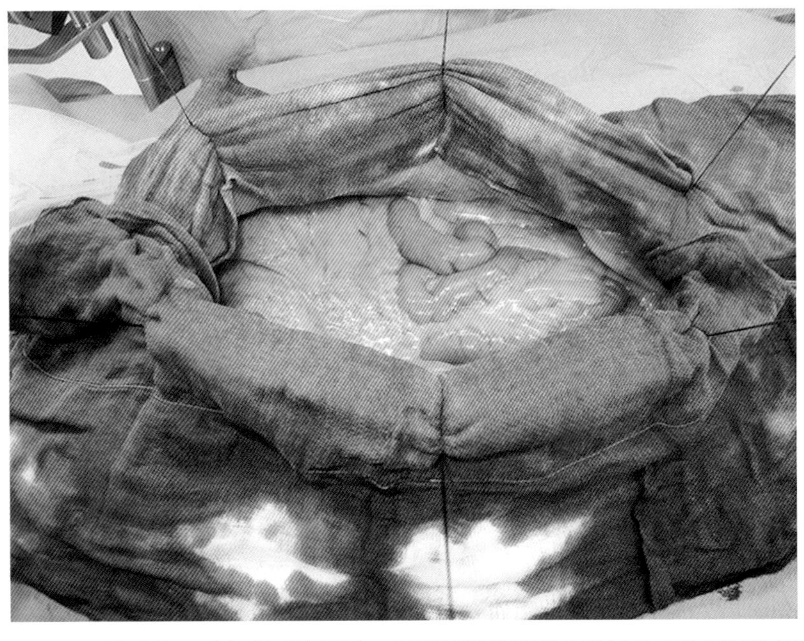

图2-2 为降低手术部位感染风险，用浸蘸聚维酮碘（碘过敏者使用苯扎氯铵）大纱布垫保护切口，避免组织层与手术部位直接接触而造成污染，用3针全层缝线予以固定。

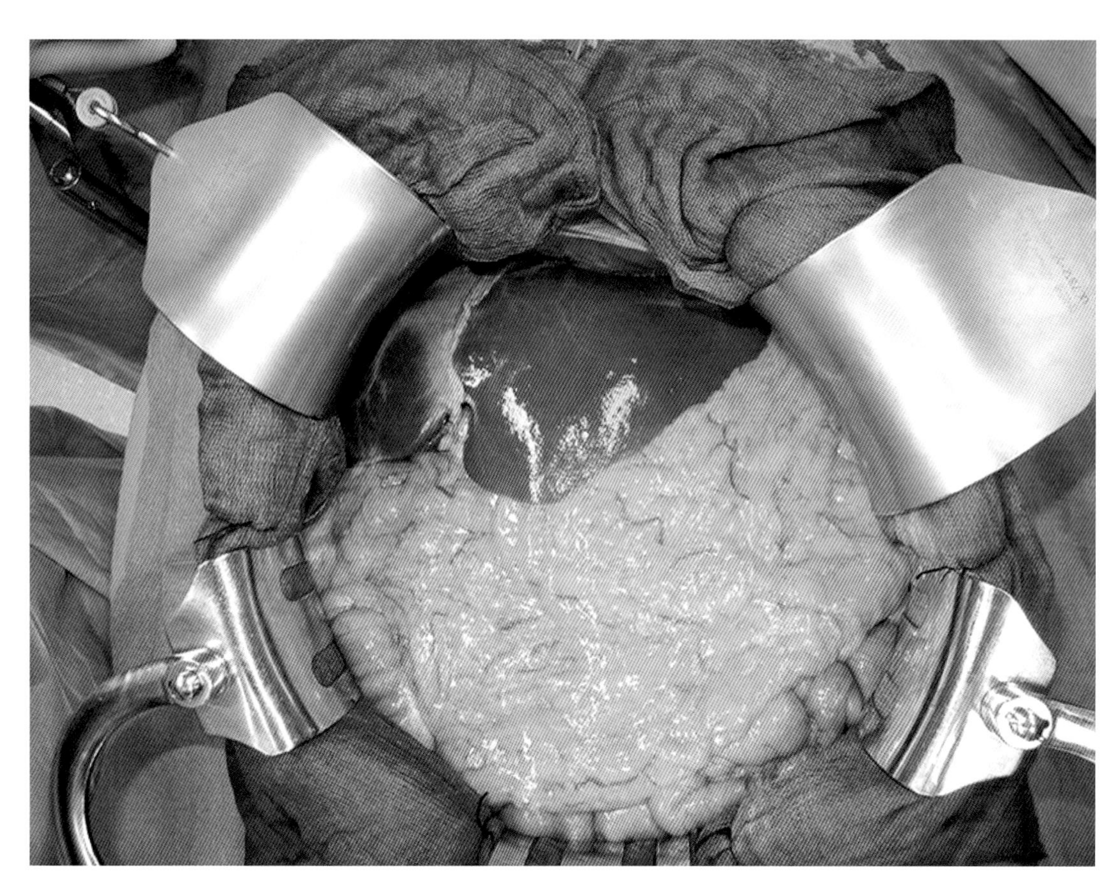

图2-3　用Ulrich及Guarducci拉钩牵拉显露术野。

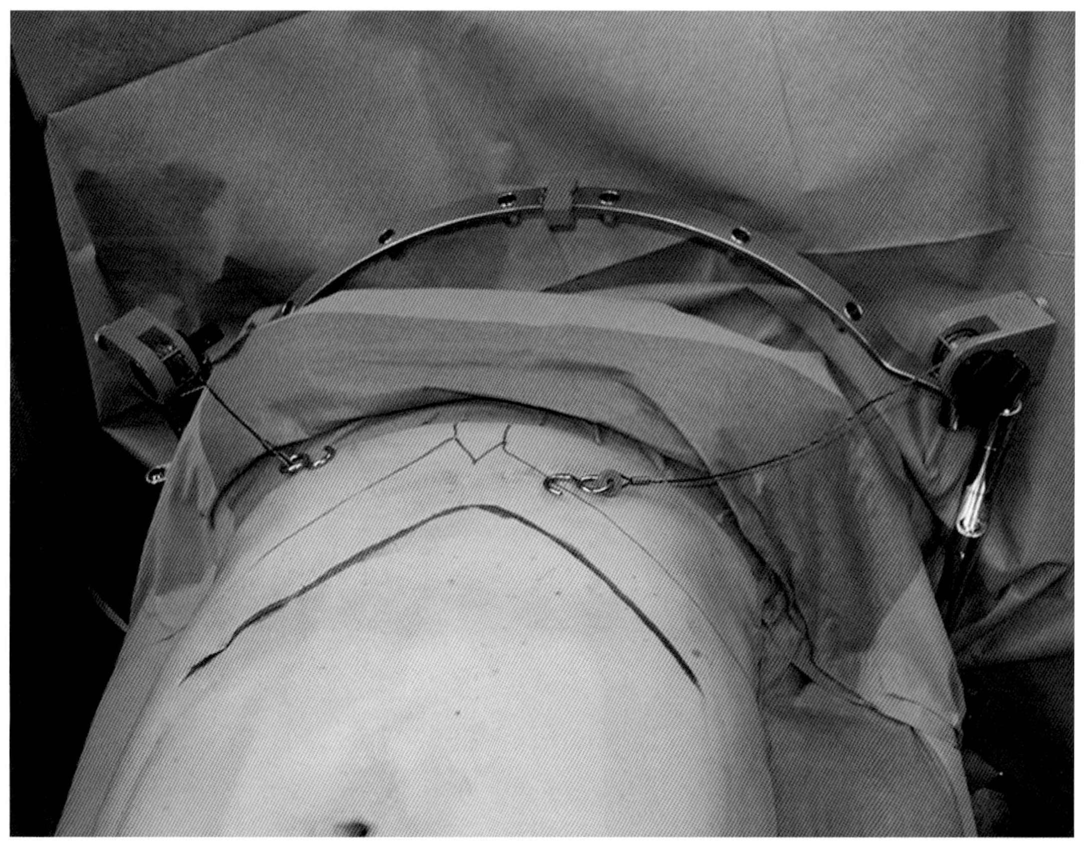

图2-4　身体矮胖或食管贲门肿瘤患者应行双侧肋缘下斜切口，以更好地显露术野。

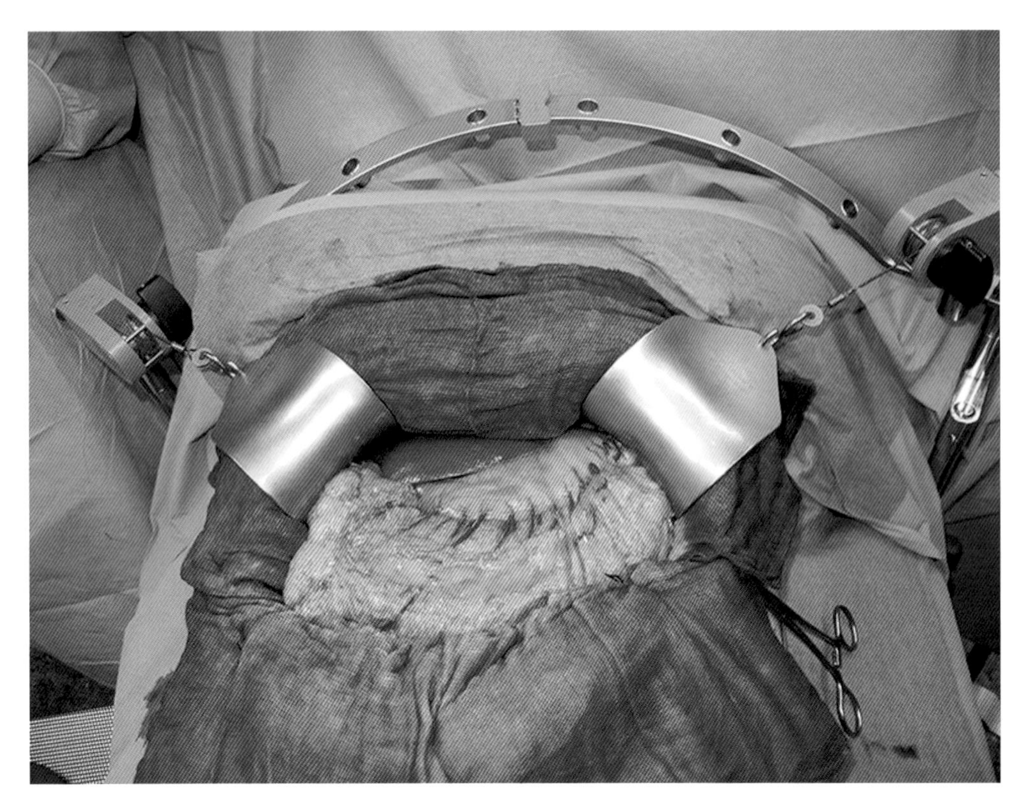

图2-5 用Ulrich 、Kent或Rochard拉钩牵拉显露术野。

二、腹腔探查及腹腔灌洗细胞学检查

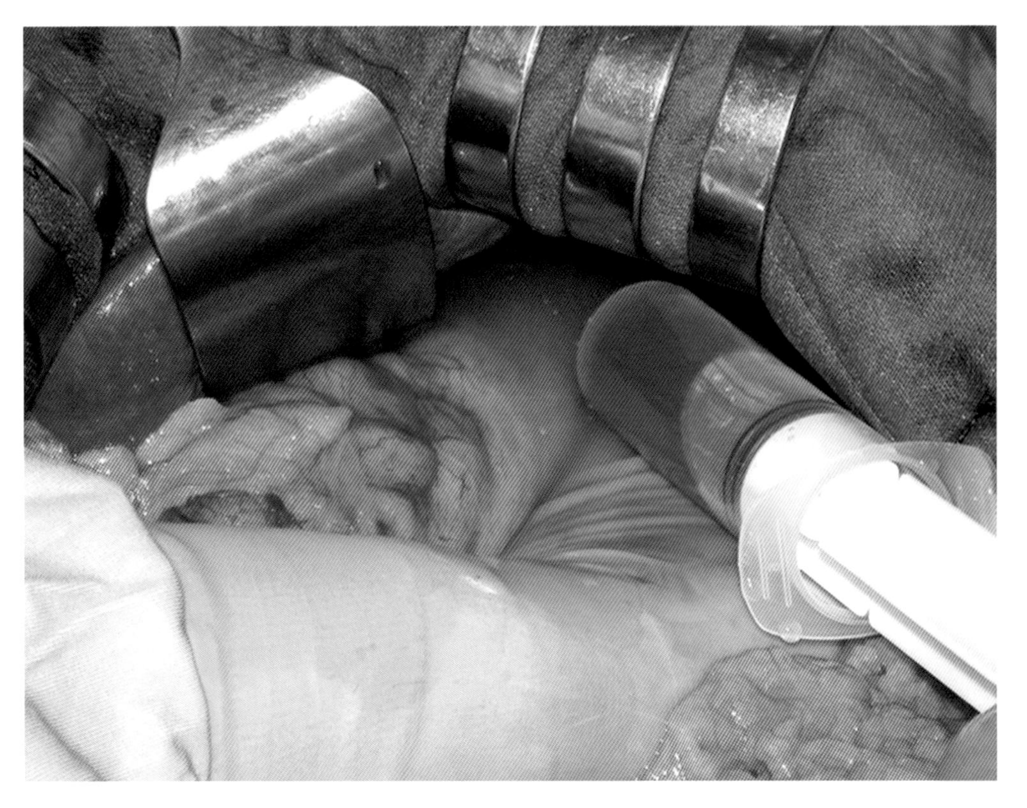

图2-6 如未见大网膜或腹膜癌结节，结肠系膜上方间隙有游离腹水者，可抽取腹水行术中细胞学检查；否则应行腹腔灌洗，用大约100mL生理盐水冲洗肿瘤浸润胃壁部分，然后收集冲洗液，行术中细胞学检查。

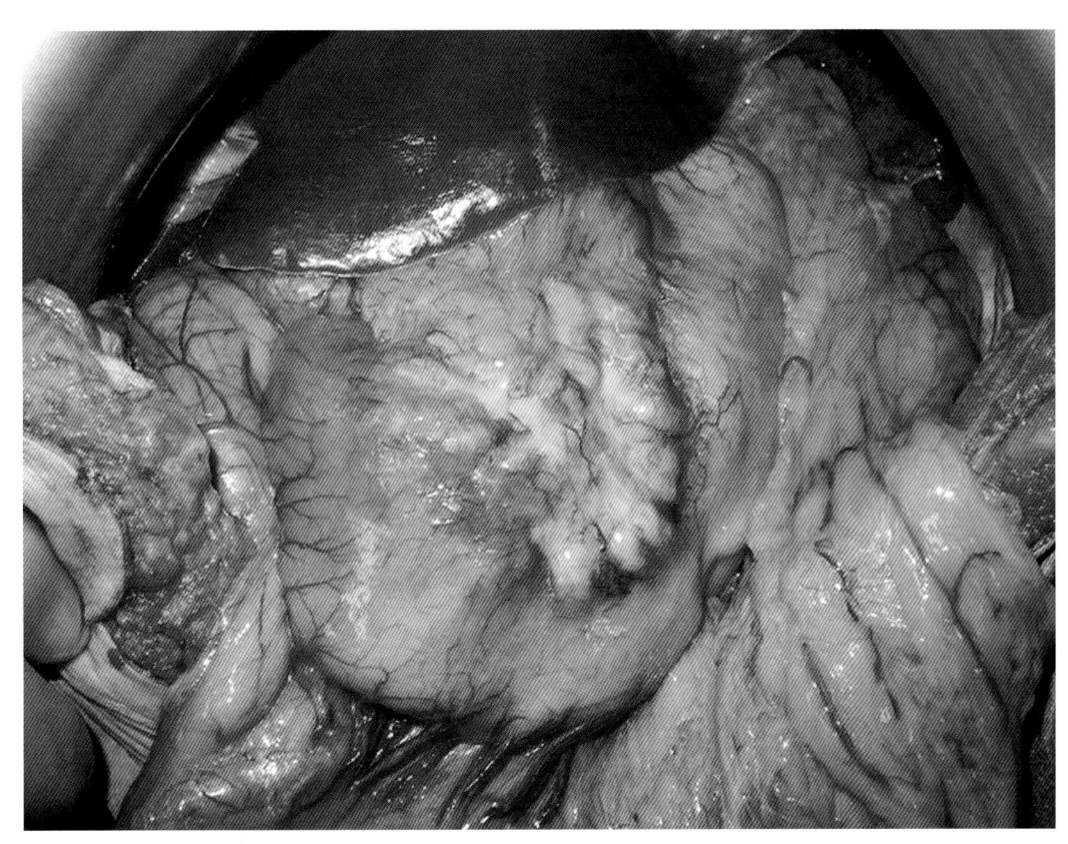

图2-7 局部进展期胃癌大范围侵犯胃小弯及附近淋巴结。

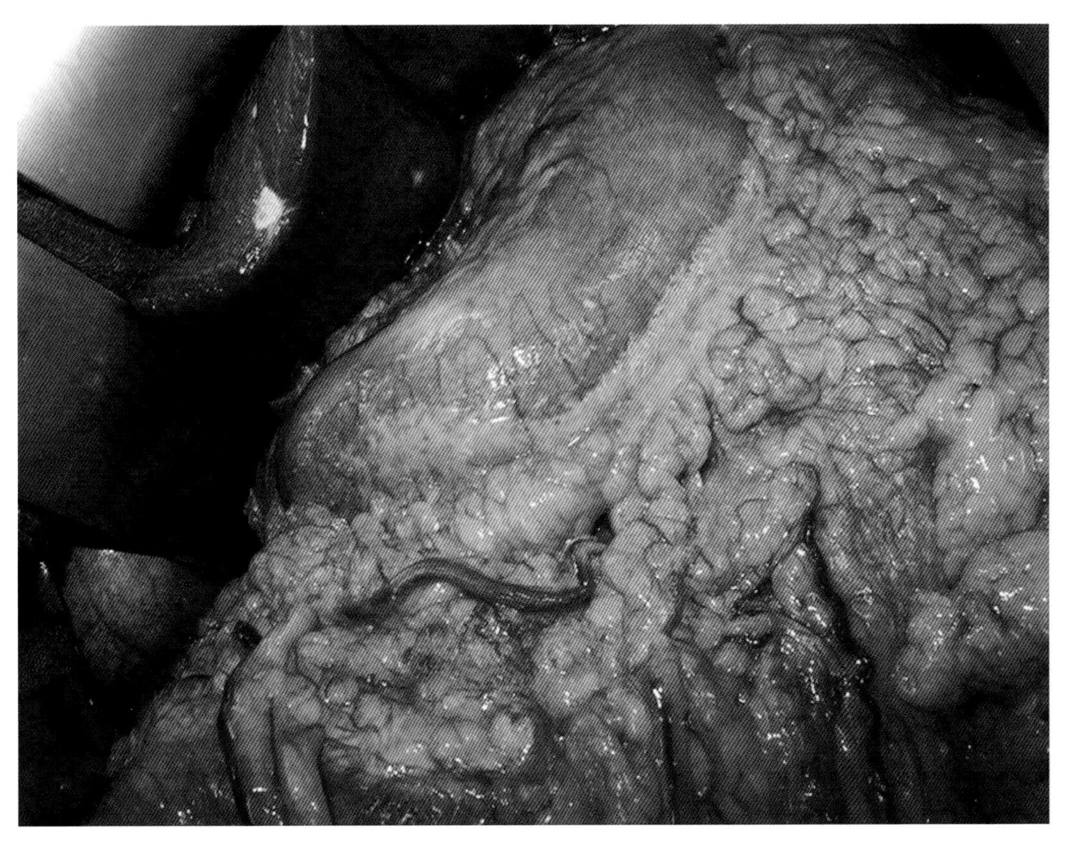

图2-8 弥漫浸润性胃癌是指胃癌细胞沿胃壁弥漫性浸润全胃，导致胃壁增厚，质地变硬，也称为“皮革样胃”。

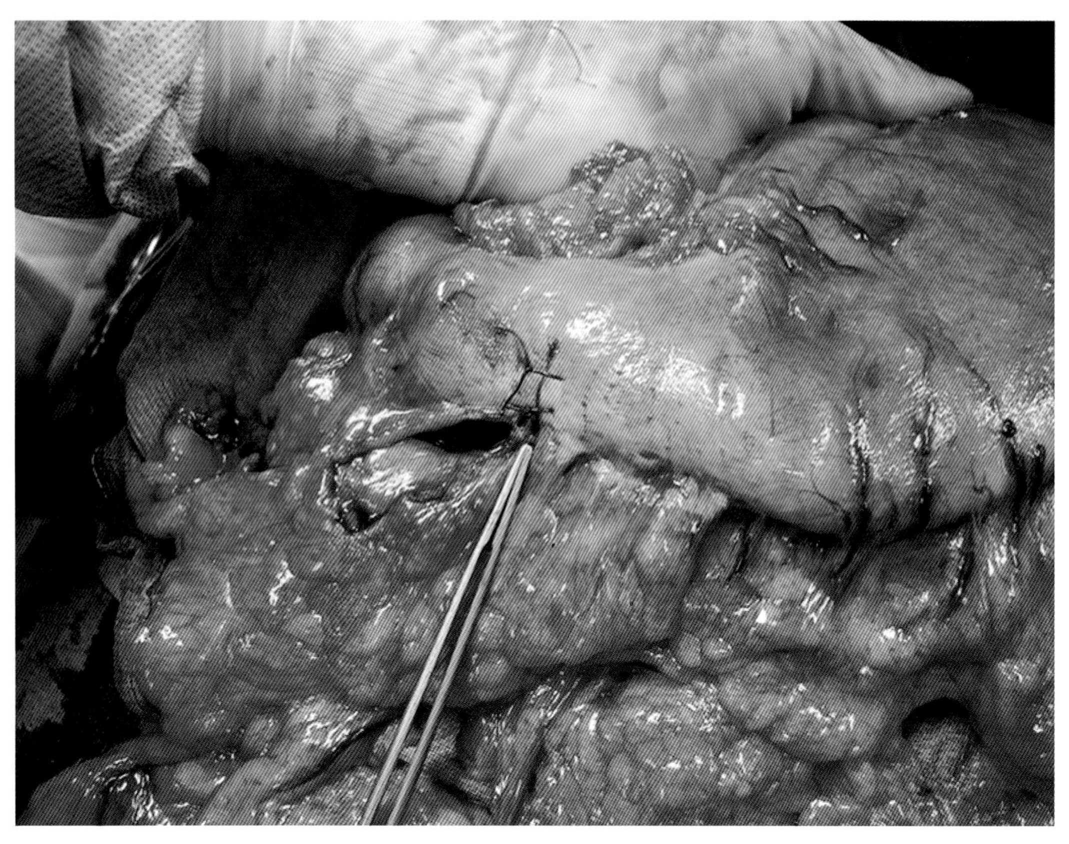

图2-9 由于“皮革样胃”术前胃镜活检诊断困难，术中可行全层胃壁活检，以明确诊断。

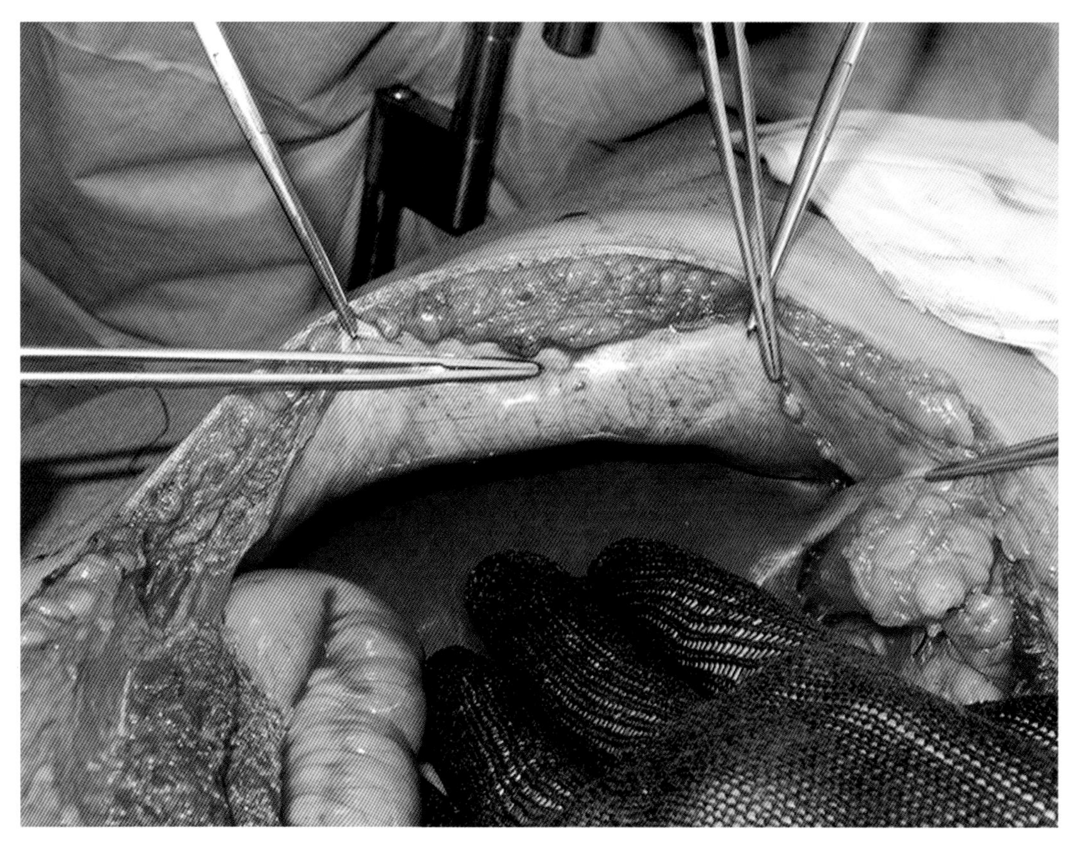

图2-10 在横结肠系膜上、下间隙中探查有无腹膜癌结节。

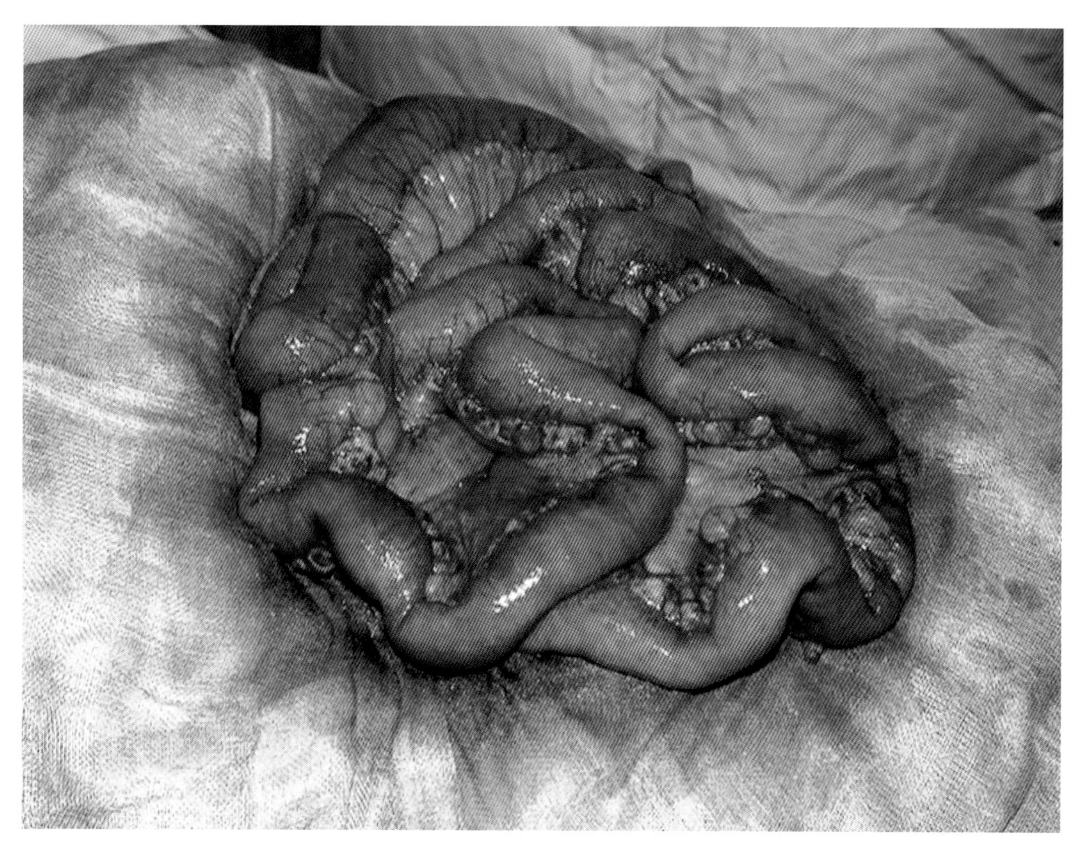

图2-11 小肠及小肠系膜癌结节。

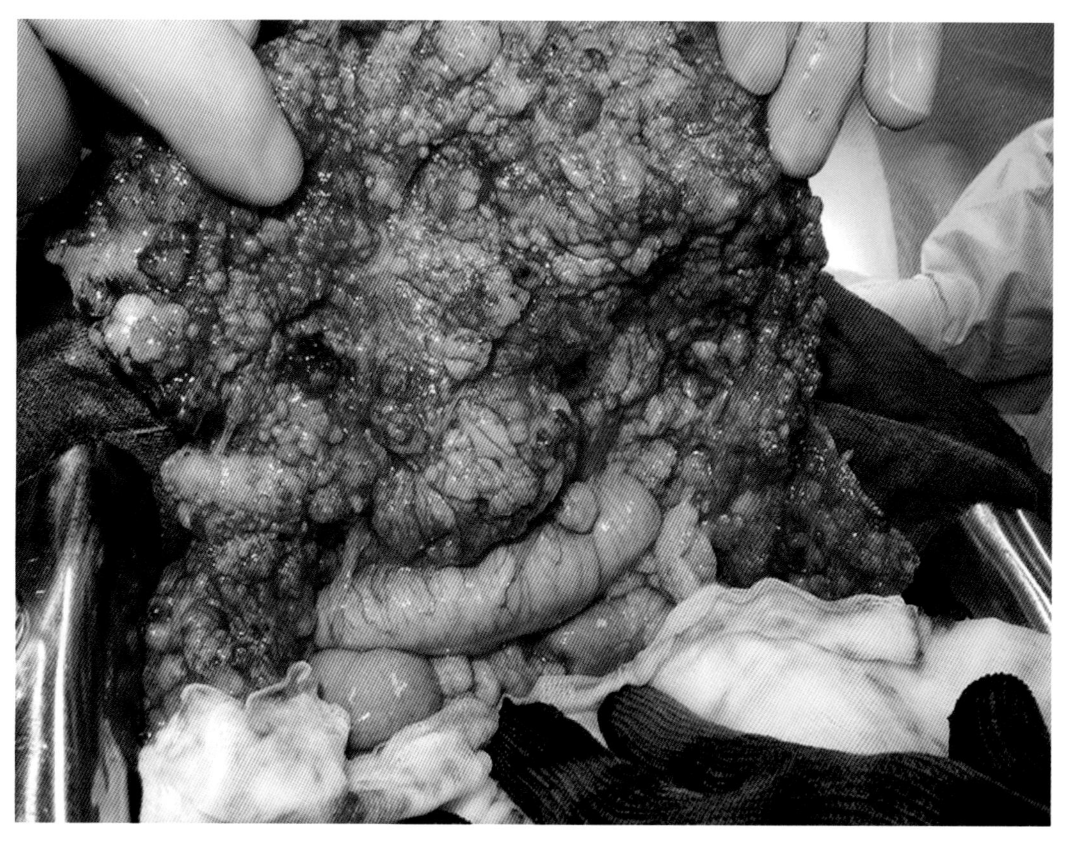

图2-12 大网膜癌结节。

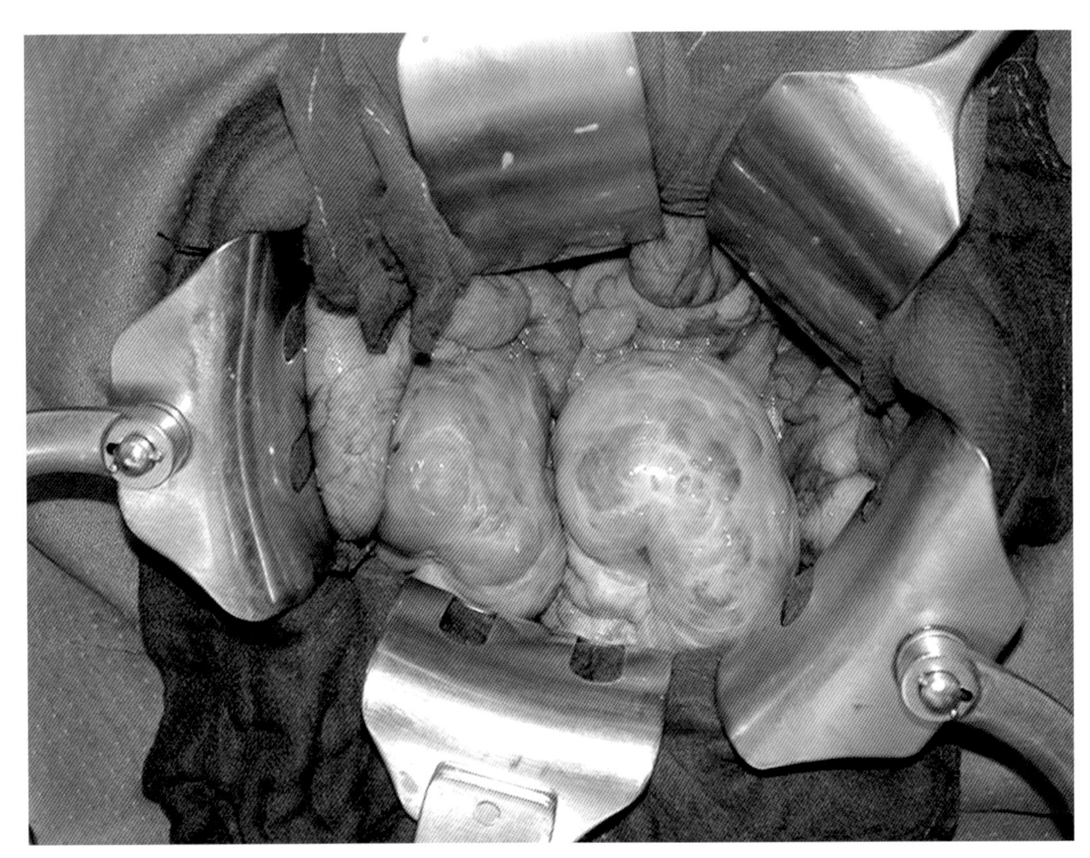

图2-13 女性患者需探查双侧卵巢，以排除转移性疾病，如克鲁肯贝格（Krukenberg）瘤。

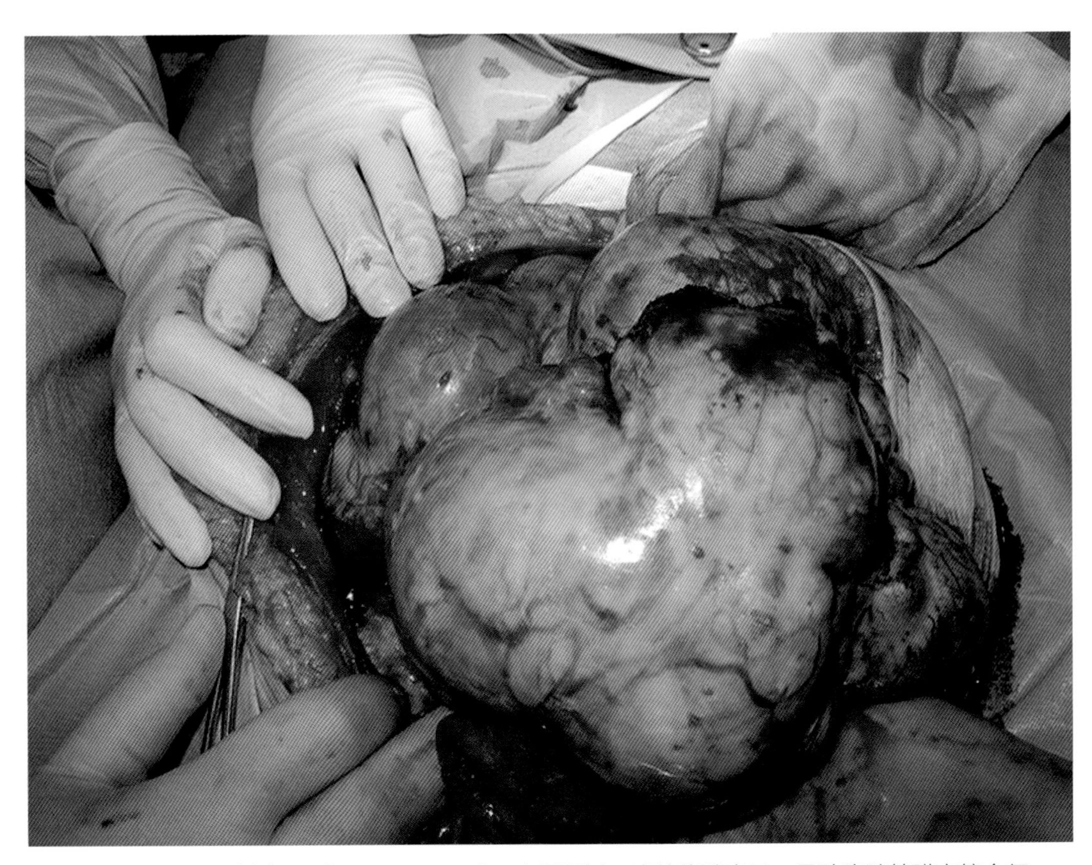

图2-14 一罕见病例，巨大Krukenberg瘤，占据超过一半的腹腔容量，导致腹腔筋膜室综合征。

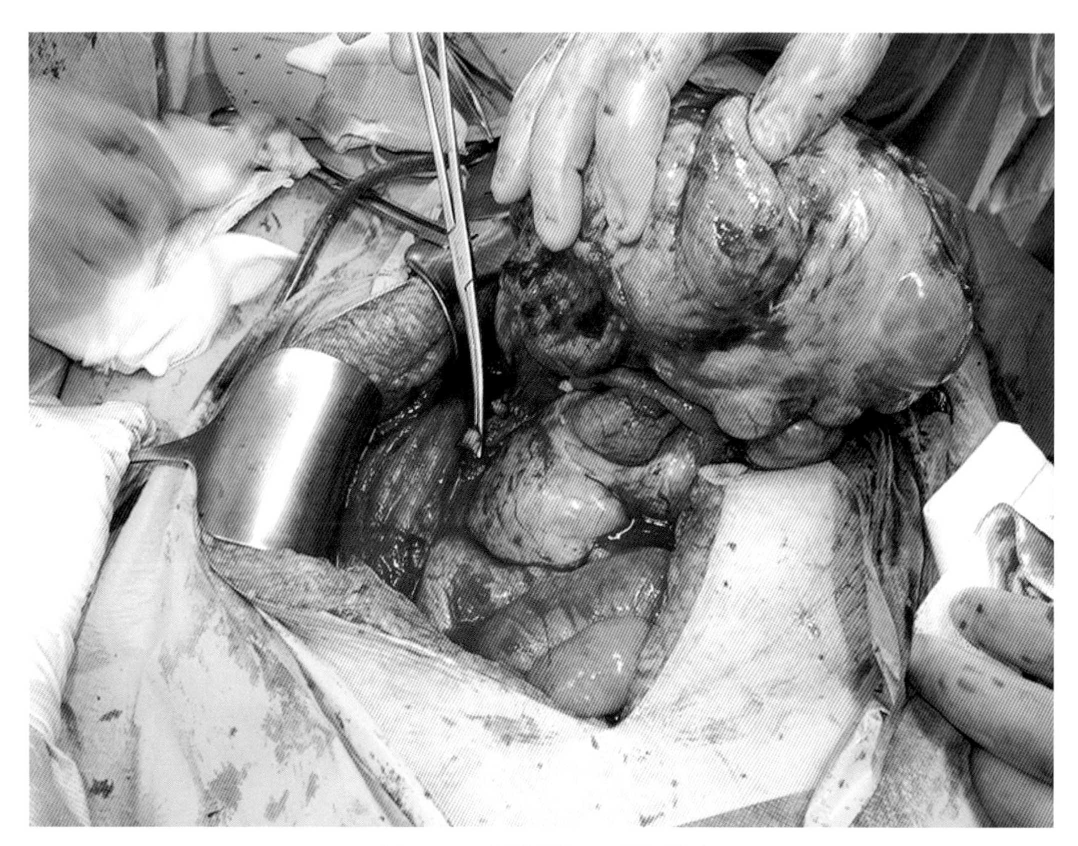

图2-15 切除图2-14所示肿瘤。

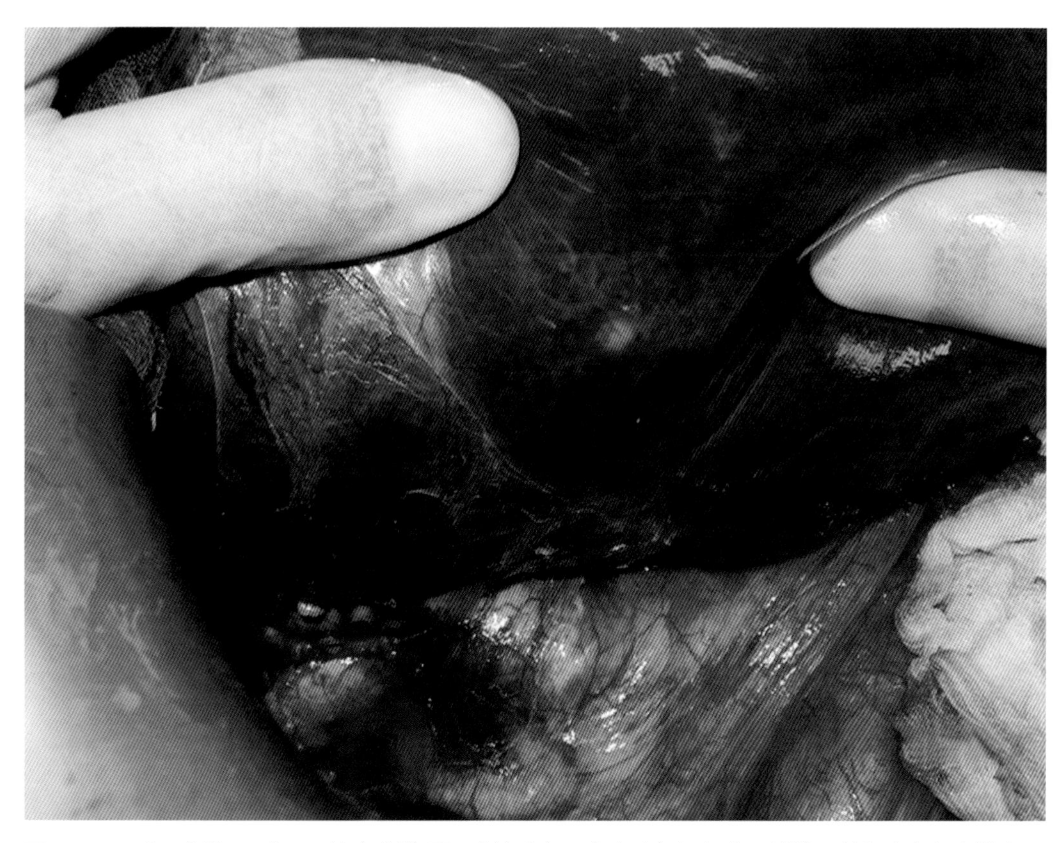

图2-16 对于术前CT或MRI检查未发现肝脏转移者，术中应仔细探查、触摸，并行术中超声检查，以发现可能转移灶。

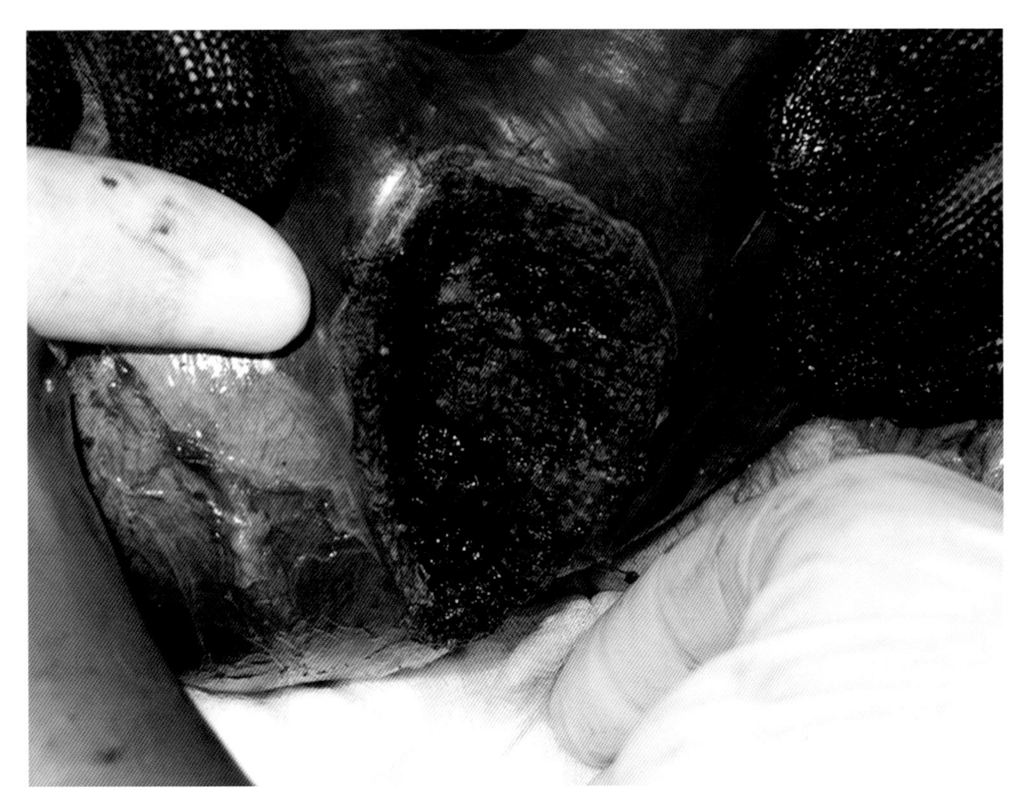

图2-17　孤立的肝表面转移灶在胃切除之前予以切除。

三、自横结肠游离大网膜

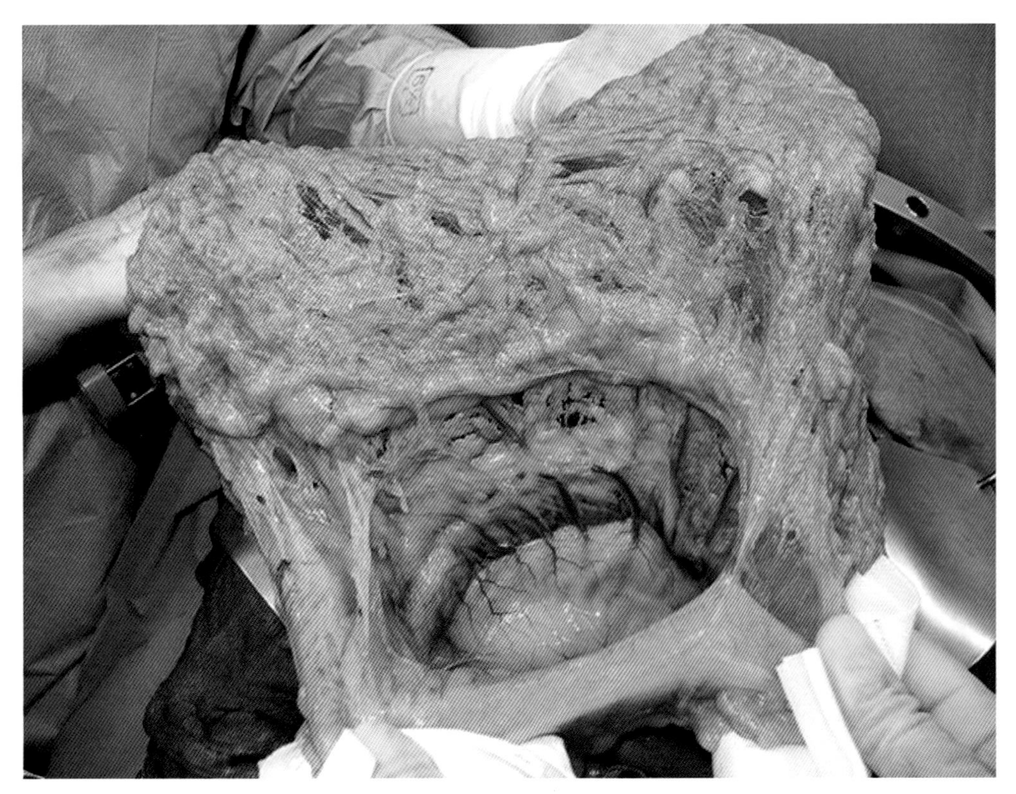

图2-18　术者识别大网膜和横结肠系膜前叶的融合处，自右侧向左侧分离，自横结肠完全游离大网膜，进入小网膜囊，显露胃后壁、胰腺被膜、胃网膜右动脉、胃网膜右静脉、十二指肠球部及降部。如此可将大网膜连同胃组织整体切除。

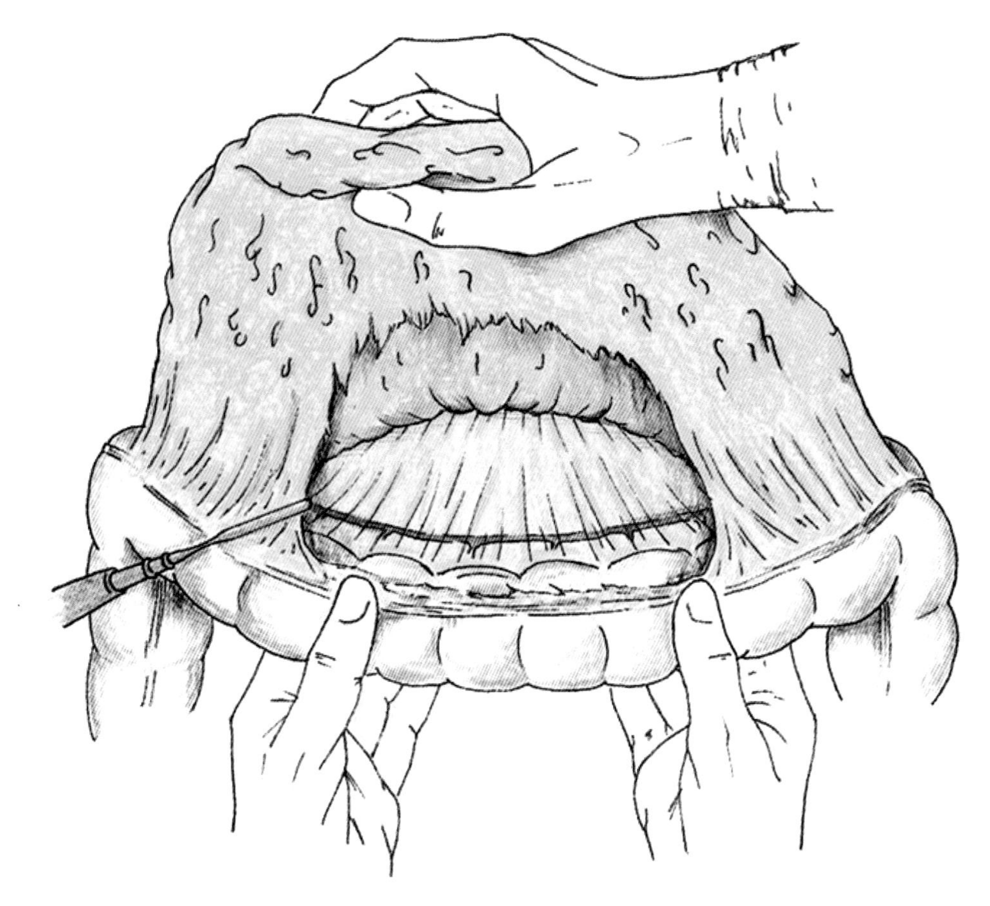

图2-19　图2-18示意图。

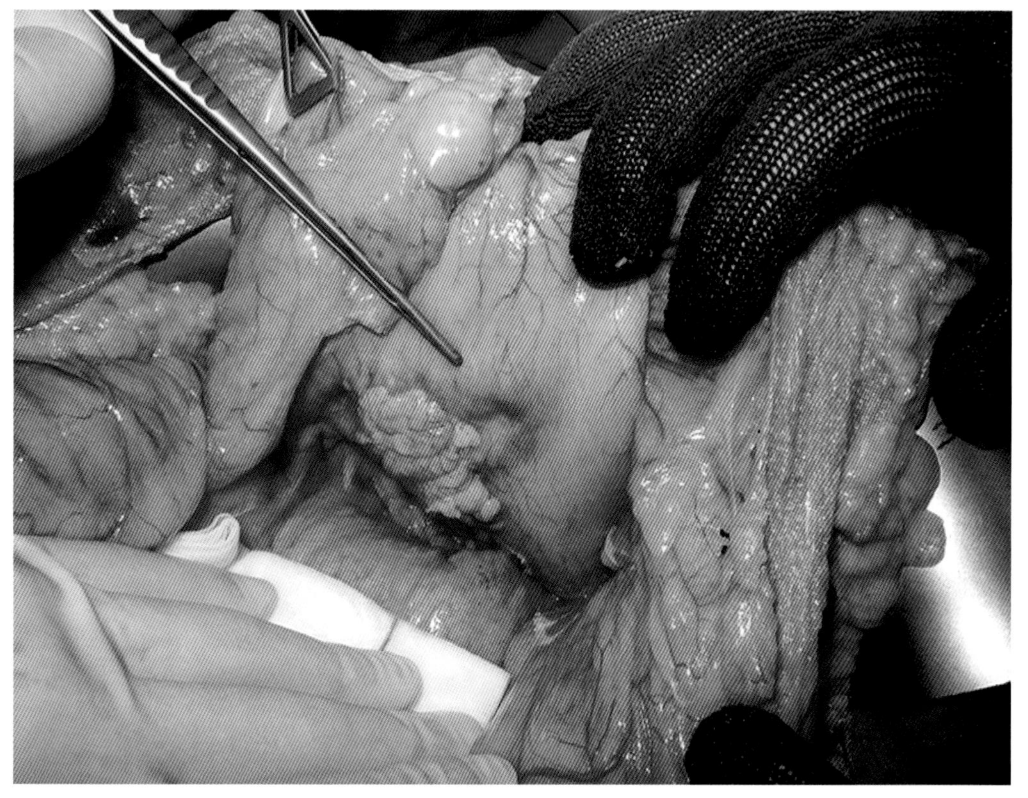

图2-20　胃后壁肿瘤浸出浆膜层，侵犯小网膜囊。

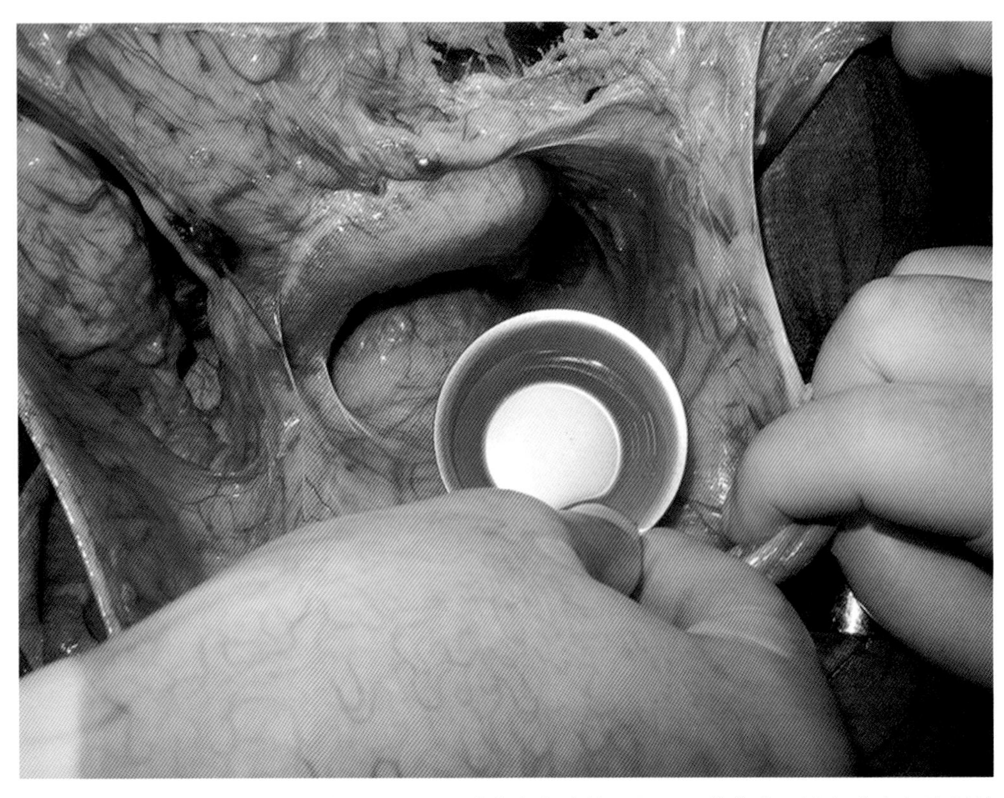

图2-21 如果胃后壁未见肿瘤浸出，小网膜囊内有液体积聚，可收集此积液行术中细胞学检查；否则，可用生理盐水行小网膜囊灌洗，回收灌洗液，行术中细胞学检查。

四、游离胃网膜右动、静脉

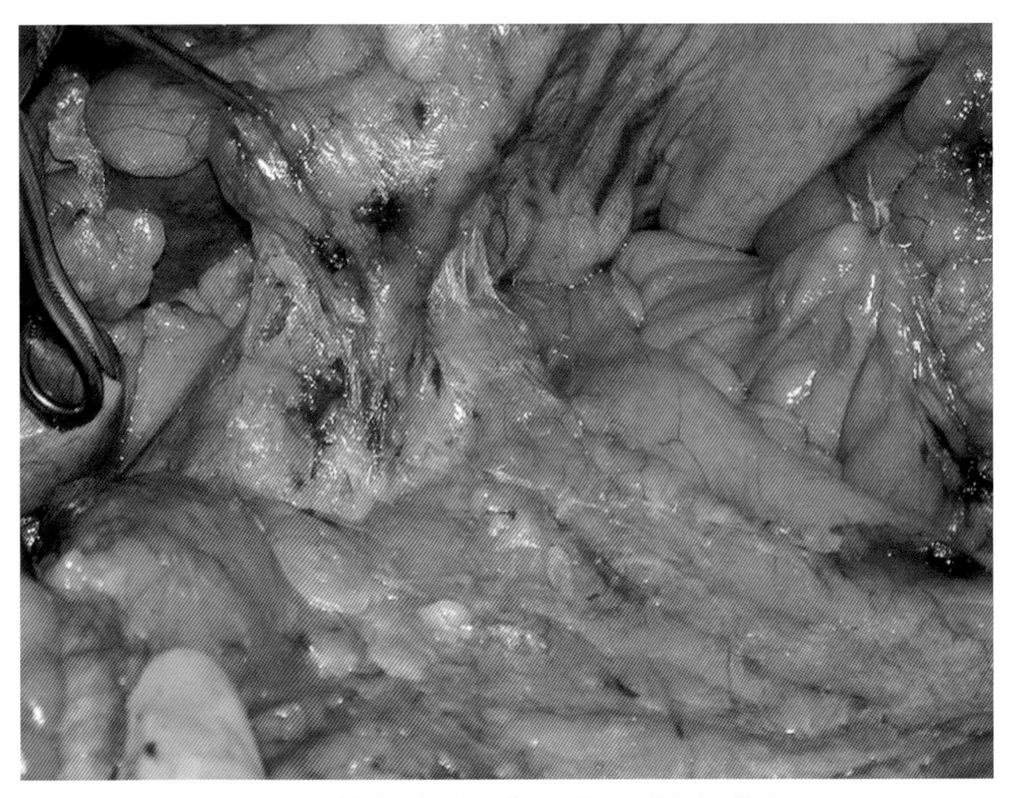

图2-22 自横结肠游离大网膜，显露胃网膜右动、静脉。

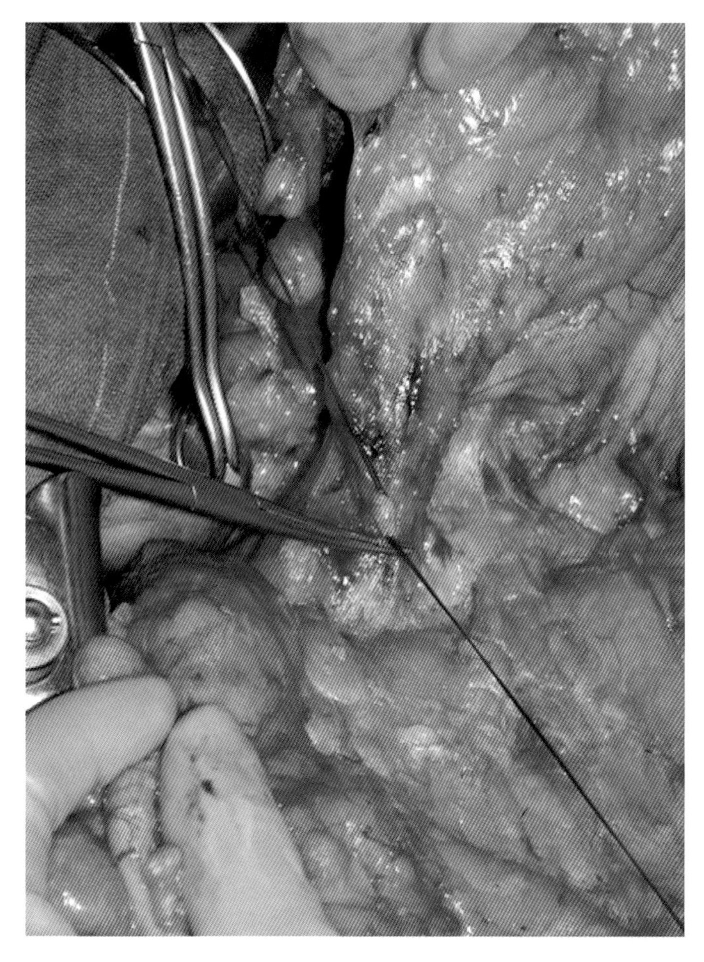

图2-23 胃网膜右动、静脉自根部游离，于两结扎线之间切断。

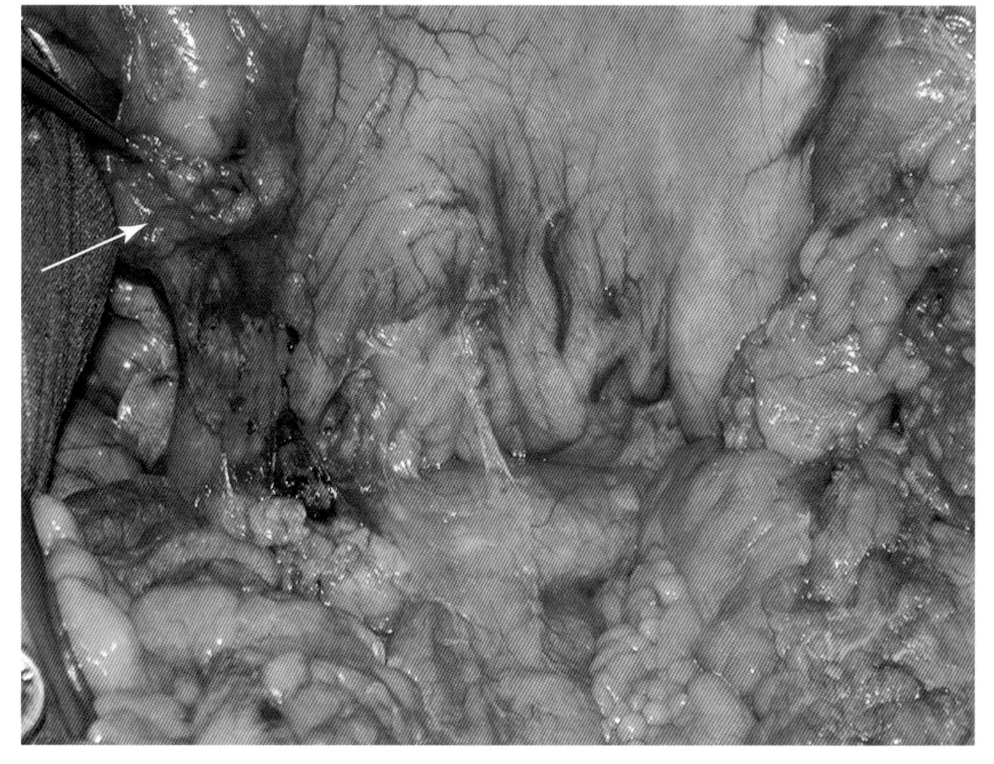

图2-24 No.6组淋巴结（箭头）一并清除。

五、游离幽门血管

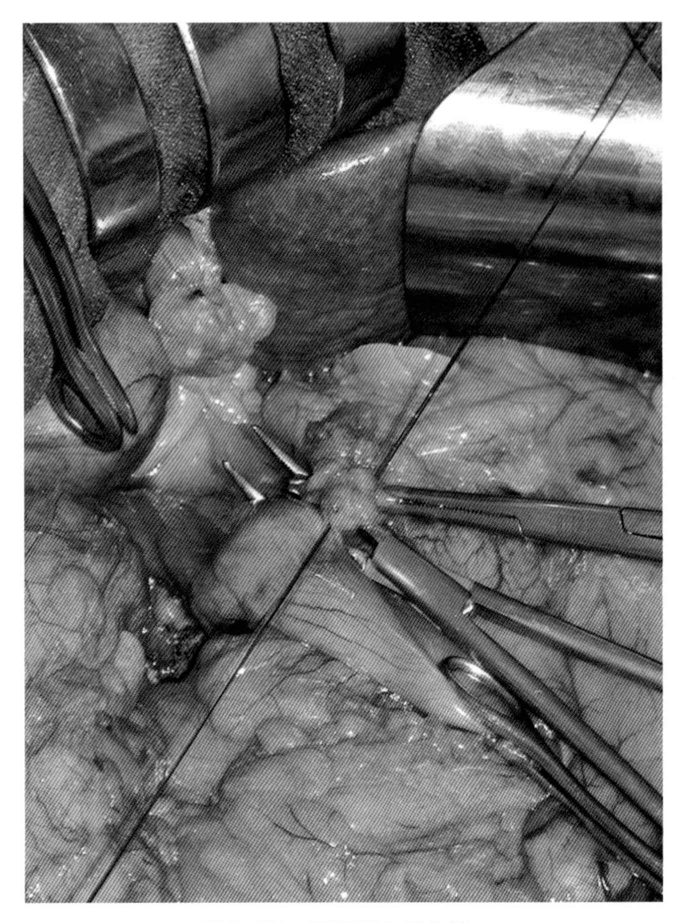

图2-25 游离胃右侧血管。

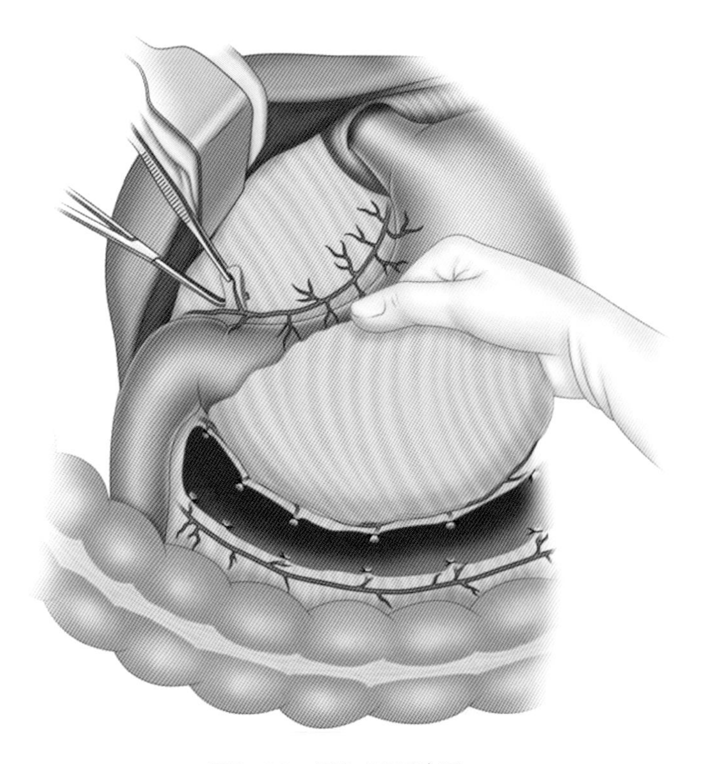

图2-26 图2-25示意图。

六、横断十二指肠

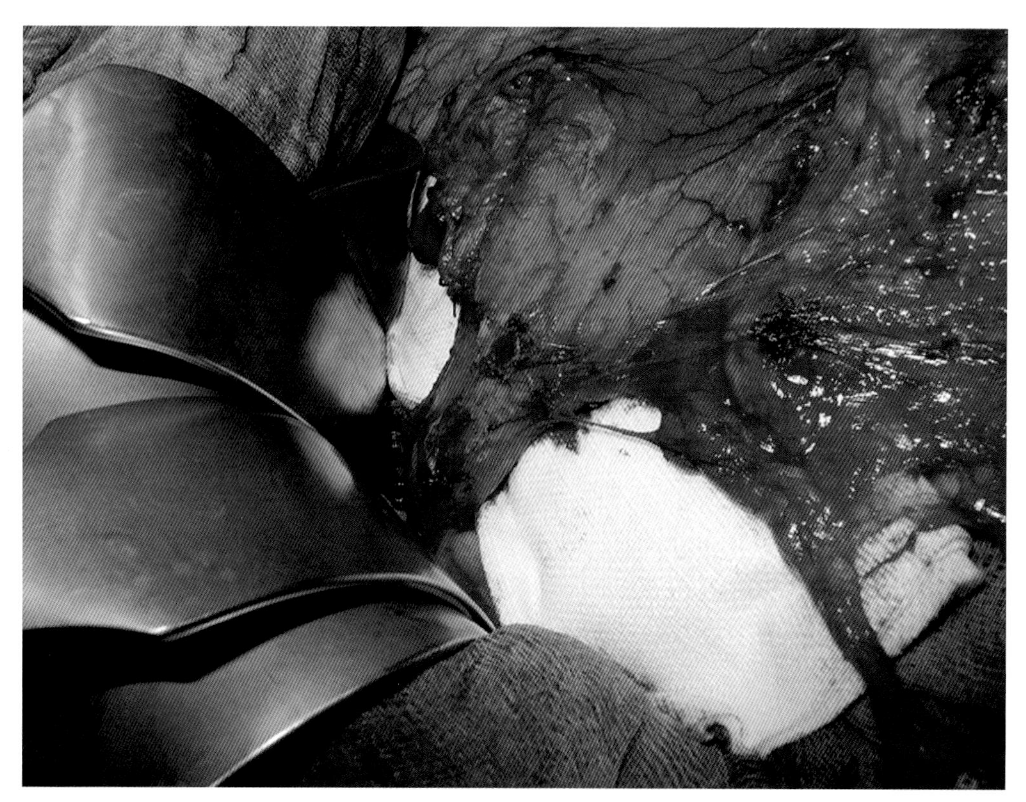

图2-27 游离十二指肠球部，距离幽门至少3～4cm。

图2-28 直线型胃肠吻合器GIA 55距离幽门至少2～3cm，距离十二指肠肛侧游离边缘1cm，确认理想的切割闭合位置，关闭GIA 55。

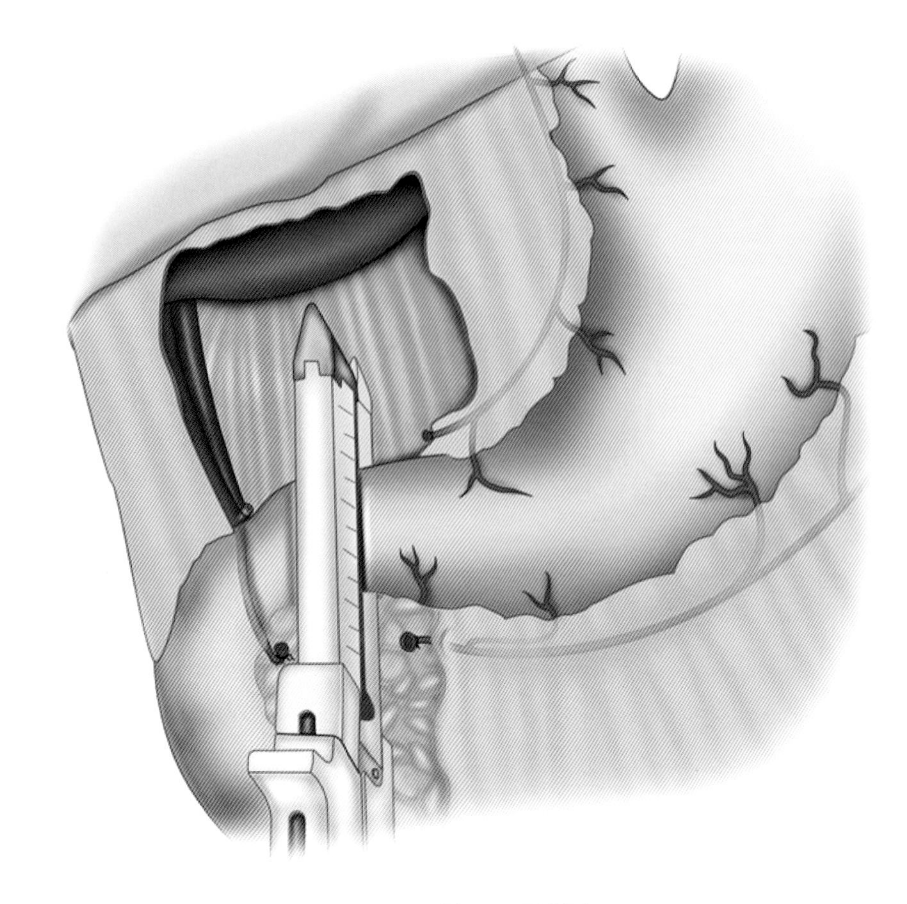

图2-29　图2-28示意图。

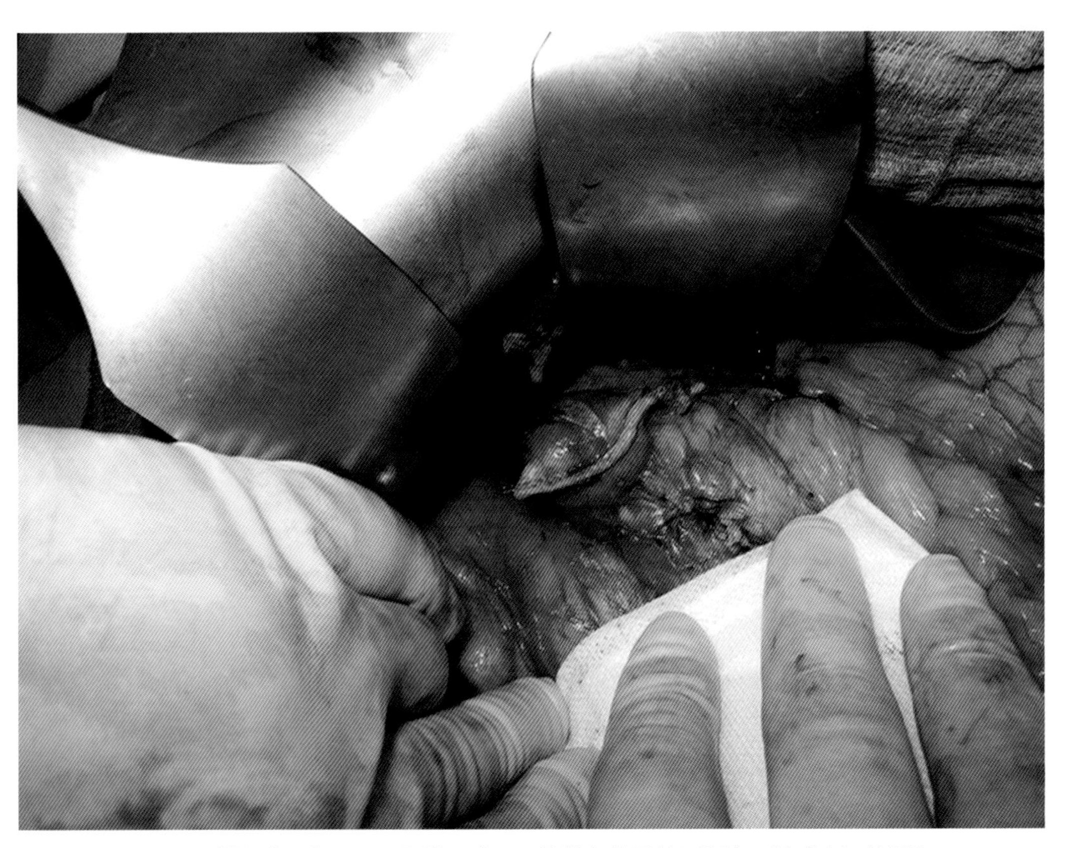

图2-30　横断十二指肠，用聚维酮碘浸湿的纱布垫覆盖两断端，以减少细菌污染。

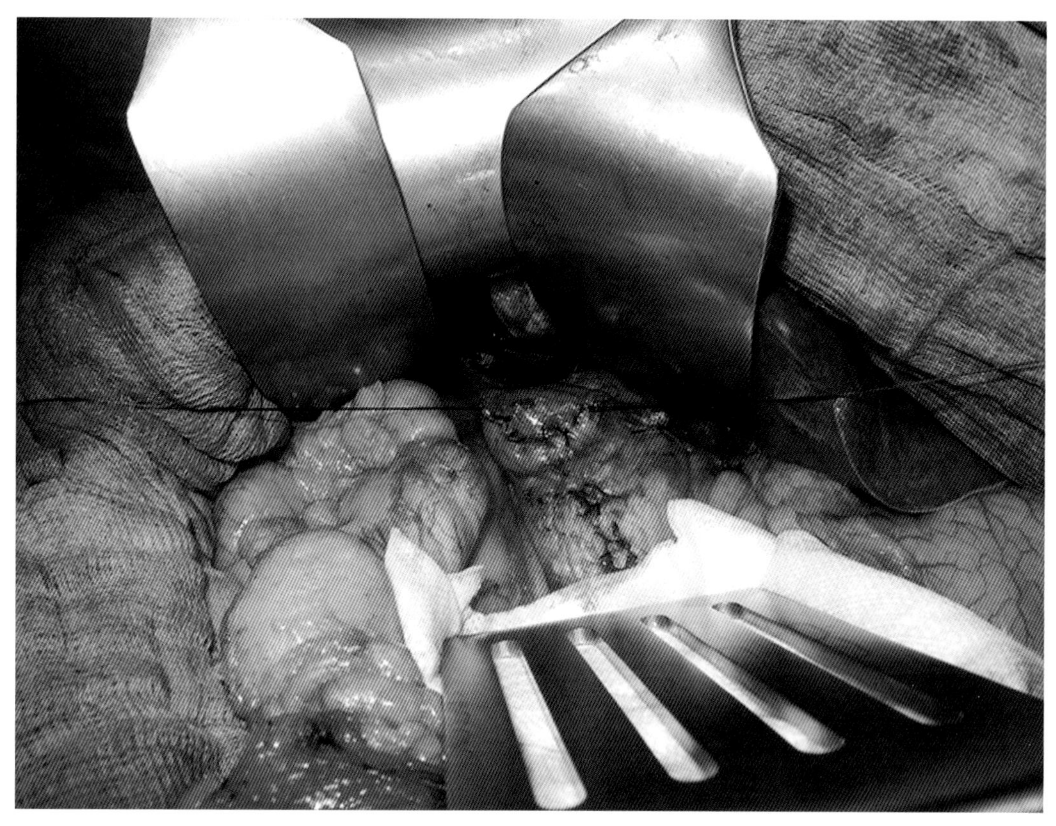

图2-31　用3-0可吸收线间断浆肌层缝合包埋十二指肠残端，减少十二指肠残端漏的发生。

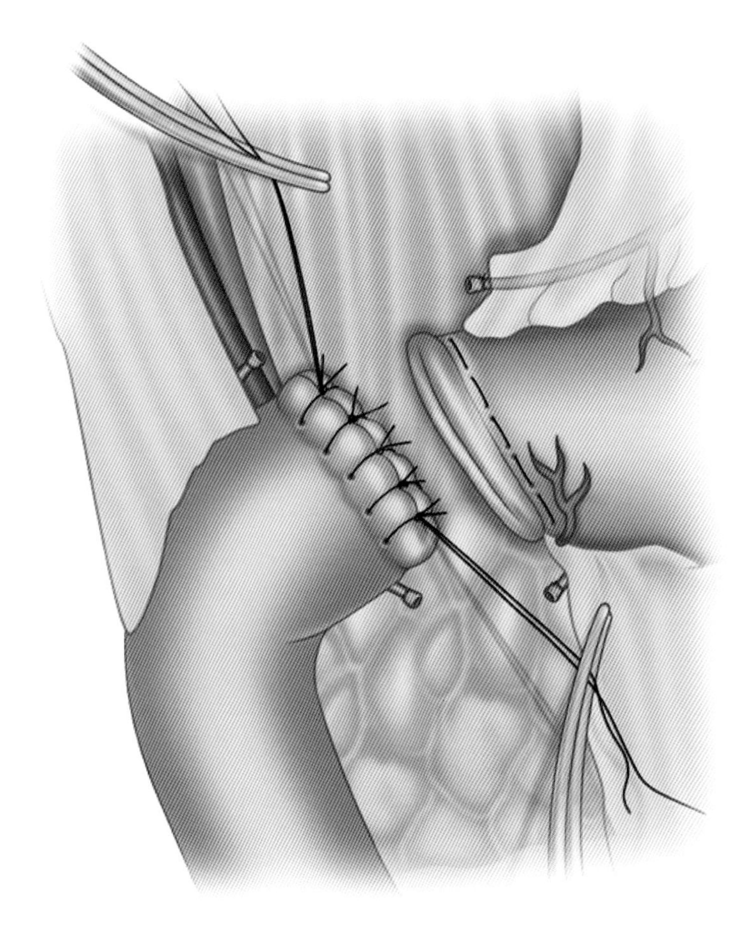

图2-32　图2-31示意图。

七、游离胃左动、静脉

图2-33 十二指肠横断后，胃体牵向左上方，紧靠左肋缘下拉钩，胃后壁稍拉紧，可轻易地识别出胃左动、静脉，便于游离。

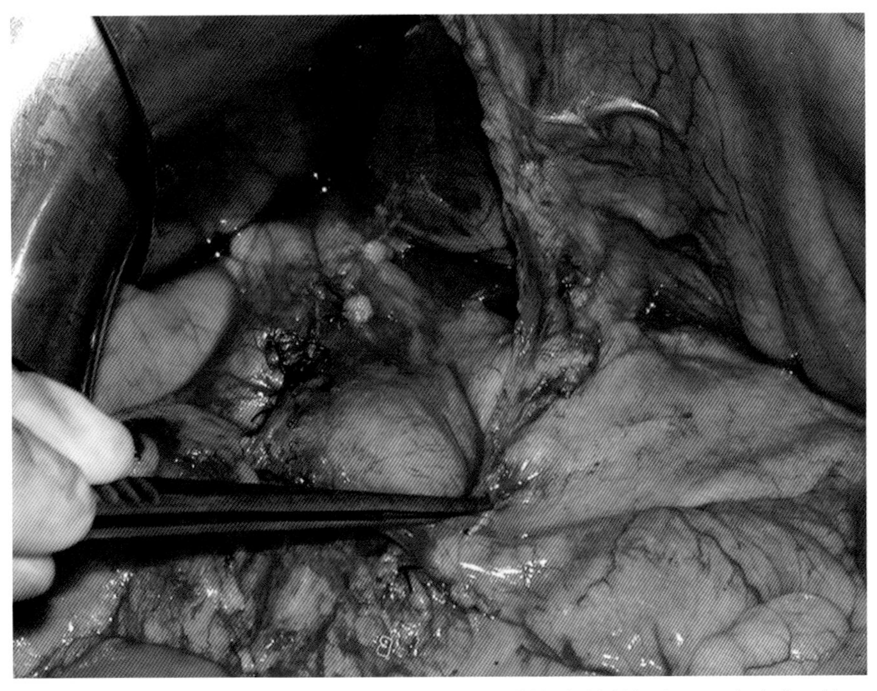

图2-34 紧张胃左血管，首先可见胃左静脉，于其根部结扎切断；胃左动脉即位于其头侧，于其根部结扎切断，保留侧双重结扎。

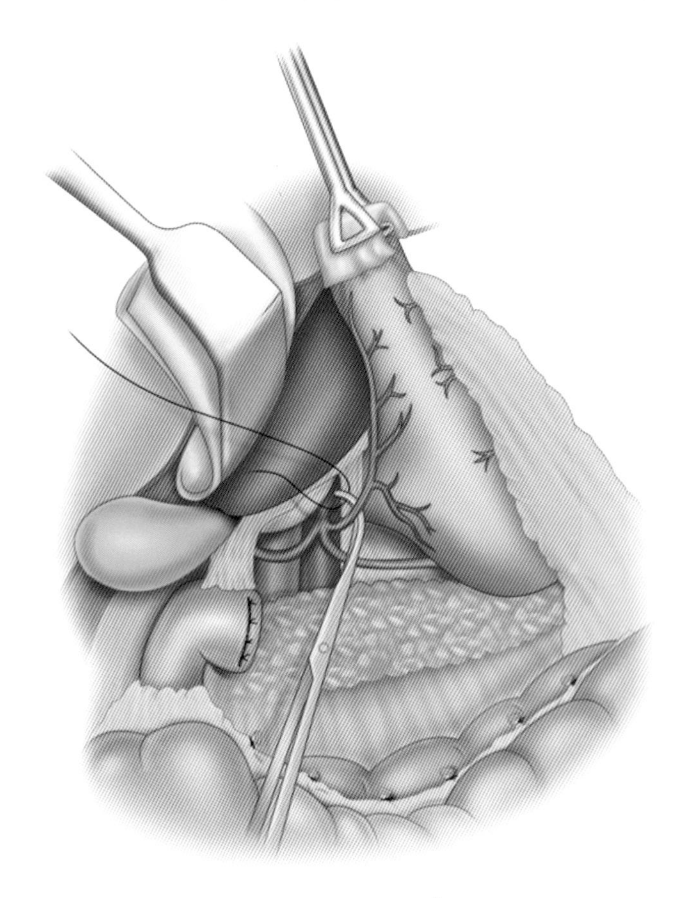

图2-35 图2-34示意图。

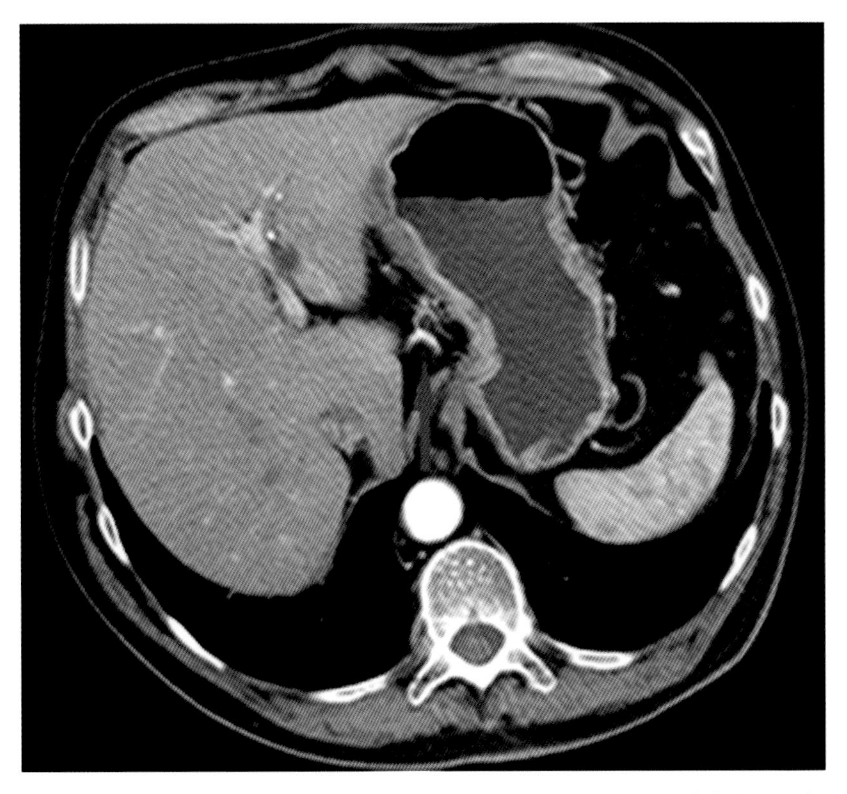

图2-36 结扎胃左动脉、静脉时，需小心可能存在的发自胃左动脉的副肝左动脉，这种变异的肝左动脉出现率为11.5%。术前CT扫描动脉成像可清楚显示变异的肝左动脉（红色箭头）。

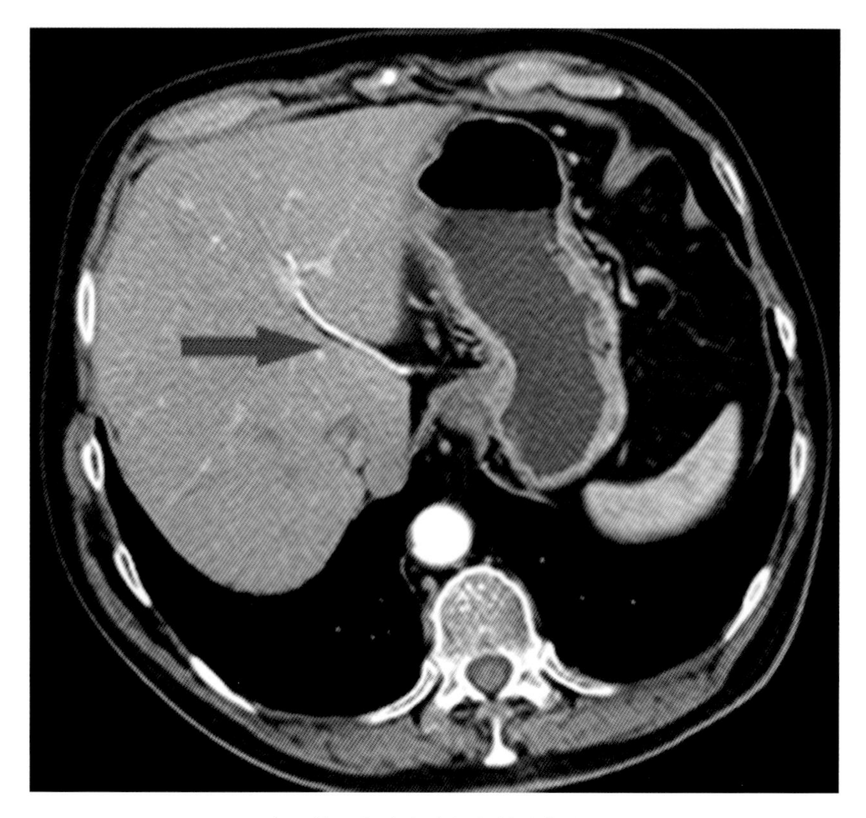

图2-37　变异的肝左动脉（红色箭头）进入肝左叶。

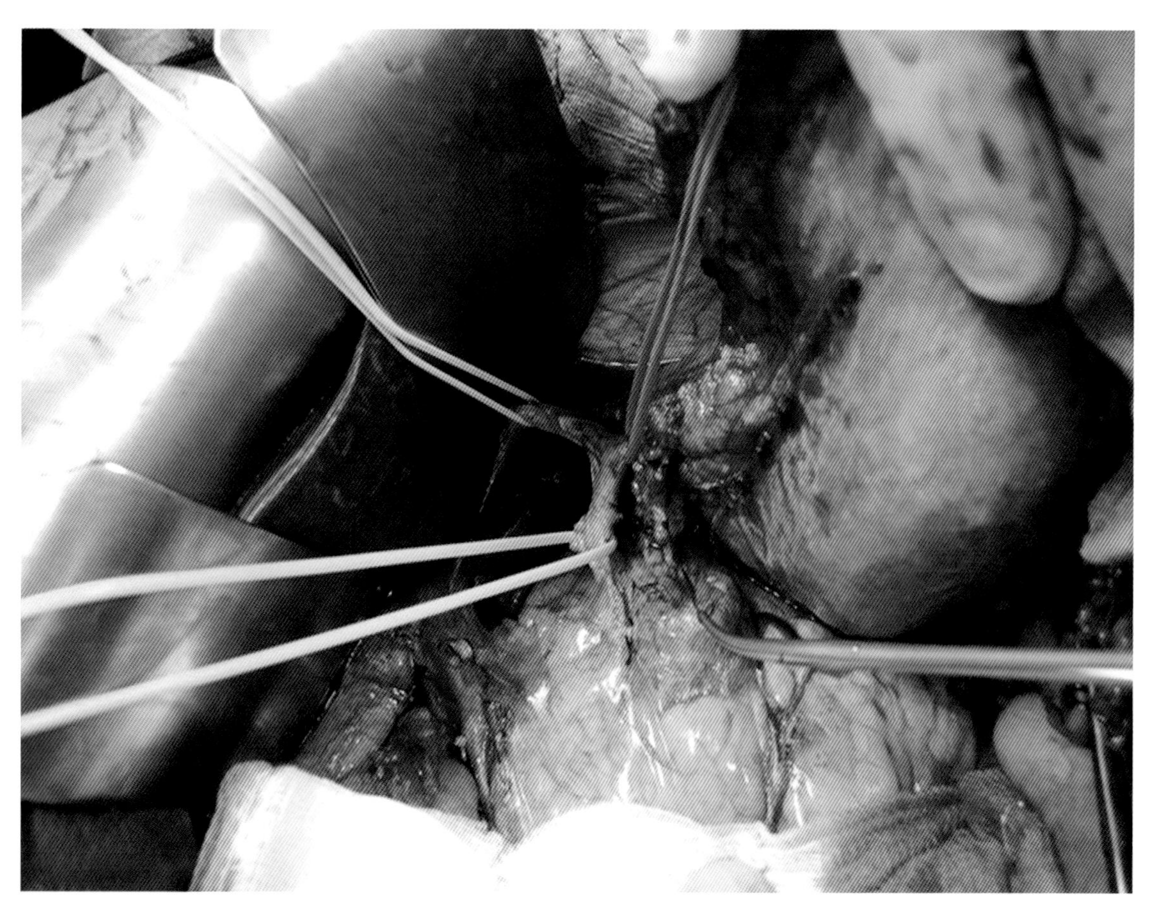

图2-38　变异的肝左动脉。

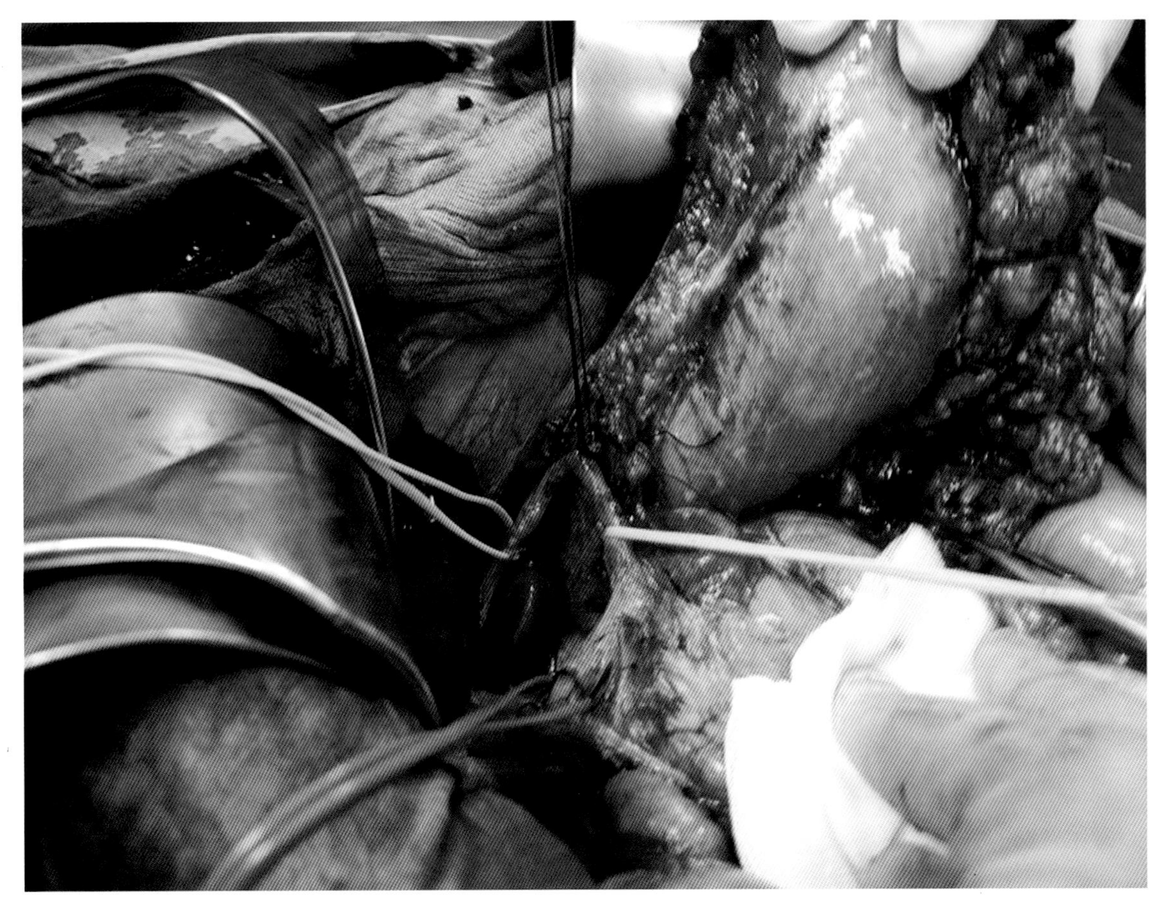

图2-39 当变异的肝左动脉直径较粗时，应予以保留，以免肝左叶缺血，肝功能受损。可在发出副肝左动脉之后，结扎切断胃左动脉。

第三章

全胃切除术

Emilio Feliciotti, Raffaella Ridolfo, Pierpaolo Stortoni, Walter Siquini

最适宜的胃切除范围取决于胃癌病变部位和大小。临床经验证明，在无远处转移的情况下，可采取积极的胃癌切除术。通常而言，胃癌手术要求切除足够远的切缘以保证切缘无癌细胞，同时整体切除所属淋巴结和相连组织。根治性外科手术的目的在于移除全部肿瘤（即R0切除）。因此，远、近以及环周切缘务必无癌细胞残留，同时行足够程度的淋巴结清扫。由于胃癌具有沿胃壁纵向浸润的特性，外科医生需保证胃切缘距离肿瘤边缘4～6cm，大体判断无癌组织残留，术中快速冰冻病理检查以证实切缘阴性，确保术后较低的吻合口复发率。适宜的手术方式取决于肿瘤部位和已知的浸润模式。全胃切除术适用于胃体和胃底肿瘤。

1884年，Connor完成首例全胃切除术，可惜患者于围手术期死亡。1897年，Schlatter首次成功实施全胃切除术。1892年，Roux描述了一种新的全胃切除术消化道重建方式，距屈氏韧带10～15cm横断空肠，Roux臂上提与食管吻合，输入襻与距离食管空肠吻合口约60cm处Roux臂吻合，此即为食管空肠Roux-en-Y吻合术。目前该重建方式依然是全胃切除术后最常用的消化道连续性重建方法。

E. Feliciotti（通讯作者）
Department of Surgery , “Ospedali Riuniti”
University Hospital , Ancona , Italy
e-mail: feliciotti@live.it

R. Ridolfo
Division of General Surgery , Senigallia
General Hospital , Senigallia, Italy
e-mail: raffaella.ridolfo@email.it

P. Stortoni
Division of General Surgery , “A. Murri”
Hospital , Fermo , Italy
e-mail: pierpaolostortoni@libero.it

W. Siquini
Division of General Surgery ,
“Madonna del Soccorso” Hospital ,
San Benedetto del Tronto , Italy
e-mail: walter.siquini@sanita.marche.it

W. Siquini (ed.), *Total, Subtotal and Proximal Gastrectomy in Cancer A Color Atlas*,
DOI 10.1007/978-88-470-5749-4_3, © Springer-Verlag Italia 2015

一、离断小网膜

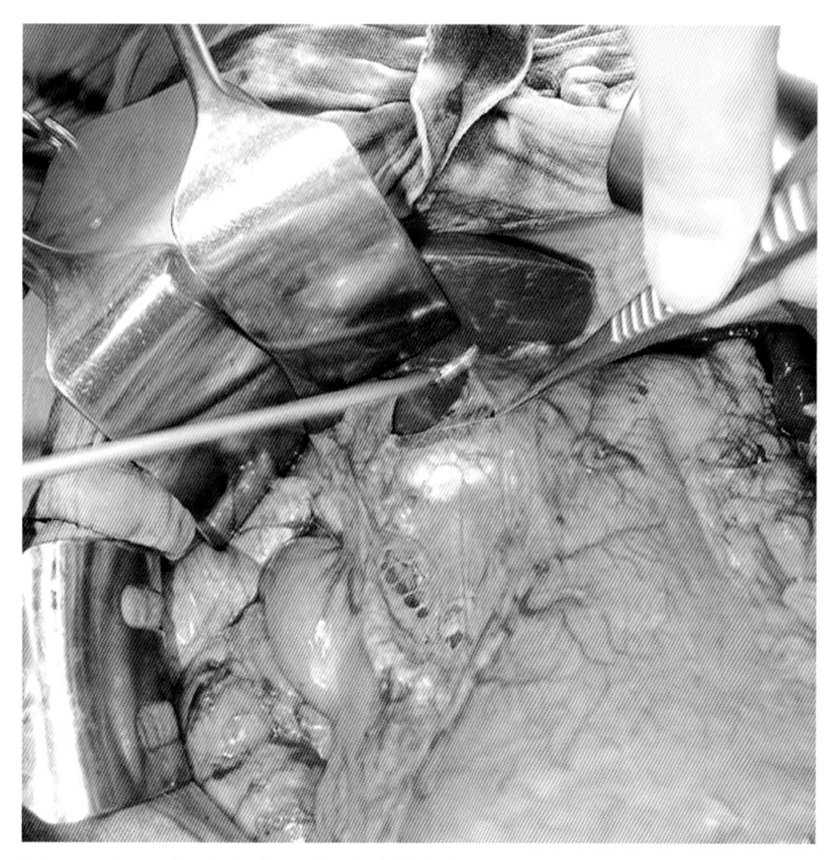

图3-1　近肝脏面切断小网膜，向食管方向延伸，达右侧膈肌脚及食管右侧，转向右下方，沿胃小弯清除淋巴脂肪组织，确保No.1组及No.3组淋巴结连同标本整体切除。

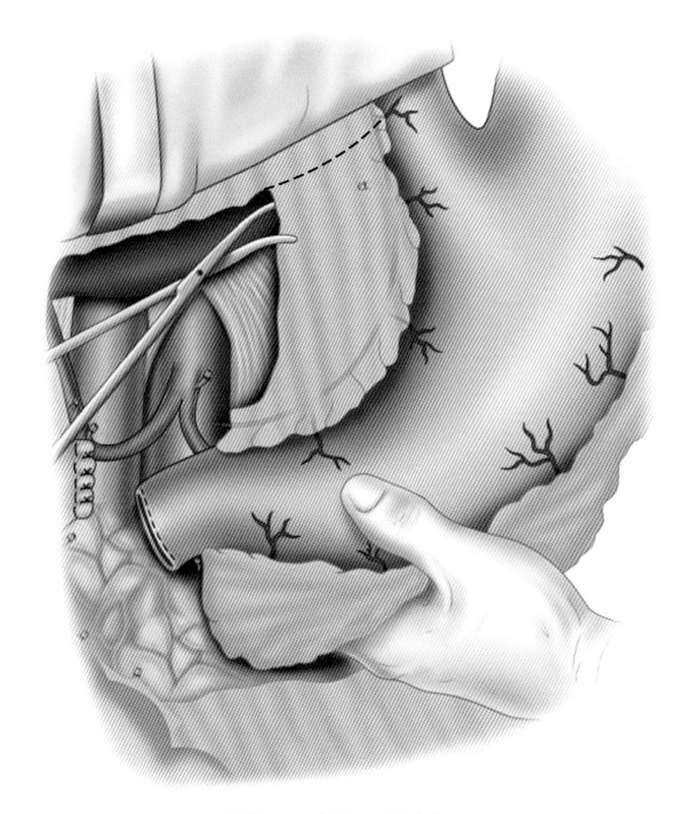

图3-2　图3-1示意图。

二、切断胃脾韧带

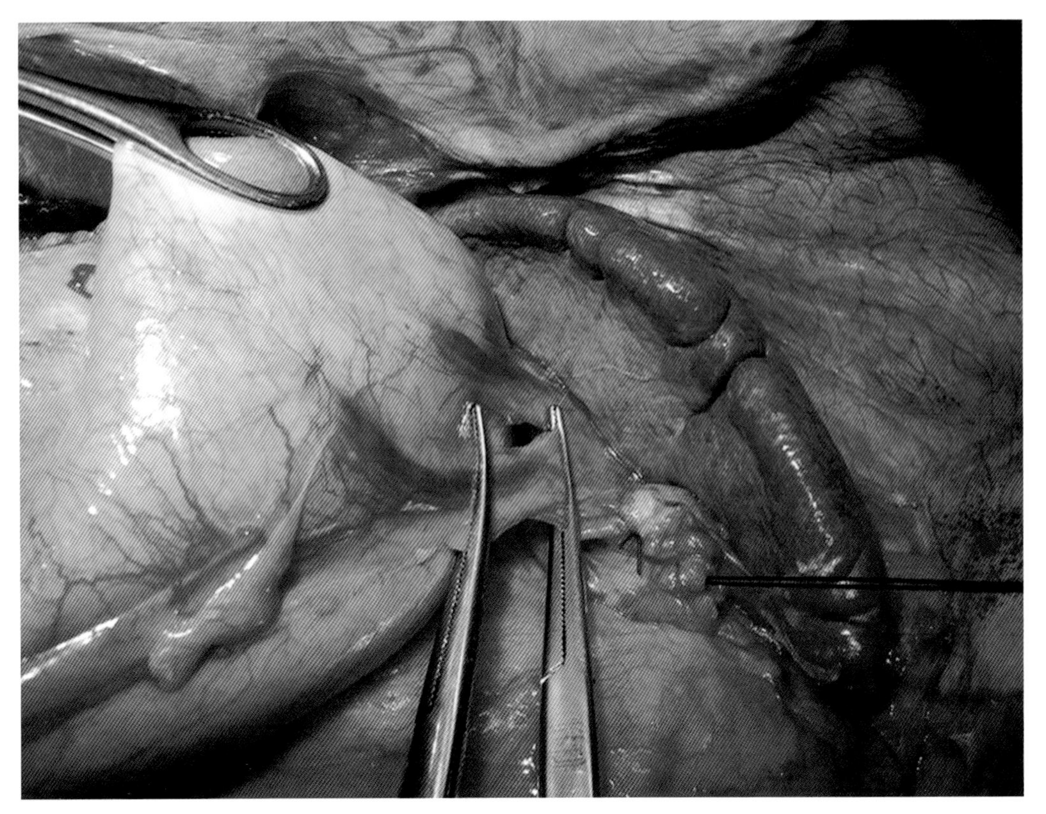

图3-3 沿胃大弯，适度紧张胃脾韧带，向头侧分段钳夹、切断、结扎4～6支胃短血管。也可用超声刀或射频刀（LigaSure^{TM}）离断胃脾韧带。

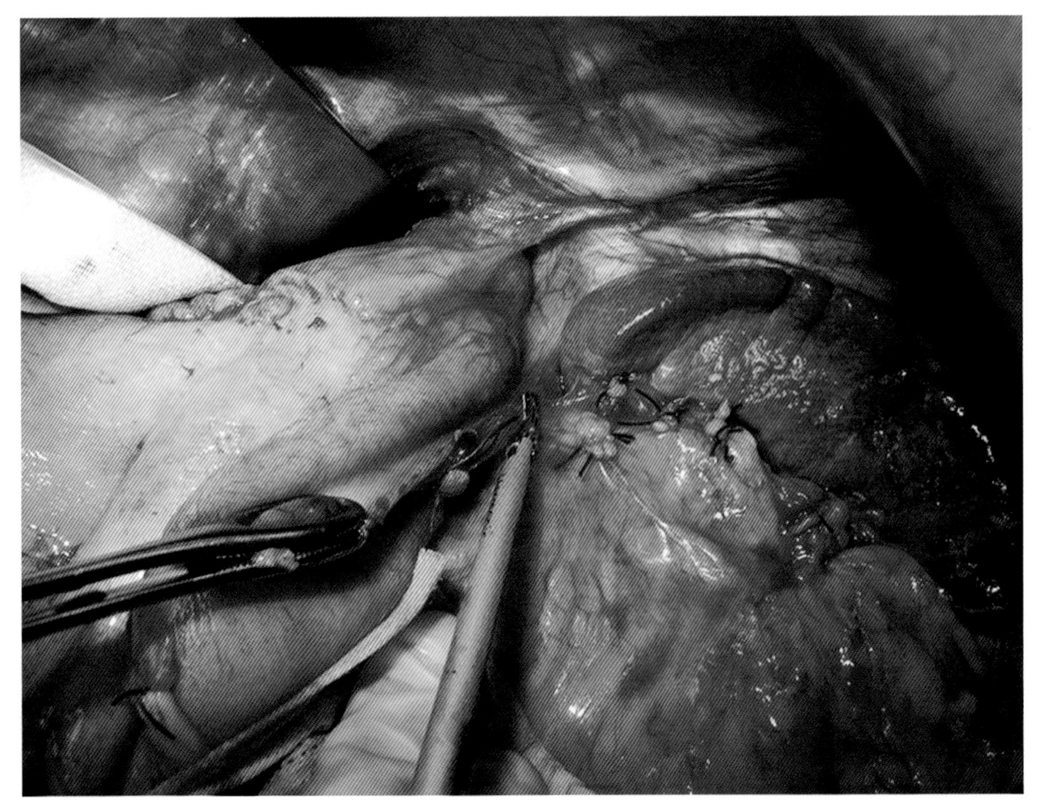

图3-4 离断第一支和第二支胃短血管后，脾脏即与胃分离。联合脾脏整体切除的指征：病灶临近脾脏或脾门见多发肿大的淋巴结。

三、离断膈食管筋膜和迷走神经

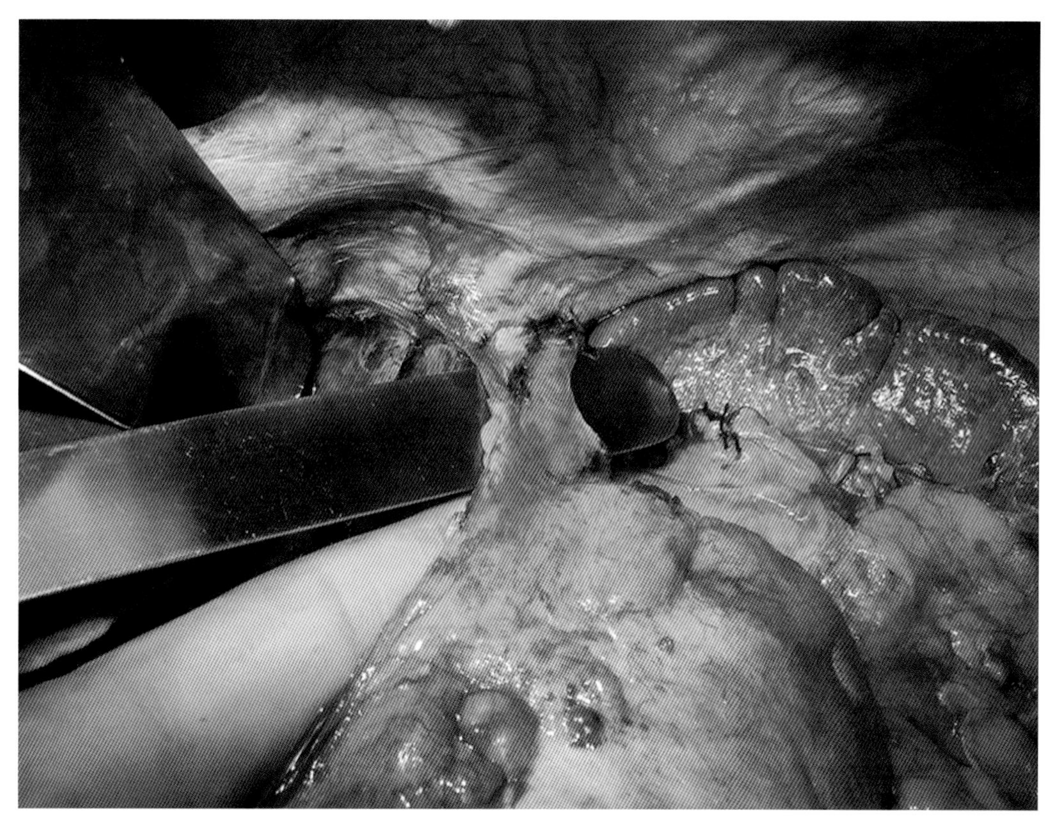

图3-5 切断肝左三角韧带和冠状韧带，将肝左外叶拉向右侧，可充分显露食管、贲门和胃底。游离食管前方的膈食管筋膜。

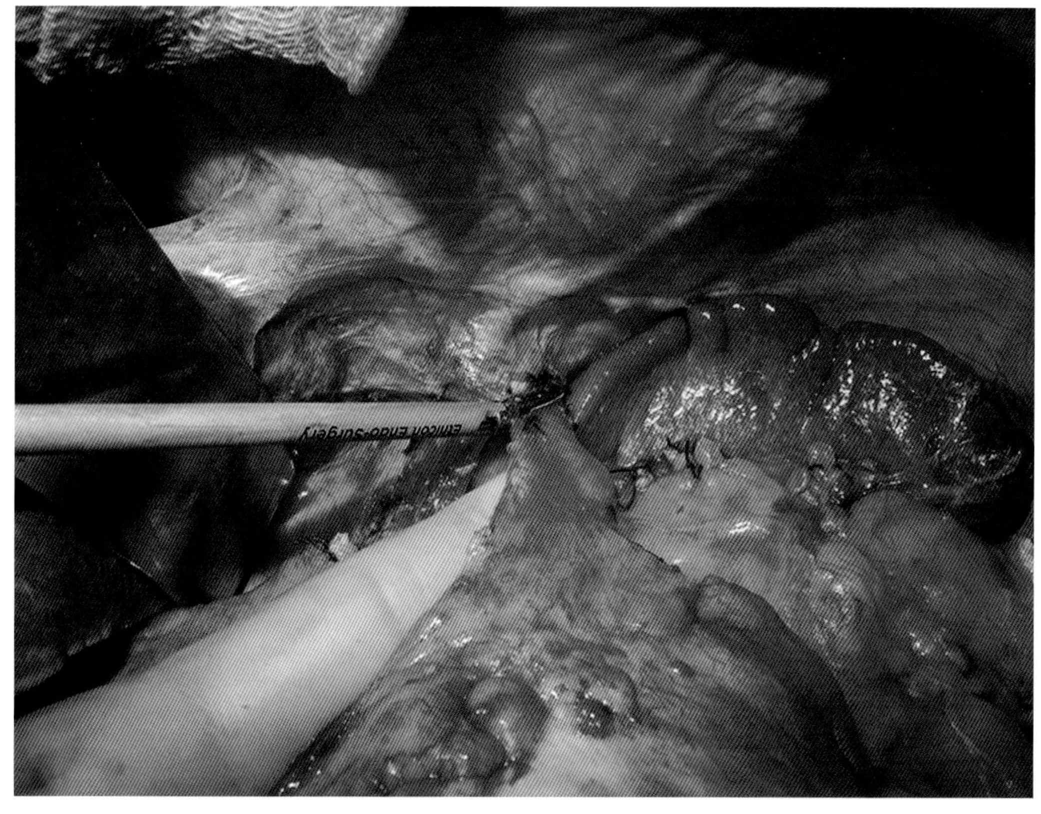

图3-6 离断膈食管筋膜。

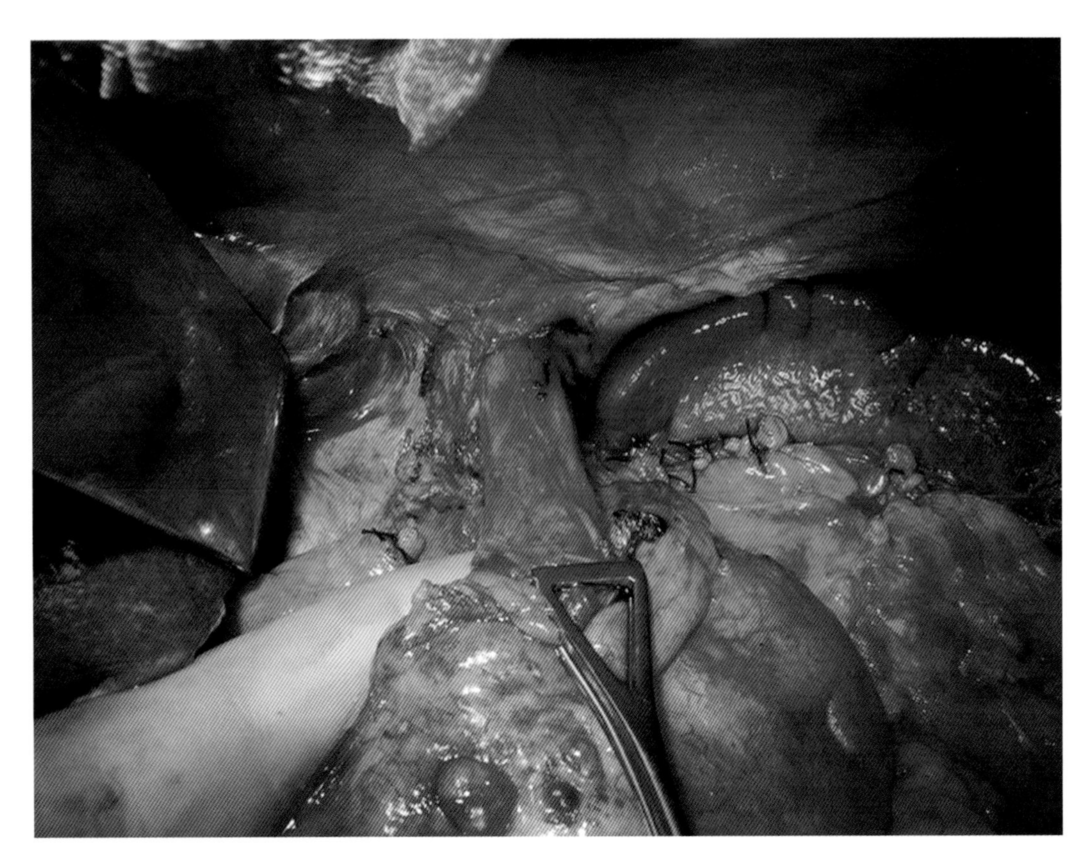

图3-7　完全游离食管腹段。

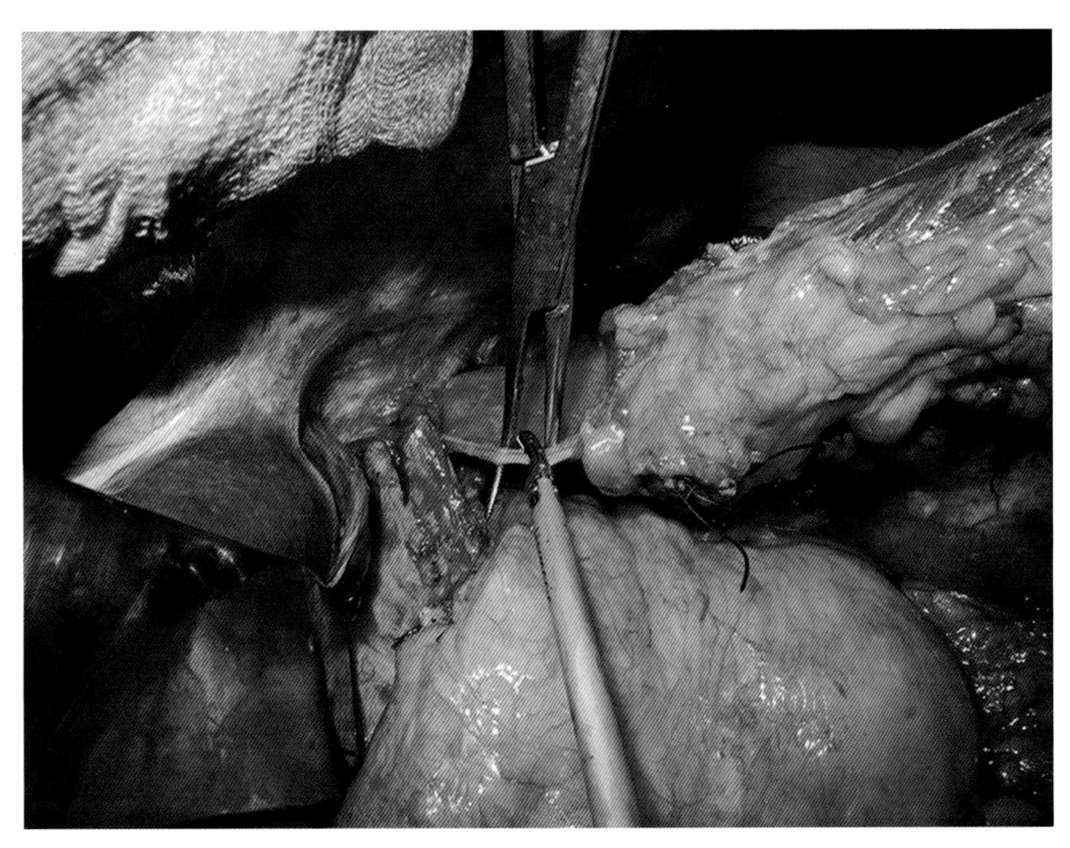

图3-8　牵拉食管，可见弓弦样的迷走神经前、后干。

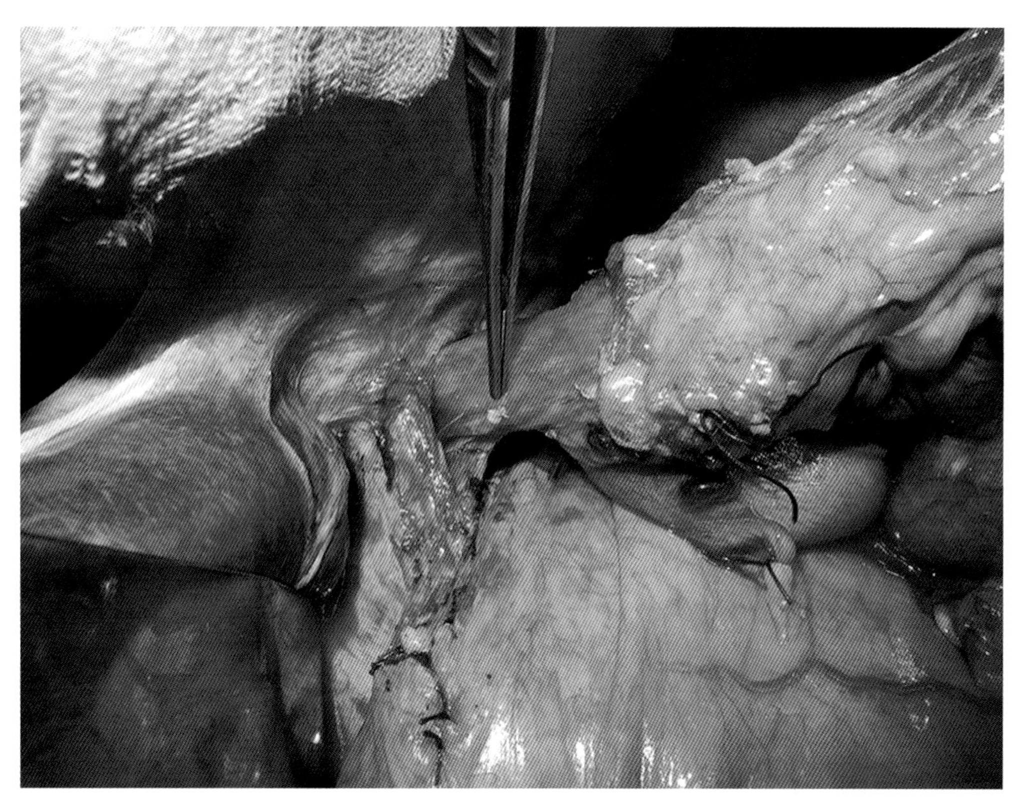

图3-9 离断迷走神经后，食管腹段即松解许多。

四、上置荷包钳、留置荷包线、食管横断及抵钉座置入食管断端

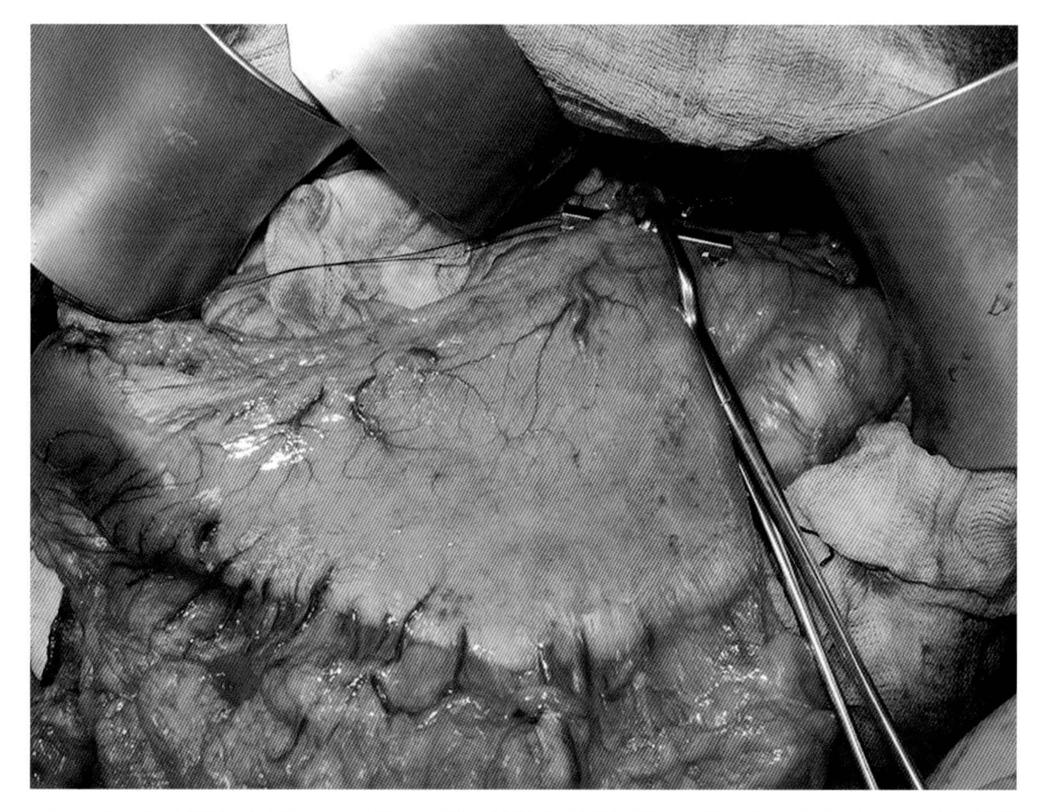

图3-10 在食管腹段中间，大体所见正常食管处上置荷包钳，一般距离贲门1～2cm，避免将胃管夹入其中。上置2-0荷包线。

图3-11　靠近荷包钳，用弯剪刀离断食管。

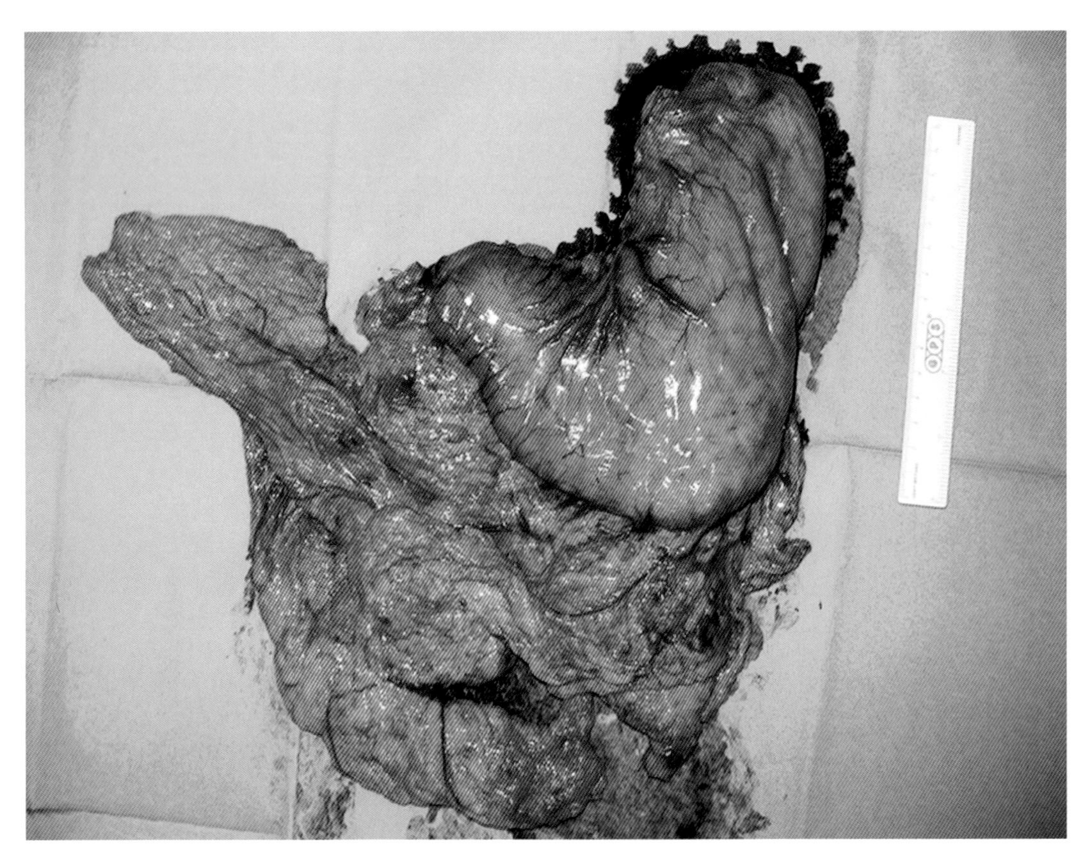

图3-12　移除标本，包括整个胃、网膜及No.1组至No.6组淋巴结。标本行快速病理检查，以确保远、近切缘无肿瘤细胞。

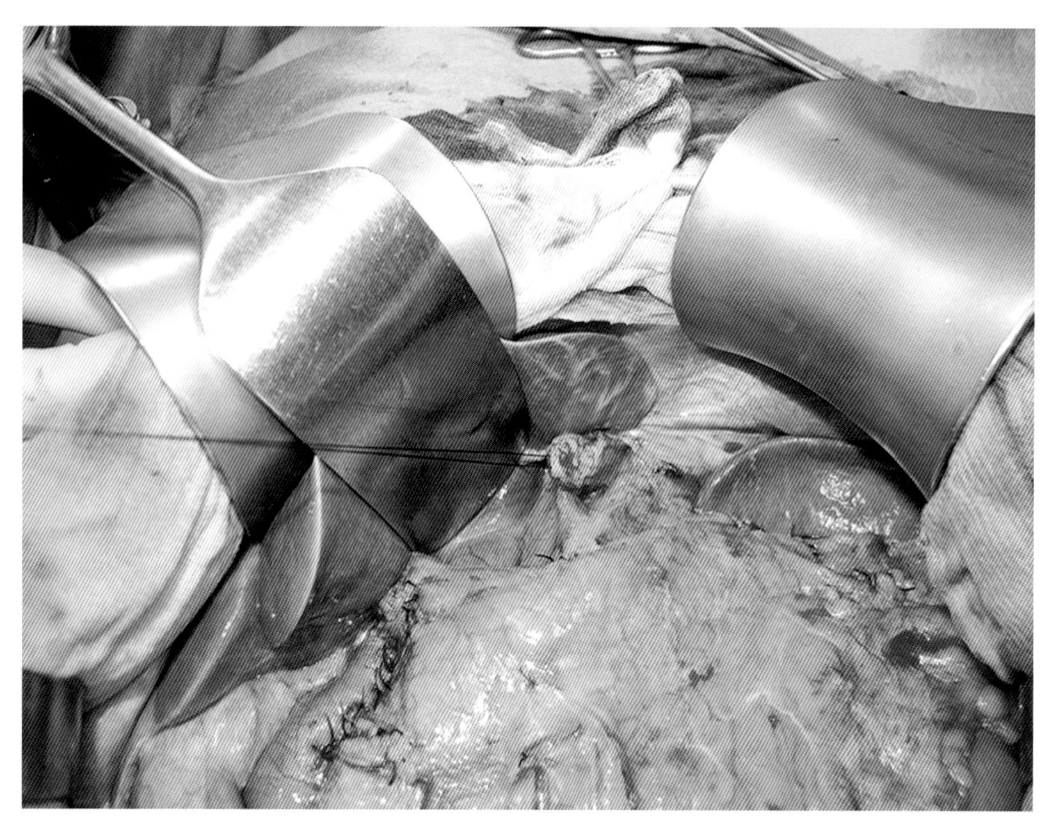

图3-13　术者右手松开荷包钳，左手收紧荷包线，关闭食管残端，以防术野污染。

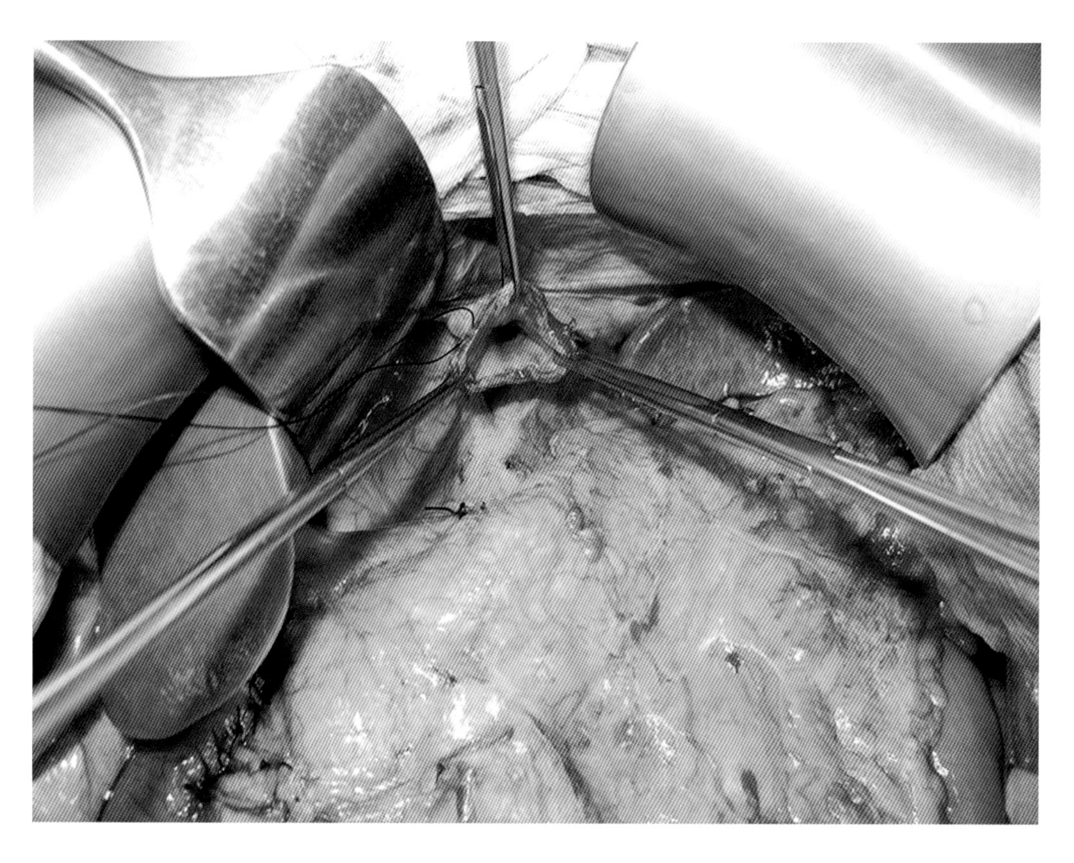

图3-14　松开荷包钳，于12点、4点及8点处上置鼠齿钳，抓持全层食管断端，第一及第二助手轻轻牵拉鼠齿钳，术者将卵圆钳置入食管残端，轻柔扩张食管，避免黏膜损伤，以便于置入圆形吻合器抵钉座。

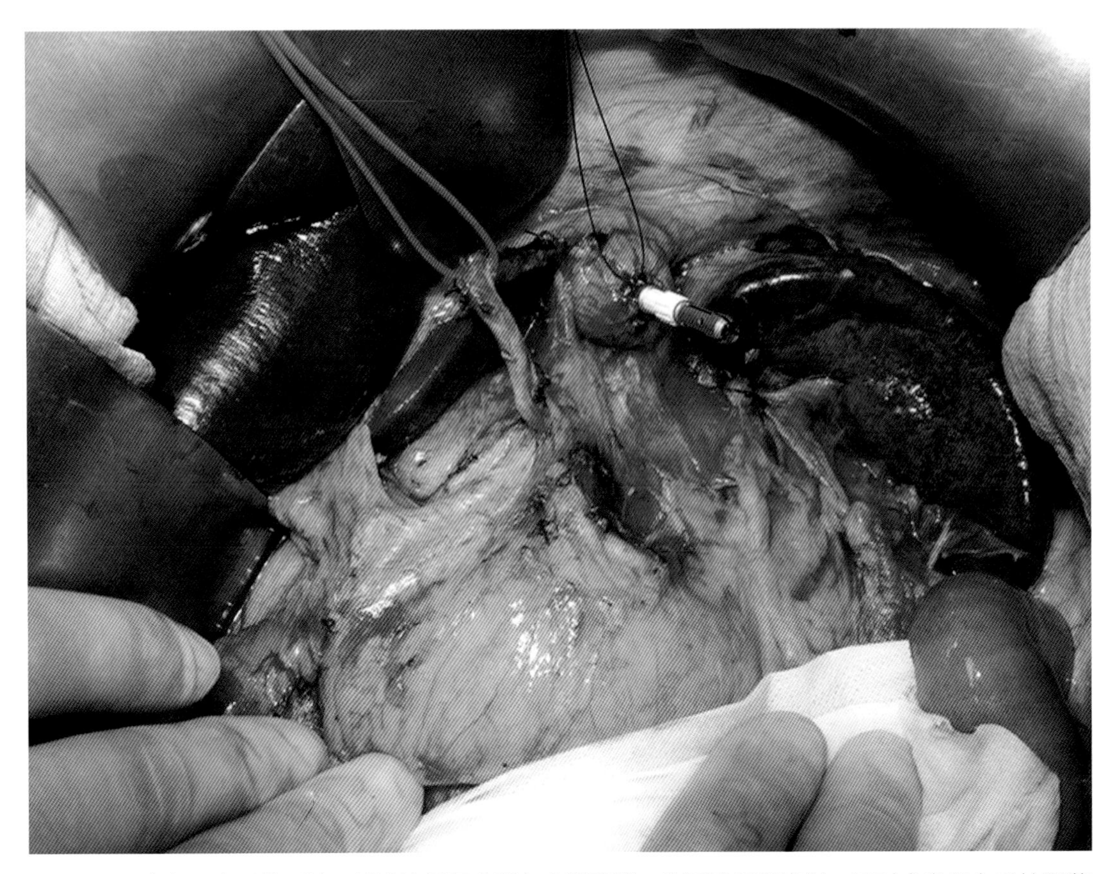

图3-15 术者用右手将已涂石蜡油的抵钉座置入食管残端，助手松开鼠齿钳，同时术者用左手拉紧荷包线，于抵钉座中心杆根部打结，以备食管空肠吻合。大部分患者适用25mm圆形吻合器，21mm吻合器少用。蚊式钳钳夹荷包线尾，吻合时轻轻牵拉荷包线使得操作安全简单。

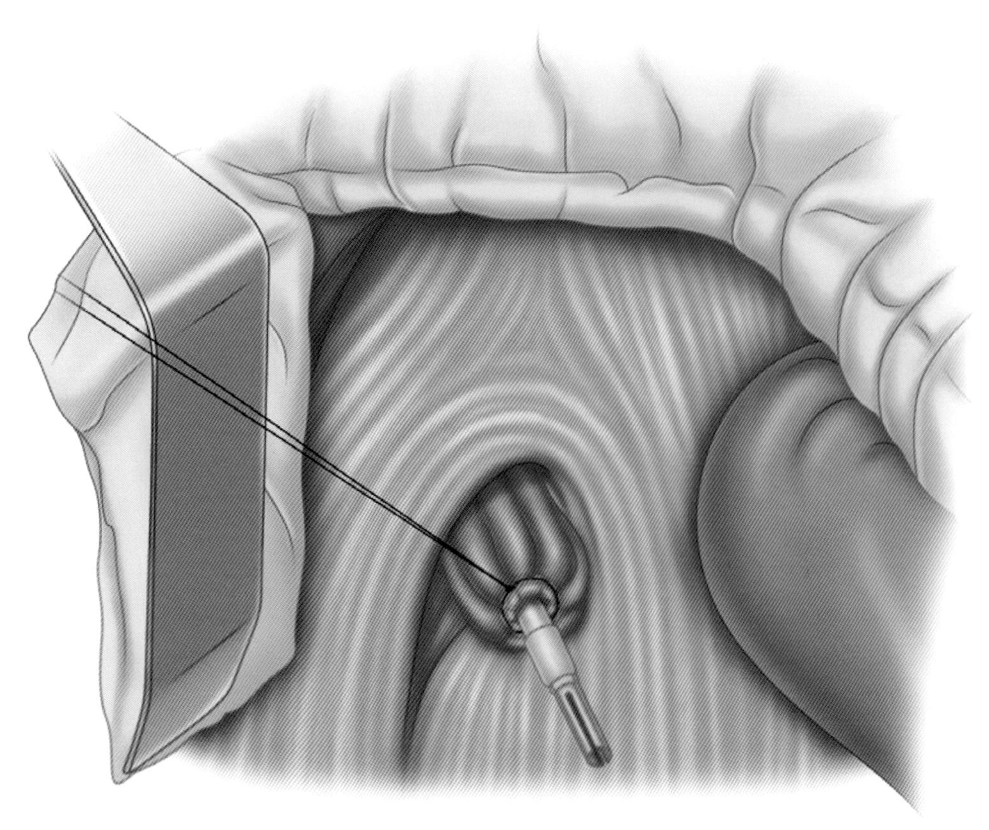

图3-16 图3-15示意图。

五、准备空肠襻以及将Roux臂移至肠系膜上方

图3-17 将横结肠牵向头侧，展开第二空肠襻，利用灯光透照法判断空肠动脉弓解剖位置。

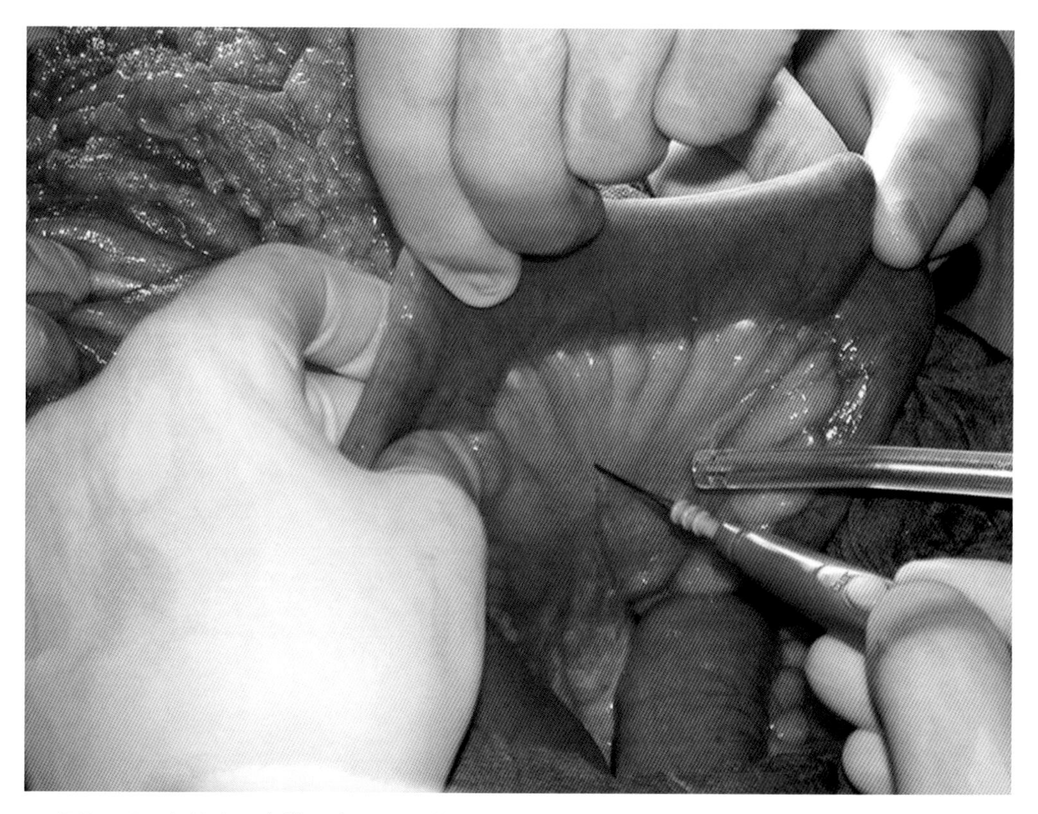

图3-18 保护空肠血管，离断肠系膜至其根部，松解空肠，确保可无张力到达食管残端。

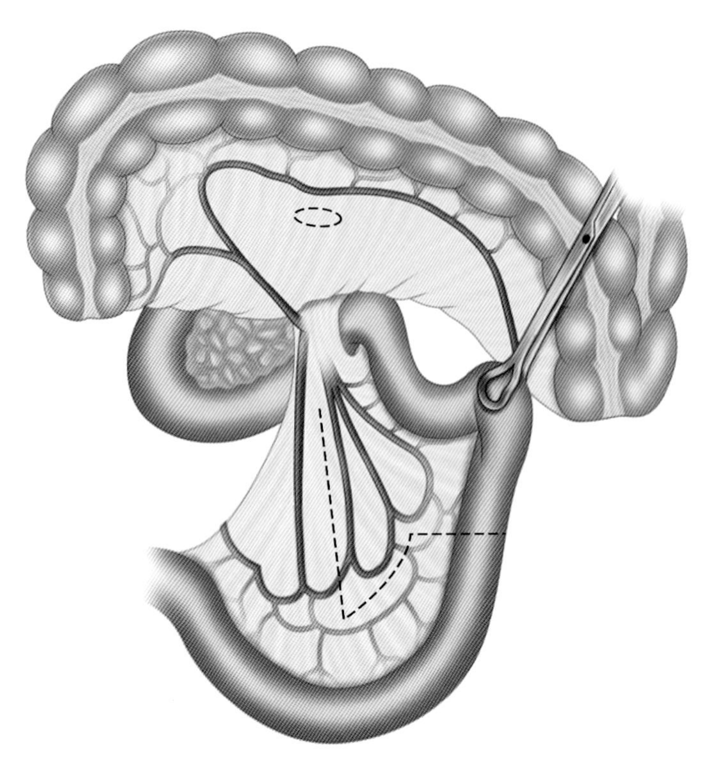

图3-19 无损伤肠钳夹持拟切断处空肠两侧，离断后予以消毒。输入襻用纱布包裹后置入腹腔内。将横结肠系膜牵向头侧，采用光线透照法，于其左侧无血管区切开少许，以便于将输出襻（Roux臂）经此切口置于系膜上区。

六、吻合器食管空肠端侧吻合术

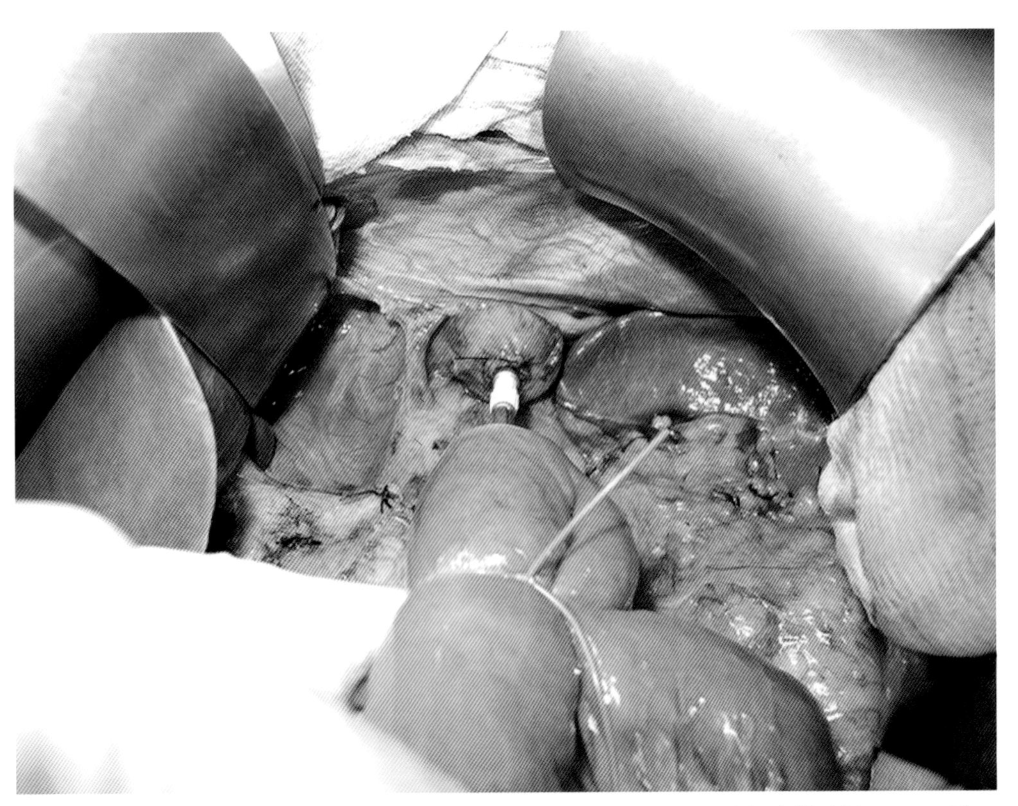

图3-20 术者将已涂石蜡油的吻合器主体置入Roux臂10～15cm，确保食管残端和Roux臂无张力吻合，旋出穿刺锥，将其与抵钉座中心杆对合。

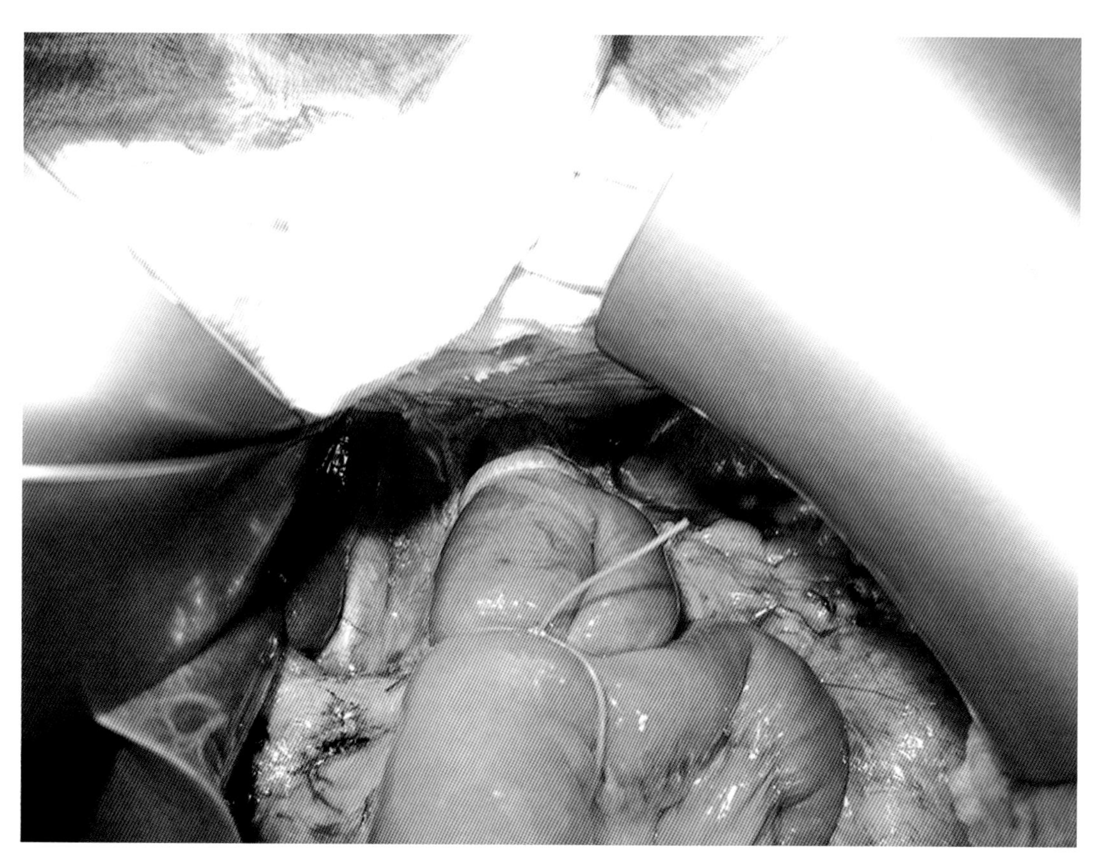

图3-21　旋转吻合器尾端旋钮，对合吻合器，直至达相应吻合器生产商标准。

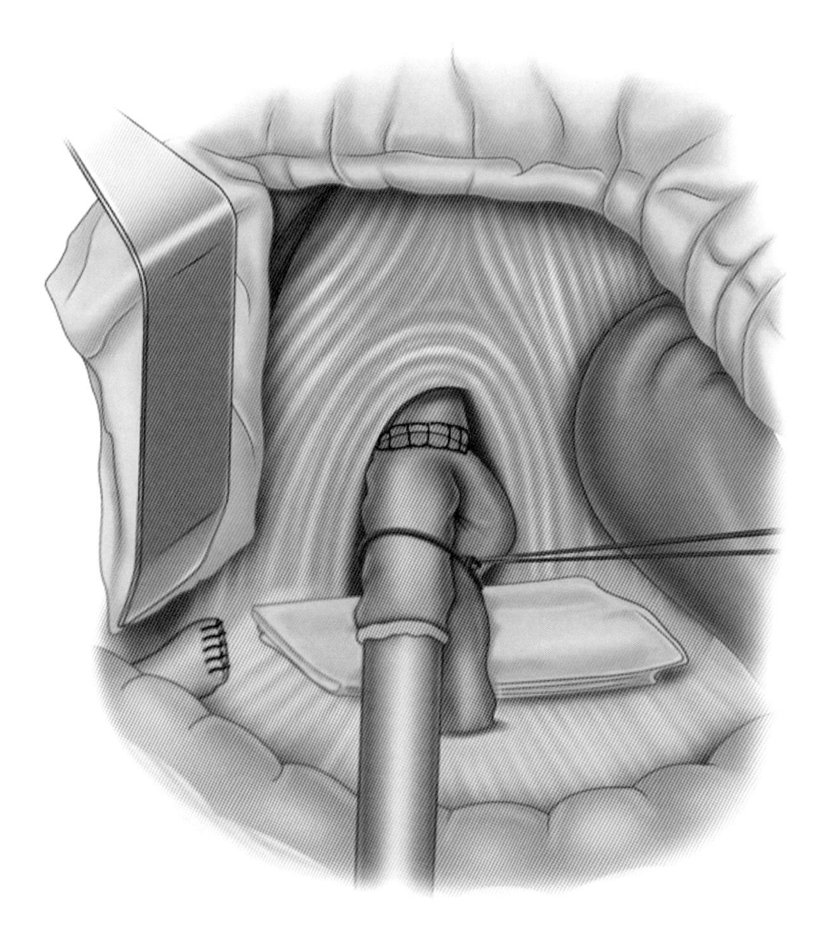

图3-22　图3-21示意图。

图3-23 激发吻合器，回旋吻合器旋钮2周，使抵钉座倾斜，移除吻合器。检查吻合口两吻合圈是否完整，确保吻合后吻合口柔顺，无任何张力，食管切缘送病理检查。

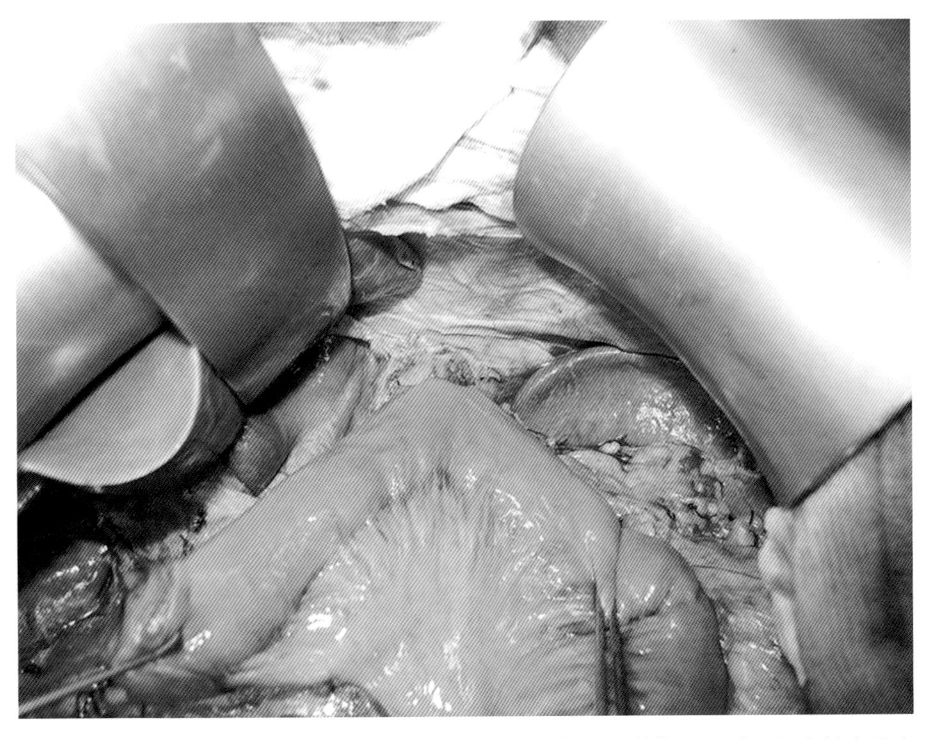

图3-24 轻柔展开Roux襻残端系膜，分离、钳夹、切断、结扎肠系膜至距食管空肠吻合口2～3cm处。

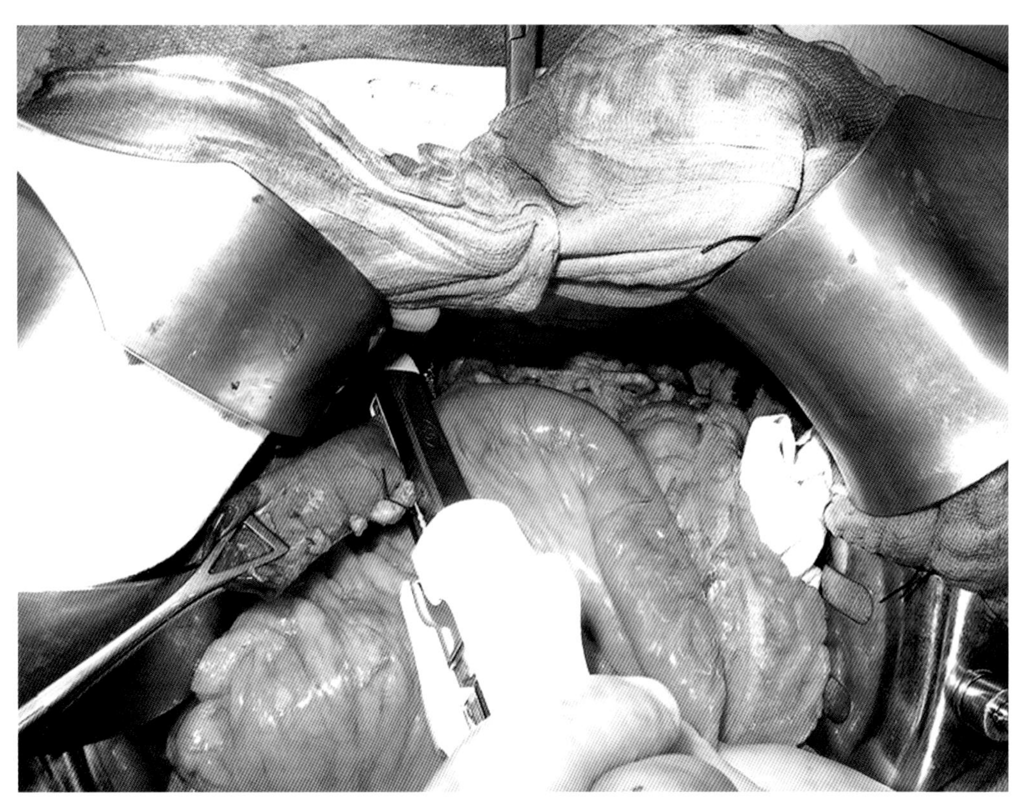

图3-25 直线型胃肠吻合器GIA 55离断Roux臂。

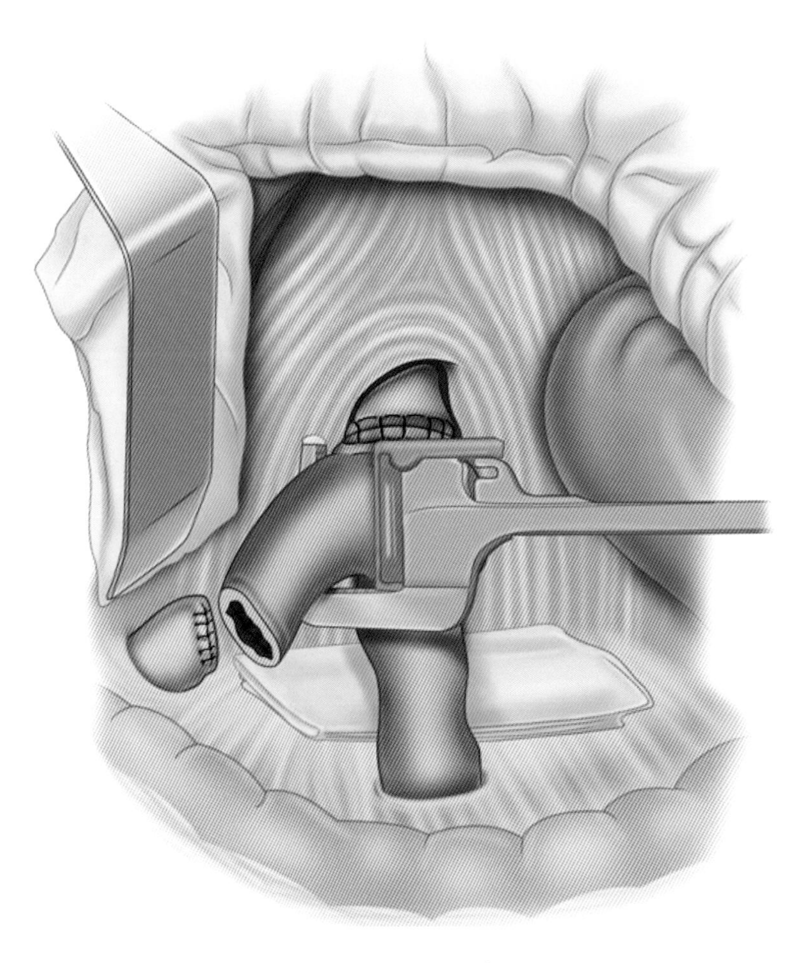

图3-26 图3-25示意图。

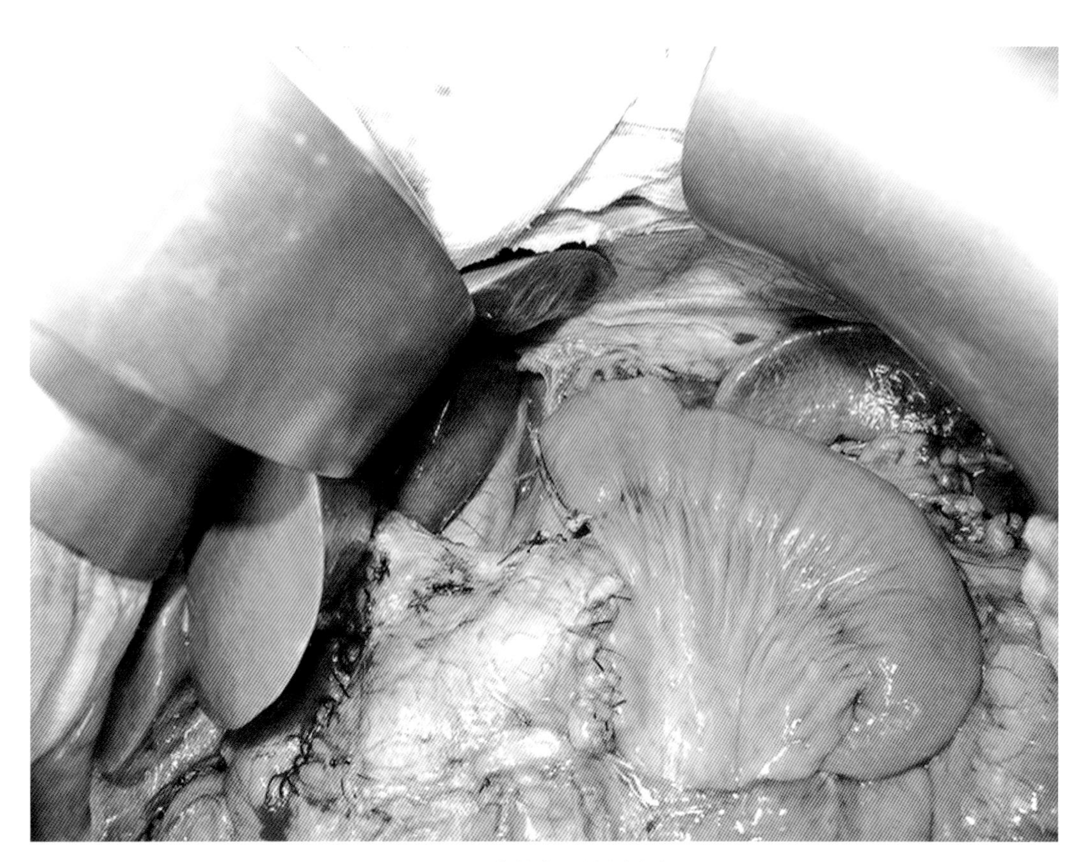

图3-27 食管空肠端侧吻合。

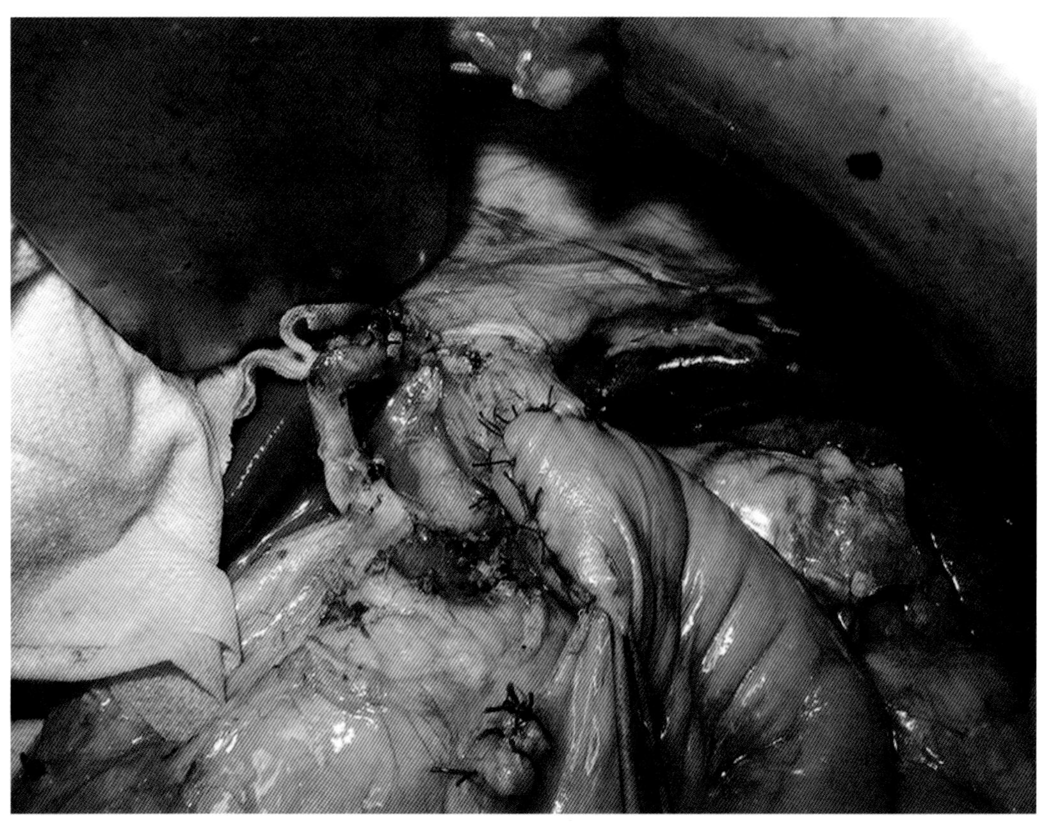

图3-28 空肠闭合端消毒后，用3-0缓慢可吸收线间断浆肌层缝合包埋残端，减少残端长度，降低对食管空肠传输的不良影响。

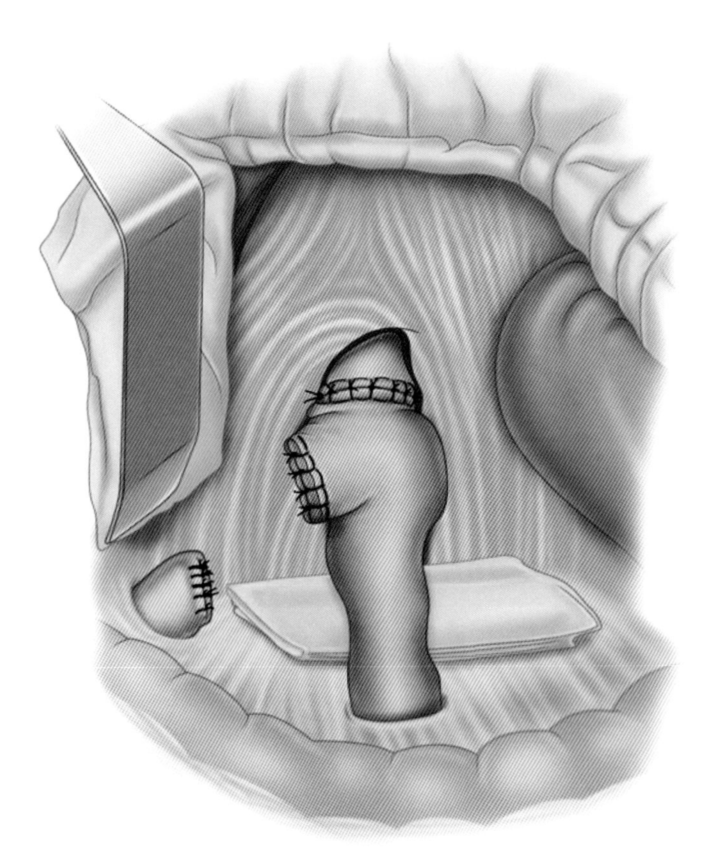

图3-29　为降低食管空肠吻合口漏的风险，用3-0可吸收线间断浆肌层缝合吻合口全周，降低其张力，增加其牢固性。（译者注：译者仅做吻合口前方的空肠浆肌层与膈肌下腹膜切缘缝合）

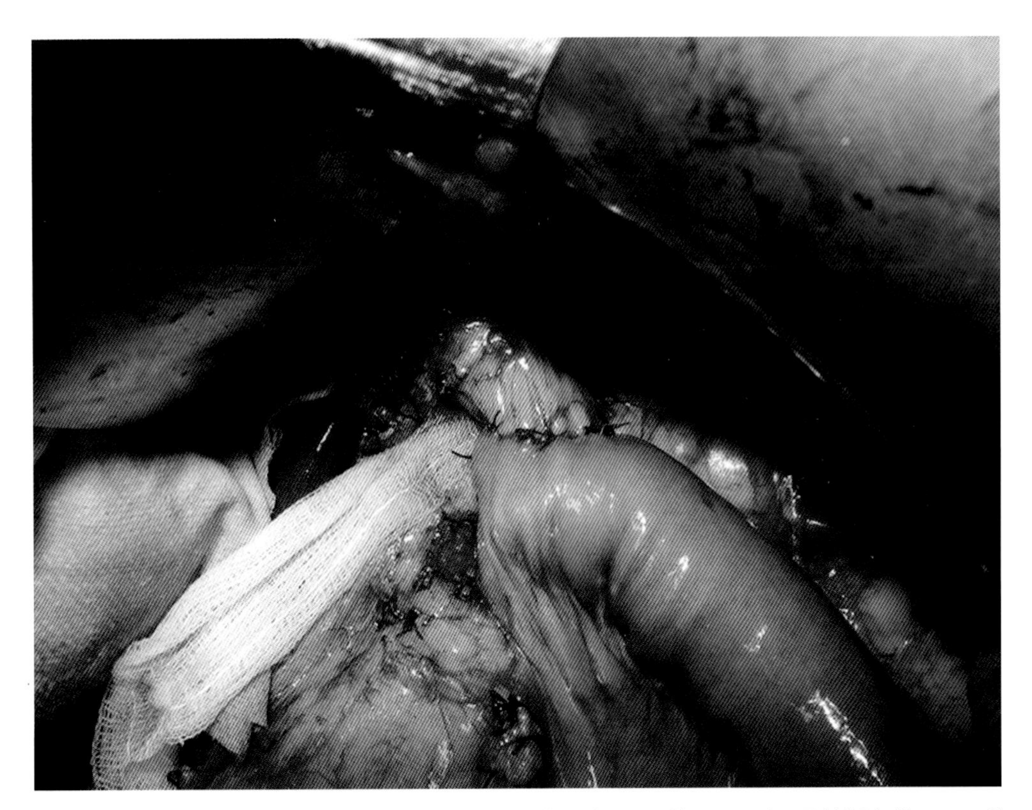

图3-30　吻合口后方放置纱布垫，肠钳夹持距吻合口约10cm的Roux臂，胃管插入约5cm，跨过吻合口，自胃管缓慢注入40～60mL含亚甲蓝的生理盐水，检测吻合口的完整性，必要时予以修补。经胃管吸除亚甲蓝溶液，移除胃管。

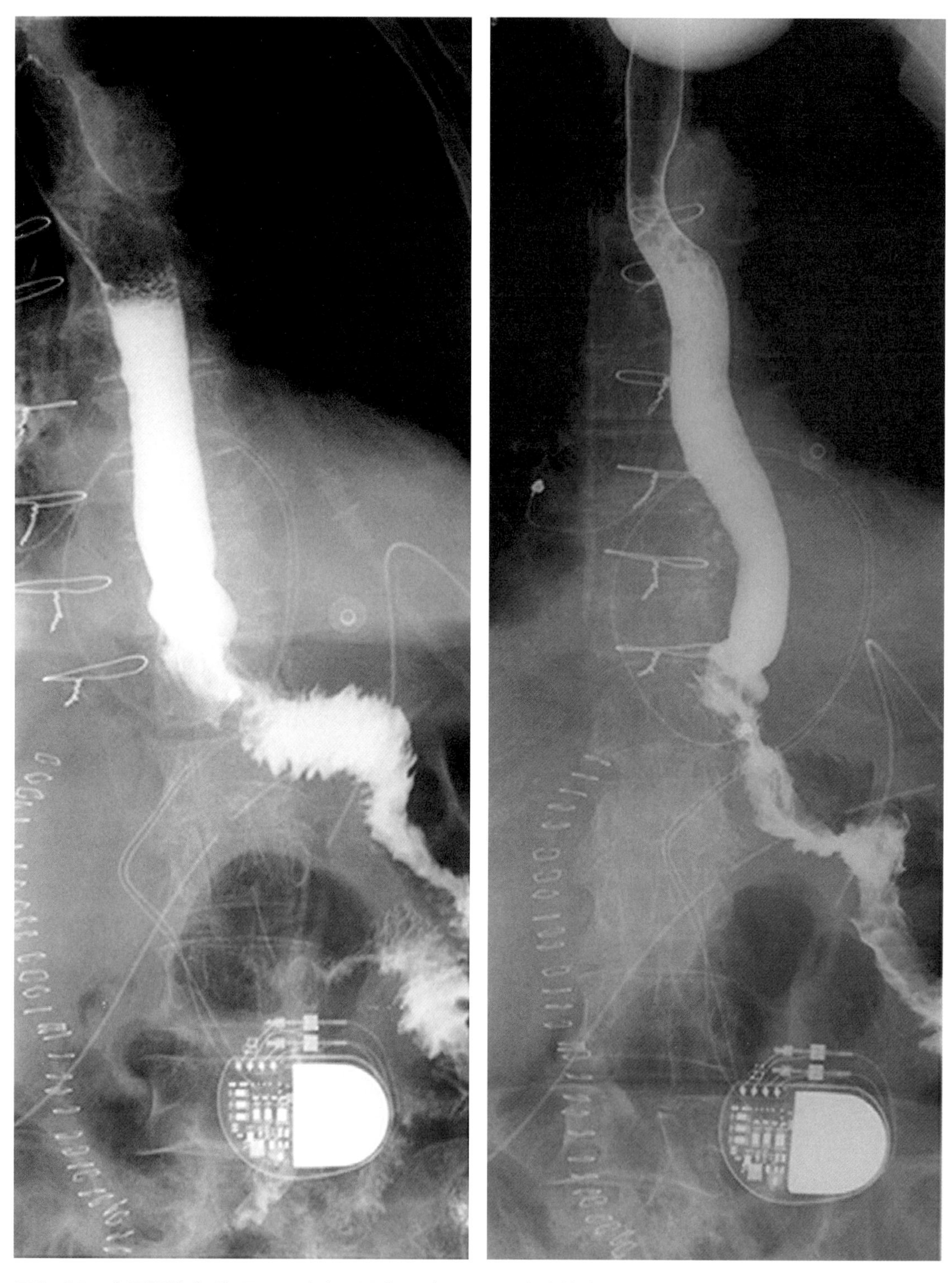

图3-31 全胃切除术后7天，无吻合口漏表现时，可口服水溶性造影剂，无造影剂外漏即可经口进食。

七、空肠空肠吻合及放置引流管

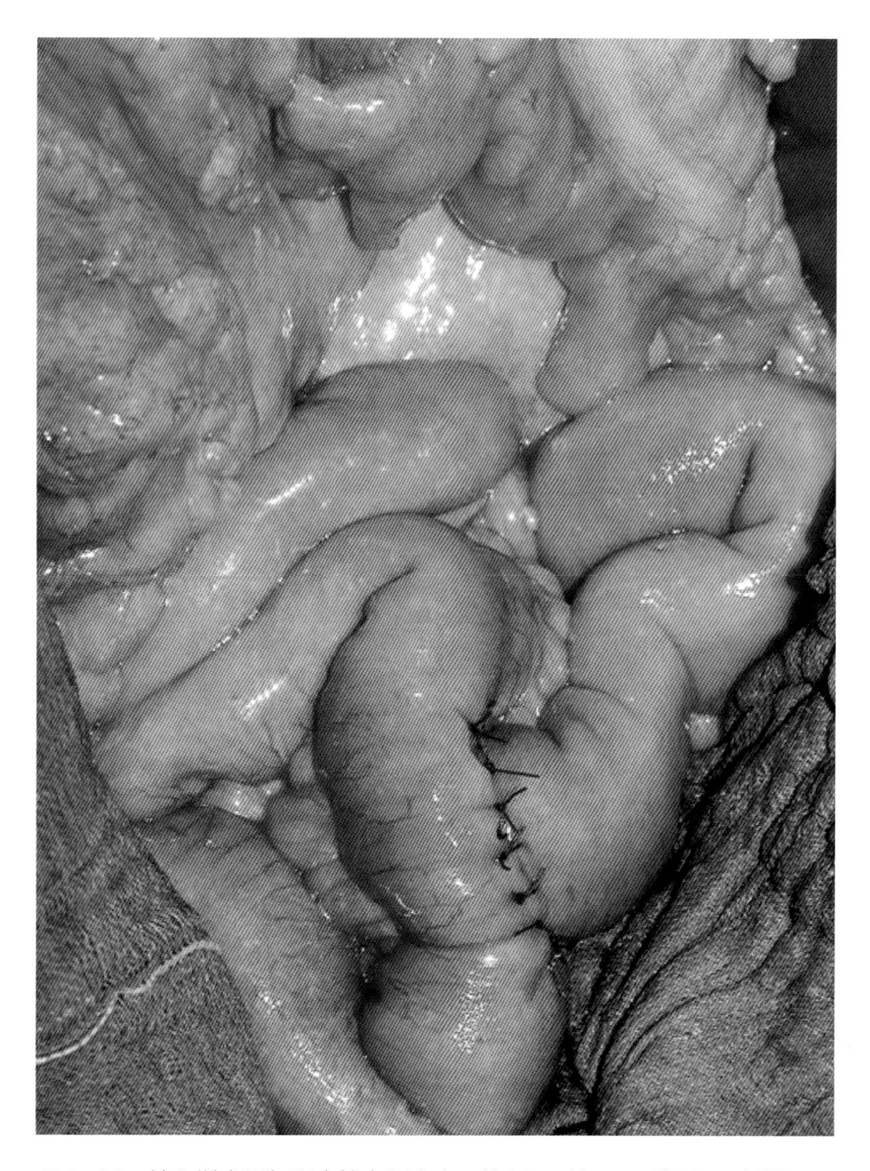

图3-32 输入襻空肠与距食管空肠吻合口约60cm处Roux臂用3-0缓慢可吸收线行双层端侧吻合。用3-0缓慢可吸收线缝合关闭横结肠系膜裂隙，以降低内疝形成的风险。右侧引流管经十二指肠韧带后方达吻合口背侧，同时也可引流十二指肠残端周围渗液。左侧引流管置于吻合口前方，同时引流左季肋区。

第四章

手工法胃次全切除术

Raffaella Ridolfo, Pierpaolo Stortoni, Emilio Feliciotti, Walter Siquini

一、简介

远端胃癌及胃窦癌占所有胃癌的35%。

胃癌彻底切除（RO）依然是获得根治性治疗效果的重要保障。

为获得切缘阴性及降低吻合口复发，过去曾对所有胃癌患者均予以全胃切除术。

前瞻性研究证实胃次全切除术和全胃切除术相比，5年生存率并无差别。

与全胃切除术相比，胃次全切除术适用于可以获得切缘阴性的患者，其并发症更少，患者生活质量更高。

R. Ridolfo（通讯作者）
Division of General Surgery , Senigallia General Hospital , Senigallia, Italy
e-mail: raffaella.ridolfo@email.it

E. Feliciotti
Department of Surgery , "Ospedali Riuniti" University Hospital , Ancona , Italy
e-mail: feliciotti@live.it

P. Stortoni
Division of General Surgery , "A. Murri" Hospital, Fermo , Italy
e-mail: pierpaolostortoni@libero.it

W. Siquini
Division of General Surgery , "Madonna del Soccorso" Hospital , San Benedetto del Tronto , Italy
e-mail: walter.siquini@sanita.marche.it

W. Siquini (ed.), *Total, Subtotal and Proximal Gastrectomy in Cancer A Color Atlas*,
DOI 10.1007/978-88-470-5749-4_4, © Springer-Verlag Italia 2015

基于日本胃癌学会（Japanese Gastric Cancer Association，JGCA）制定的《日本胃癌治疗指南2010》（第三版），对于浸润深度≥T2的膨胀性生长的肿瘤（即Borrmann Ⅰ型及Borrmann Ⅱ型），手术切缘距离肿瘤边缘至少3cm；而对于浸润生长的肿瘤（即Borrmann Ⅲ型及Borrmann Ⅳ型），切缘距离肿瘤至少5cm。当上述原则难以判断时，建议行近切缘冰冻病理检查。当肿瘤边缘不明时，术前经胃镜予以染色标记，便于术中确定胃离断部位。

尽管有多种胃肠道连续性重建方法，包括各种肠襻或贮袋间置术，本章依然仅讨论常用的结肠后胃空肠端侧Roux-en-Y吻合术，此术式是一种顺蠕动吻合，吻合口位于胃大弯侧，其优点在于降低反流性胃炎及食管炎发生率，避免Billroth Ⅱ胃肠吻合术所见的输入襻综合征，降低吻合口漏和残胃癌变的风险。

二、游离胃小弯口侧部分

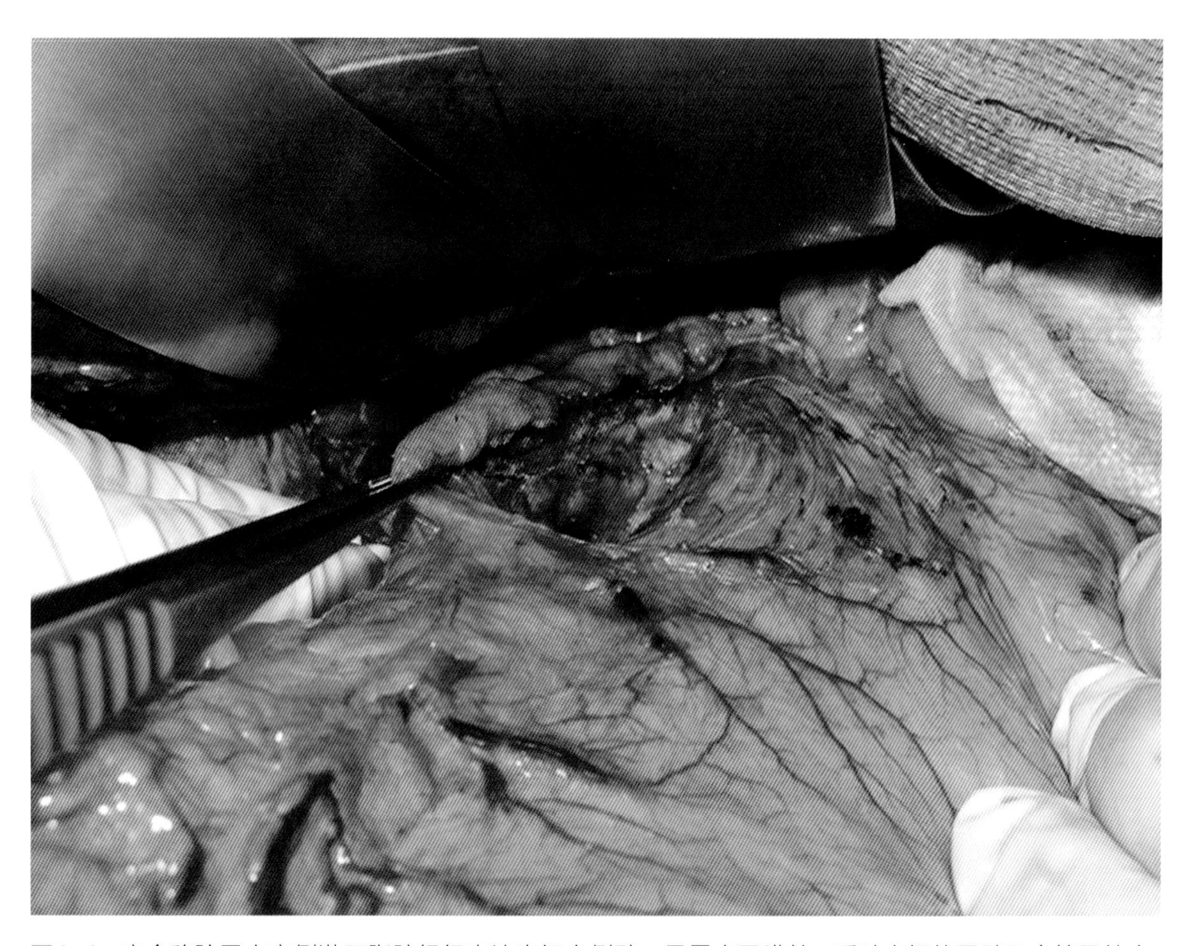

图4-1 完全移除胃小弯侧淋巴脂肪组织直达贲门右侧壁，显露小网膜前、后叶之间的胃壁及食管胃结合部，确保良好显露并完全浆膜化残胃小弯侧。（译者注：此操作也可在胃肠吻合完毕后进行，但切勿遗忘）

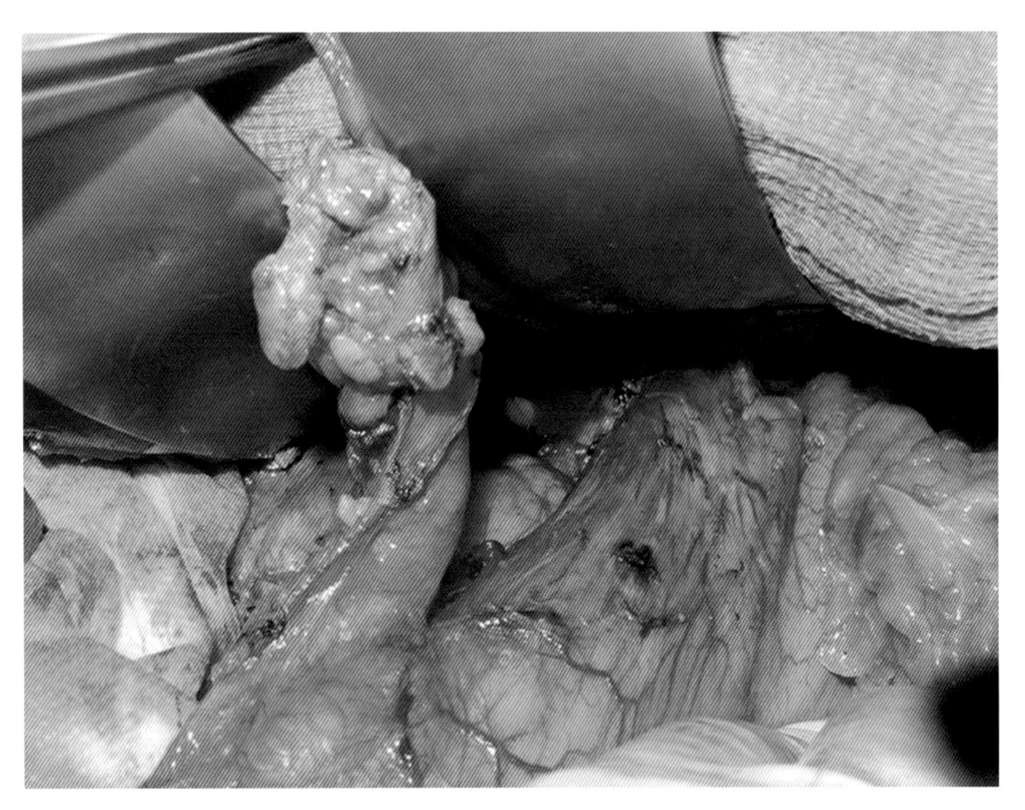

图4-2　No.1组及No.3组淋巴结即被清除，送病理检查。于靠近胃壁处予以钳夹、切断、结扎胃左动、静脉进入胃壁的分支。

三、保护残胃血管

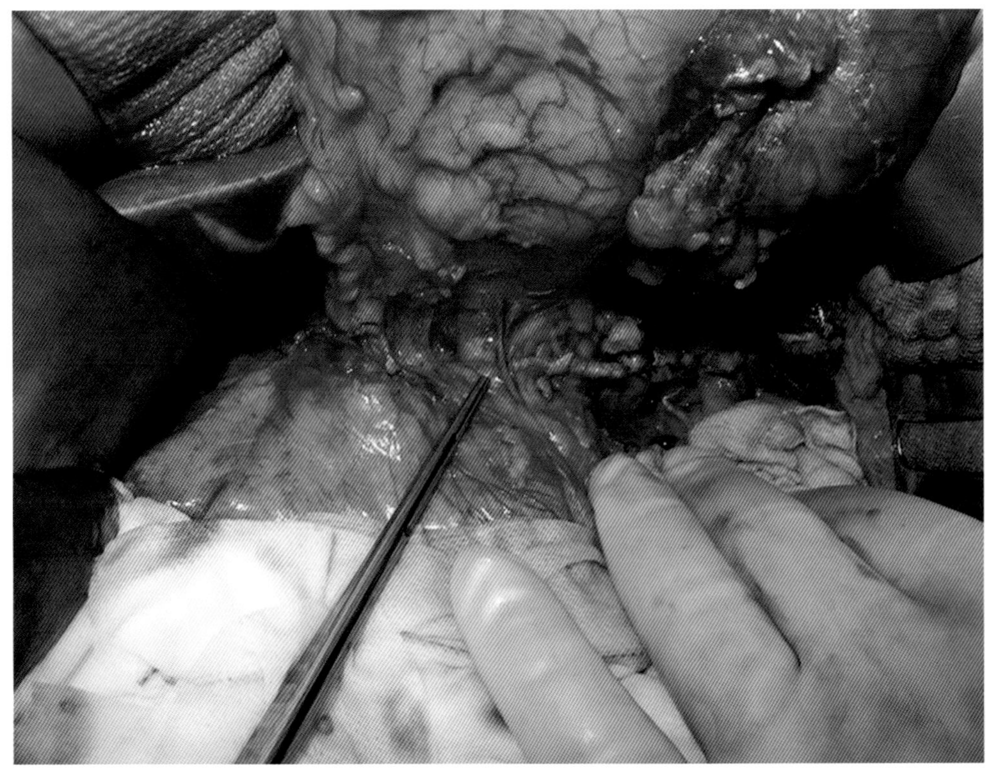

图4-3　确定大弯侧离断点，需保留不少于2支胃短血管及胃后动脉，以保障残胃具有良好的血供及营养供给。

四、准备空肠襻与Roux臂，将后者置入肠系膜上区

图4-4　将横结肠牵向头侧，展开第二空肠襻，利用光线透照法判断空肠动脉弓解剖位置。

图4-5　保护空肠血管，离断肠系膜至其根部，松解空肠，确保可无张力到达残胃断端。

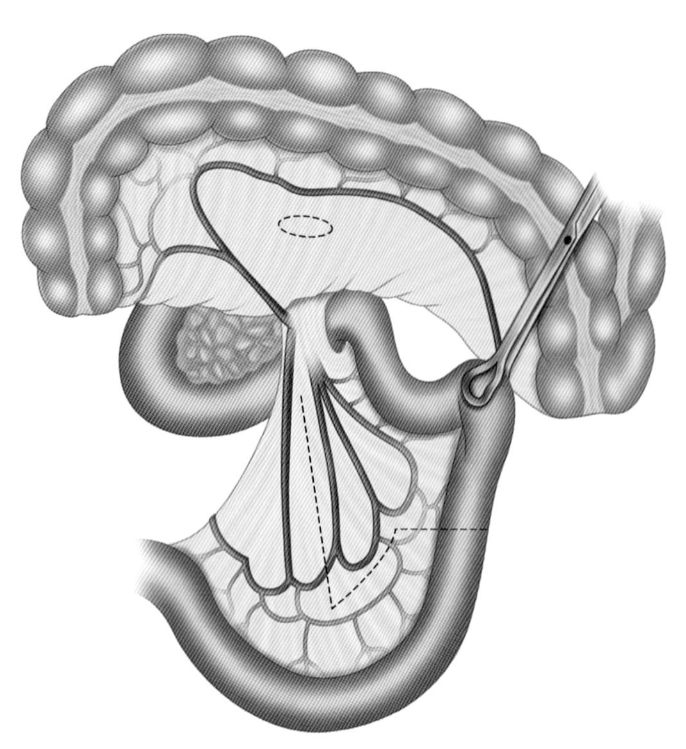

图4-6 确定空肠离断点，直线型胃肠闭合器TA30关闭回肠，无损伤肠钳夹持空肠输入襻，离断后输入襻用纱布包裹后，置入腹腔内。将横结肠系膜牵向头侧，采用光线透照法，于其左侧无血管区切开少许，以便将已闭合的输出襻（Roux臂）经此切口置于肠系膜上区。

五、上置Haberer 肠胃钳

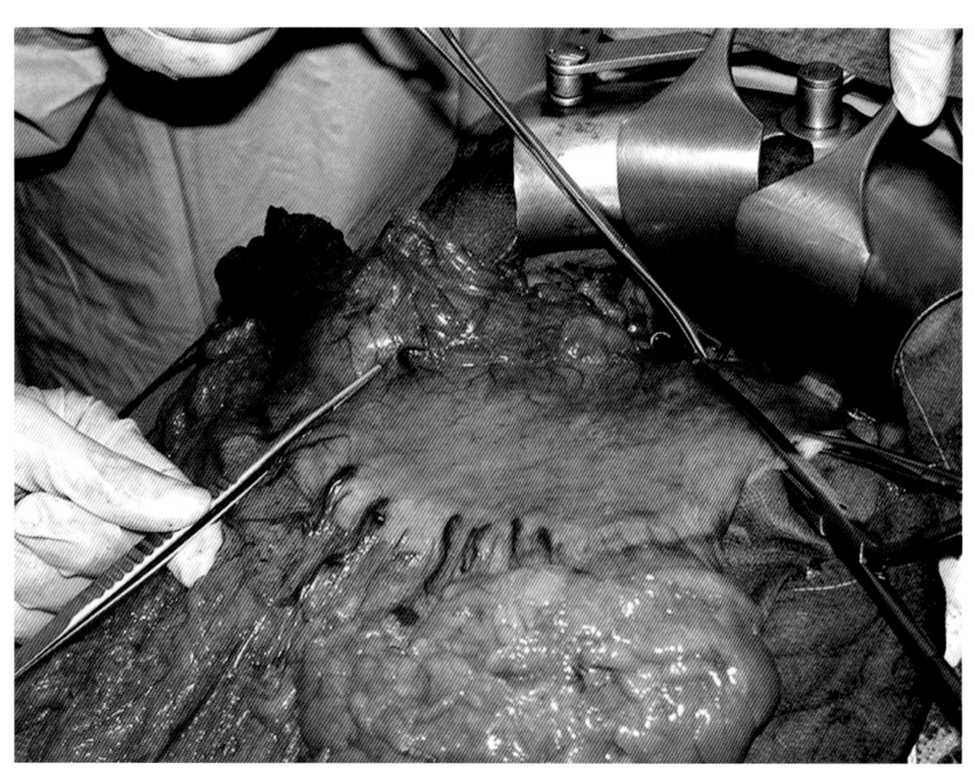

图4-7 在肿瘤上极和切除线之间上置Haberer肠胃钳，吻合口位于该钳口侧约2cm，关闭此钳时回撤胃管，以免将其钳夹。

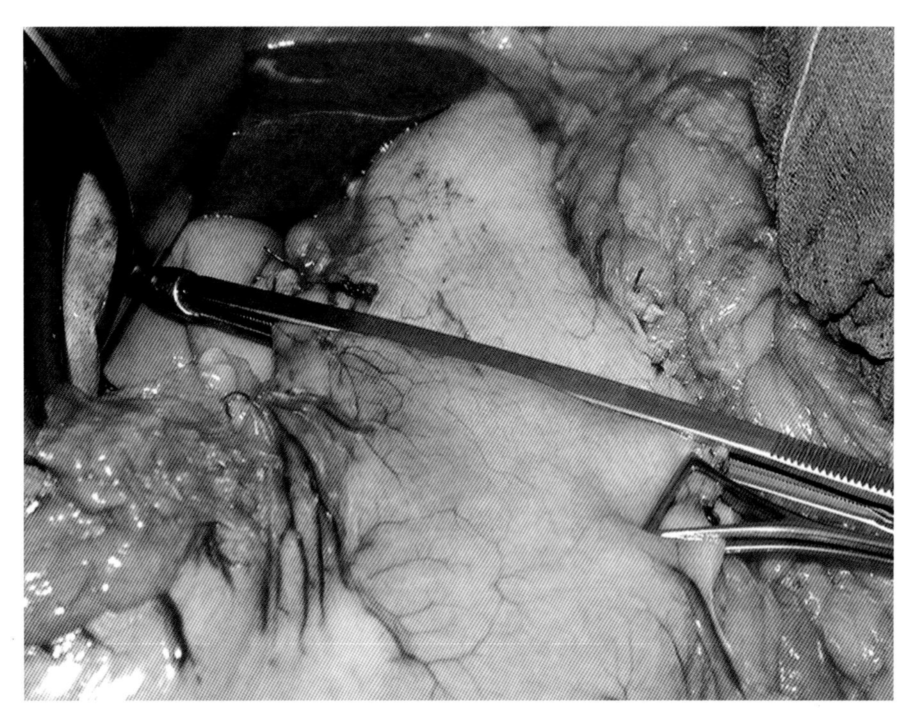

图4-8　上置Haberer肠胃钳时，与其肛侧胃小弯呈120°～130°夹角，如此既可以获得肉眼切缘阴性，也可以彻底切除胃窦G细胞，从而避免胃窦残留综合征。（译者注：这是一种少见的胃酸分泌过多综合征，是指在胃切除Billroth Ⅱ式胃肠道重建的患者，胃窦部黏膜可能残留于十二指肠残端，在缺乏胃酸抑制的情况下，G细胞分泌大量胃泌素，导致胃酸过度分泌和胃溃疡复发）

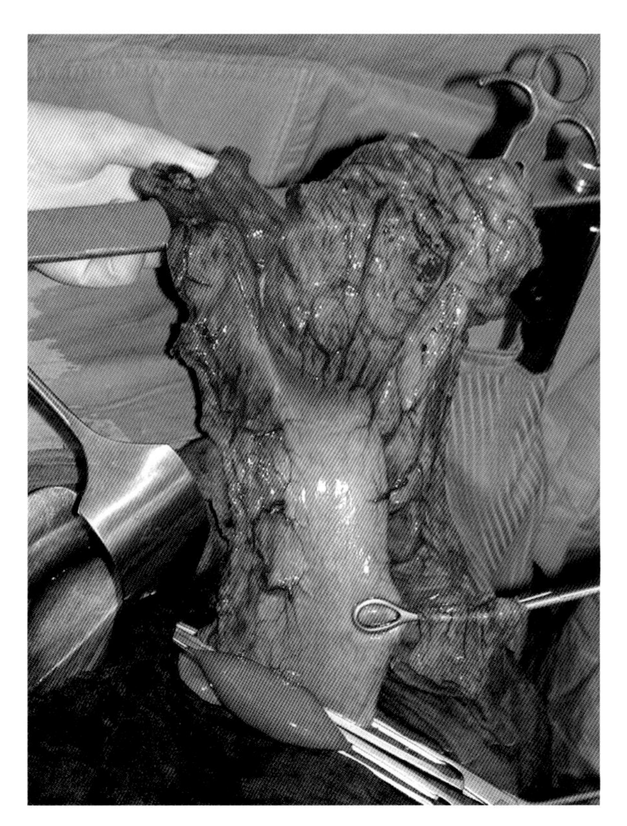

图4-9　将胃轻轻拉向前上方，显露其后壁。第一助手用2把阑尾钳提起末端已缝合关闭的Roux臂空肠。术者于空肠系膜处上置肠钳，将空肠襻与胃大弯侧并拢，用一把巾钳固定胃钳及肠钳，于胃后方、空肠襻及巾钳前方放置3块纱布垫，以防术野污染，也可避免缝线与上述各钳缠绕在一起。

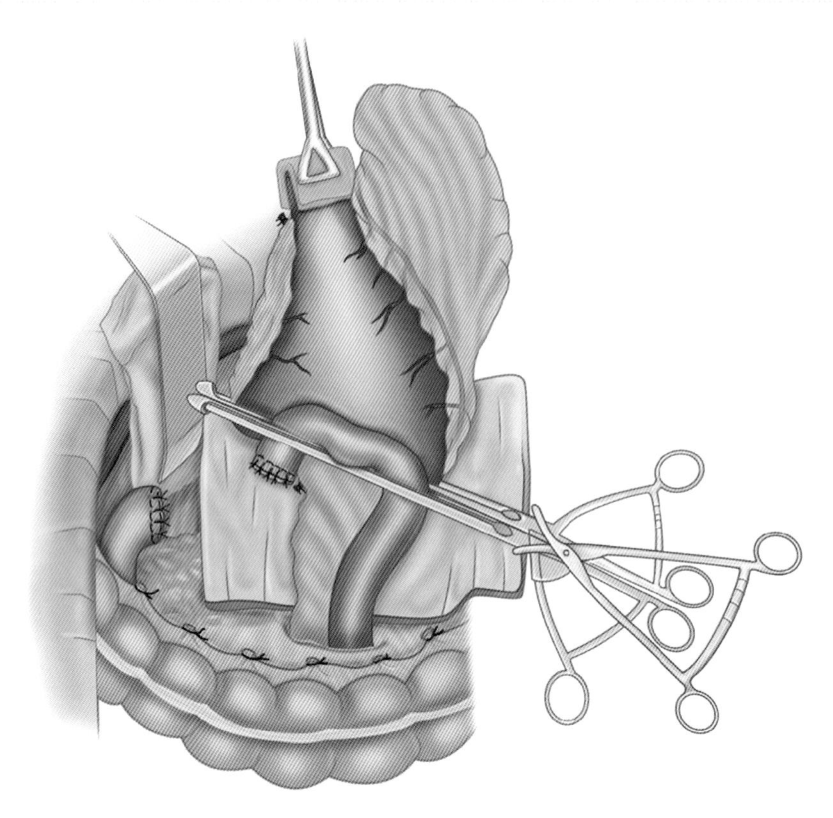

图4-10　图4-9示意图。

六、胃空肠吻合

（一）后壁第一层吻合

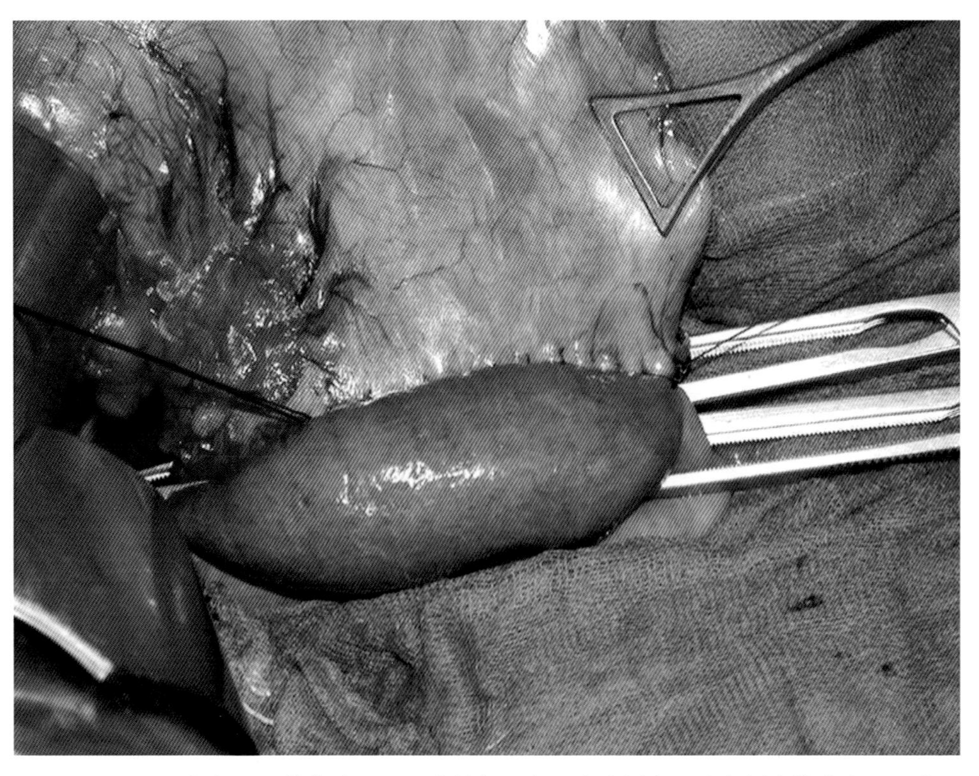

图4-11　用2-0缓慢可吸收线（30mm缝针），自胃大弯侧向胃小弯侧连续缝合胃肠浆肌层，间距5~7mm，进针方向与胃纵轴呈45°角，拉紧缝线，浆肌层将缝线包埋难以看见即为适宜的缝线张力，蚊式钳钳夹两线尾。

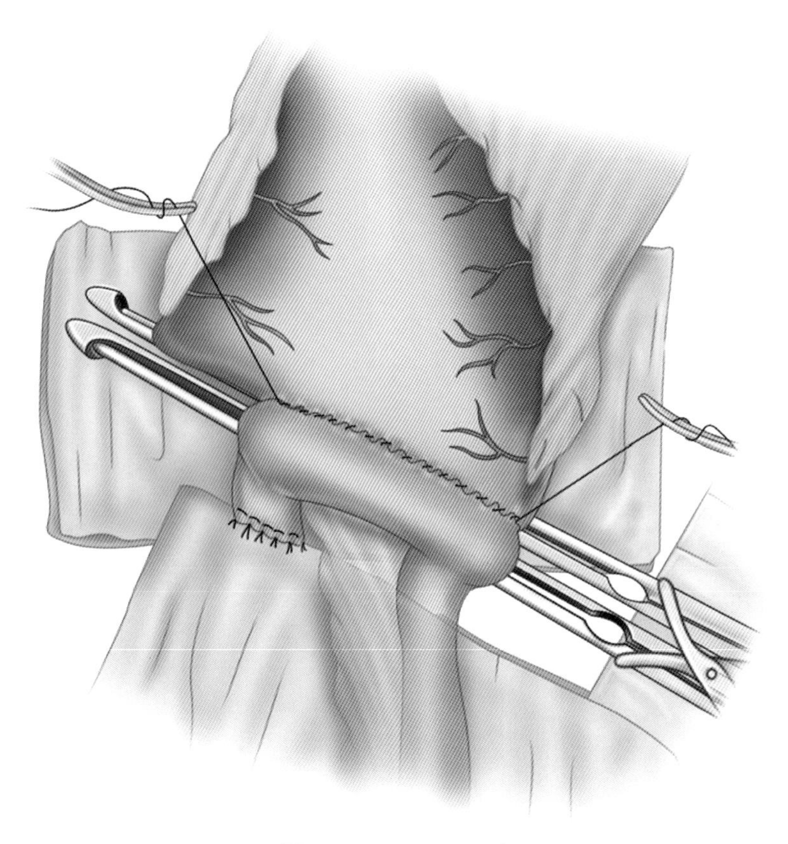

图4–12　图4–11示意图。

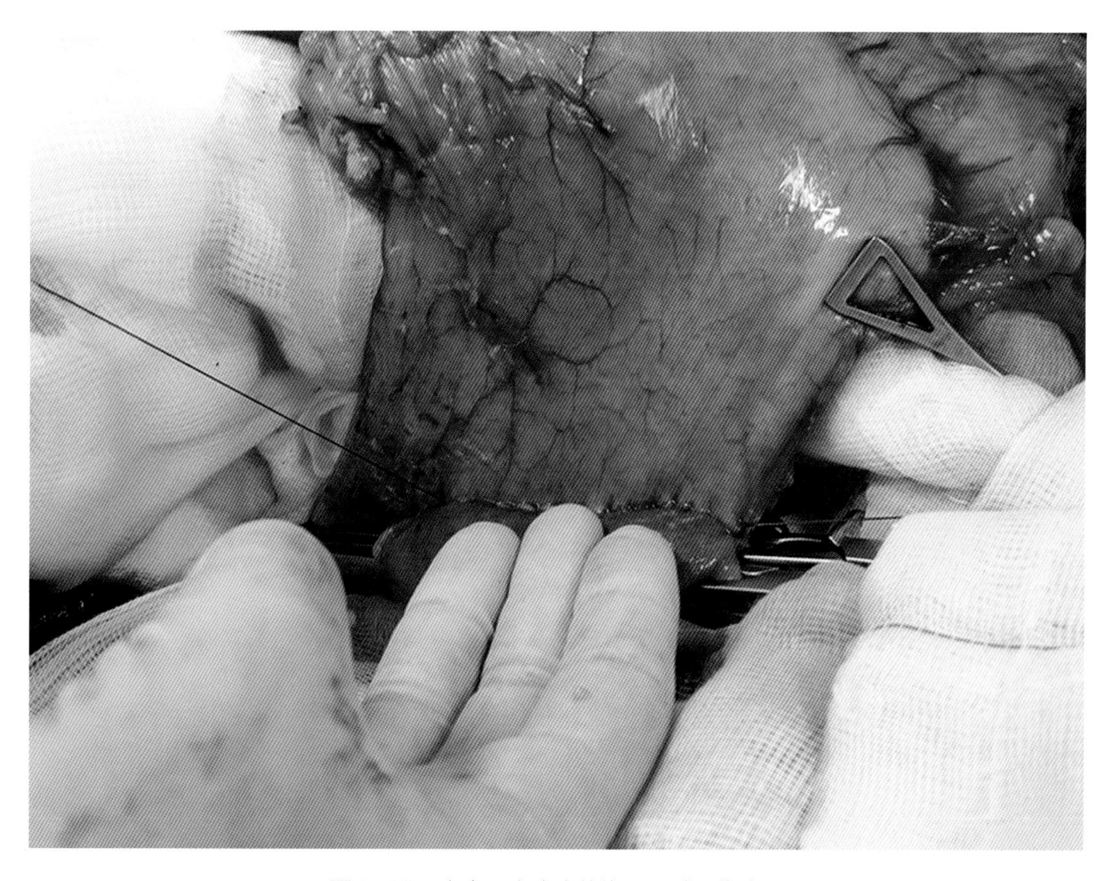

图4–13　吻合口宽度大约为6cm或三指宽。

（二）胃切除及术中策略

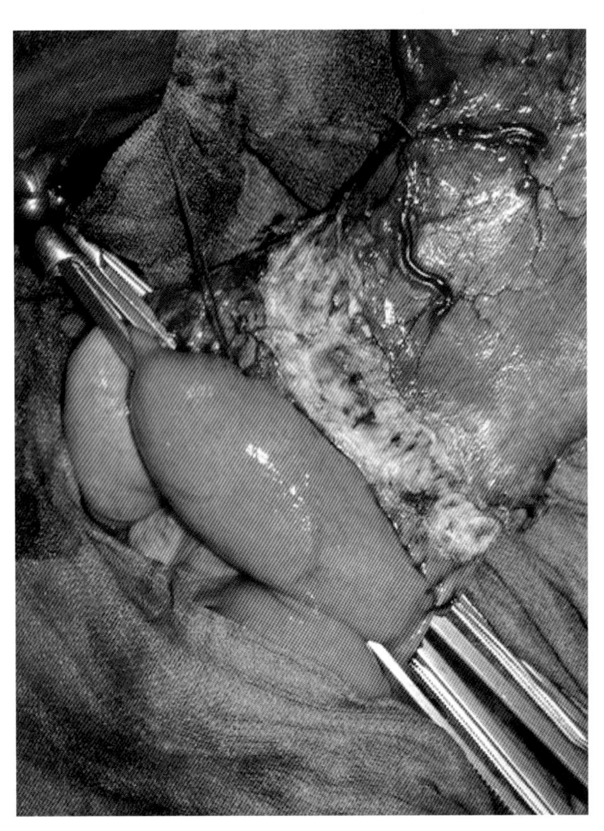

图4-14　长无损伤钳于缝合线上方钳夹整个胃壁，以防术中污染，切开胃后壁，切开线与浆肌层缝合线的距离胃大弯侧为1cm，胃小弯侧为1.5~2cm。首先切开胃壁浆肌层，显露黏膜下静脉丛，电凝止血，然后切开黏膜层，吻合口黏膜层剩余不可过多，以免影响后续吻合。

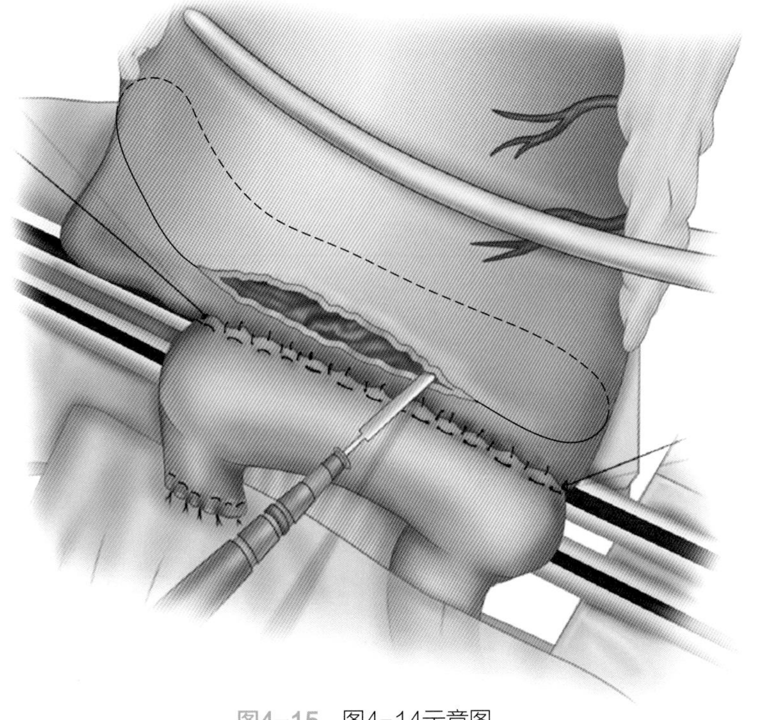

图4-15　图4-14示意图。

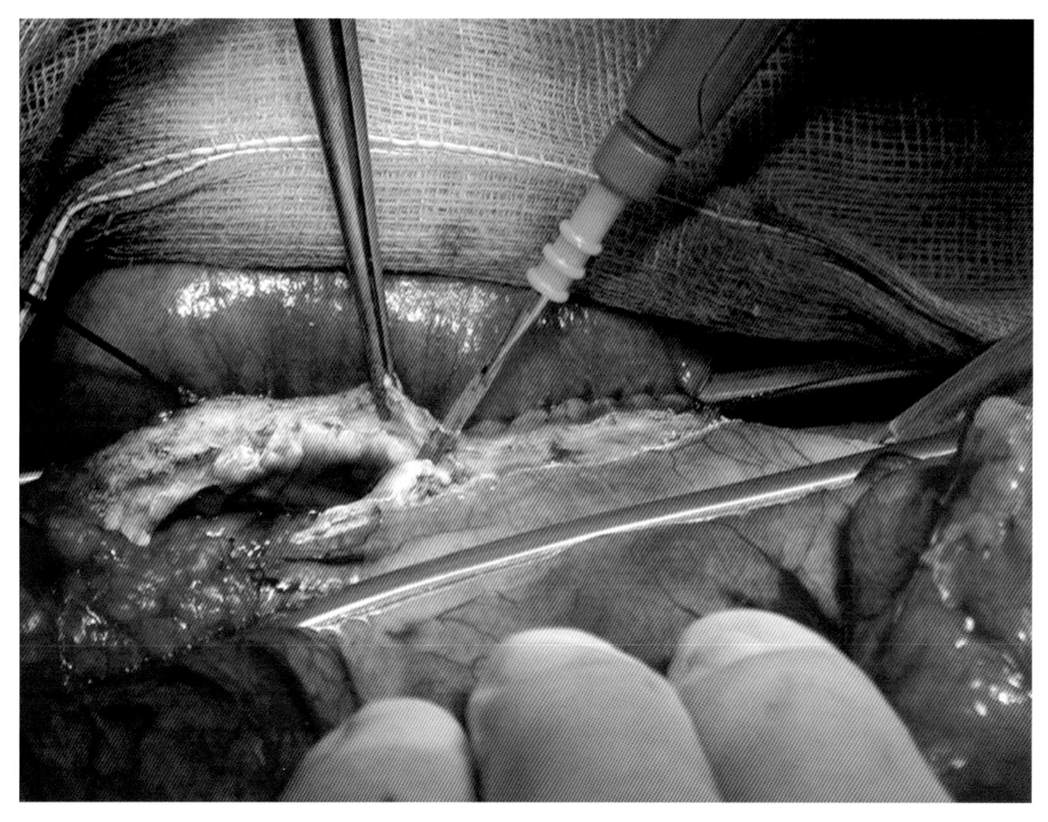

图4-16　电凝切开胃后壁黏膜层及黏膜下层，消毒胃断端，用浸蘸聚维酮碘纱布垫覆盖胃切缘。

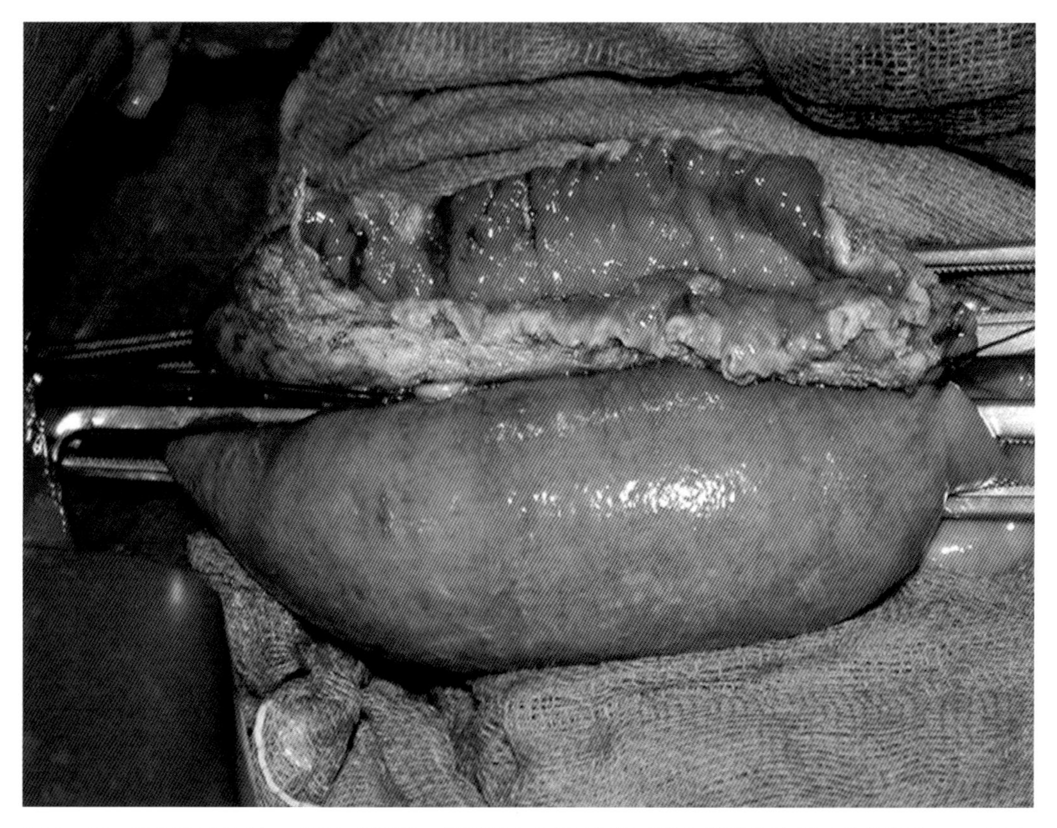

图4-17　将胃牵向下方，切开胃前壁，切开线与后壁浆肌层缝合线的距离胃大弯侧为2cm，胃小弯侧为3cm，如此便于后续吻合及残胃内侧部分（胃小弯侧）的包埋缝合。

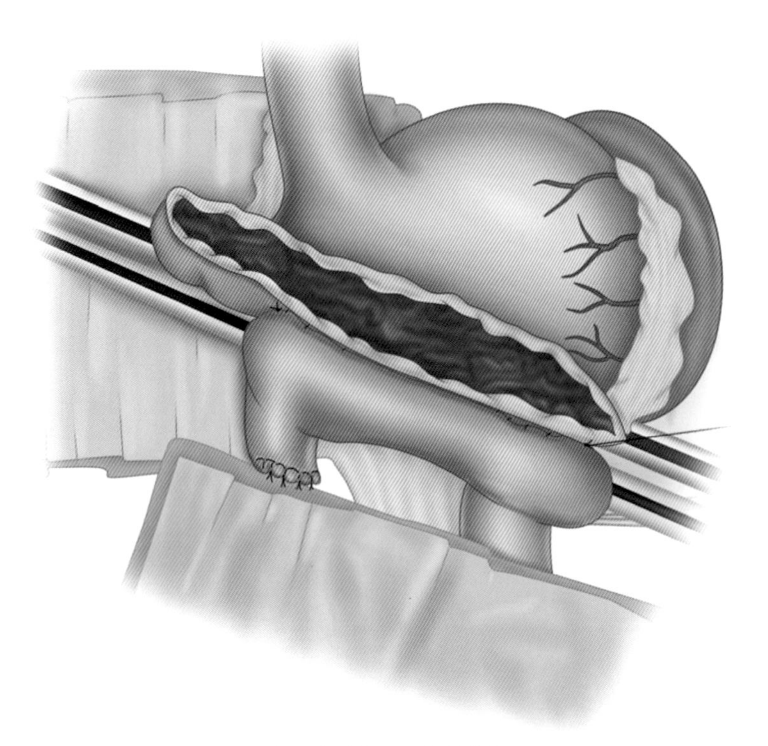

图4-18　图4-17示意图。

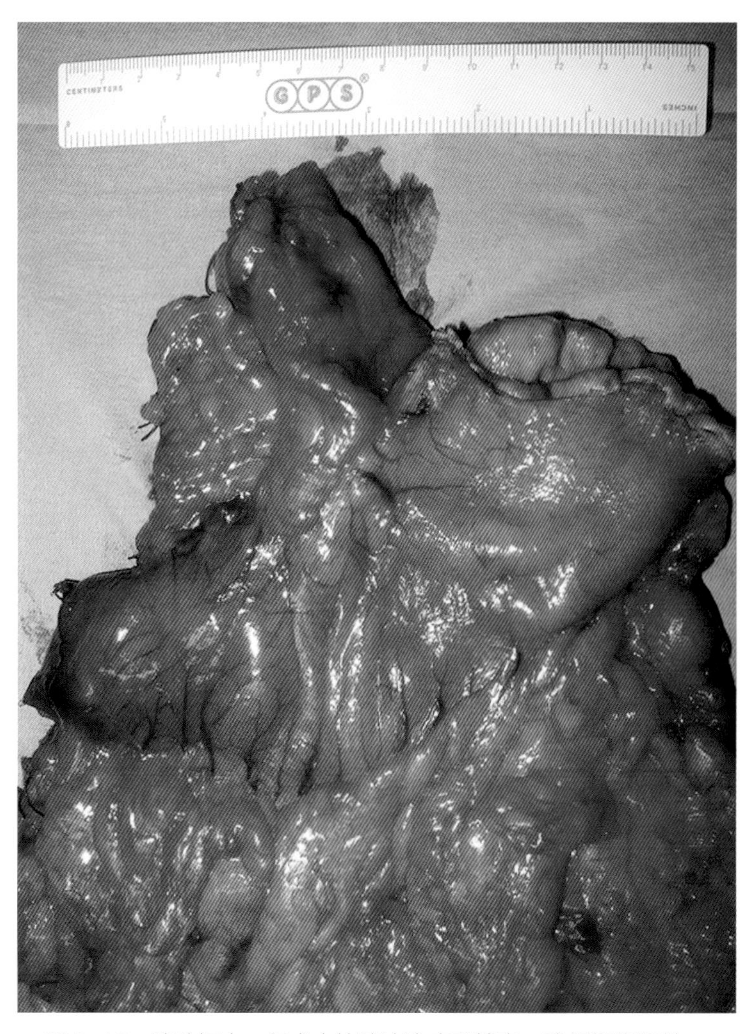

图4-19　移除标本，行术中快速冰冻病理检查，确保切缘阴性。

（三）残胃小弯侧缝合关闭

图4-20　靠近胃小弯侧后壁浆肌层缝线打结处，全层缝合残胃前后壁，确保吻合口三指宽，切勿将Roux臂缝入其中。

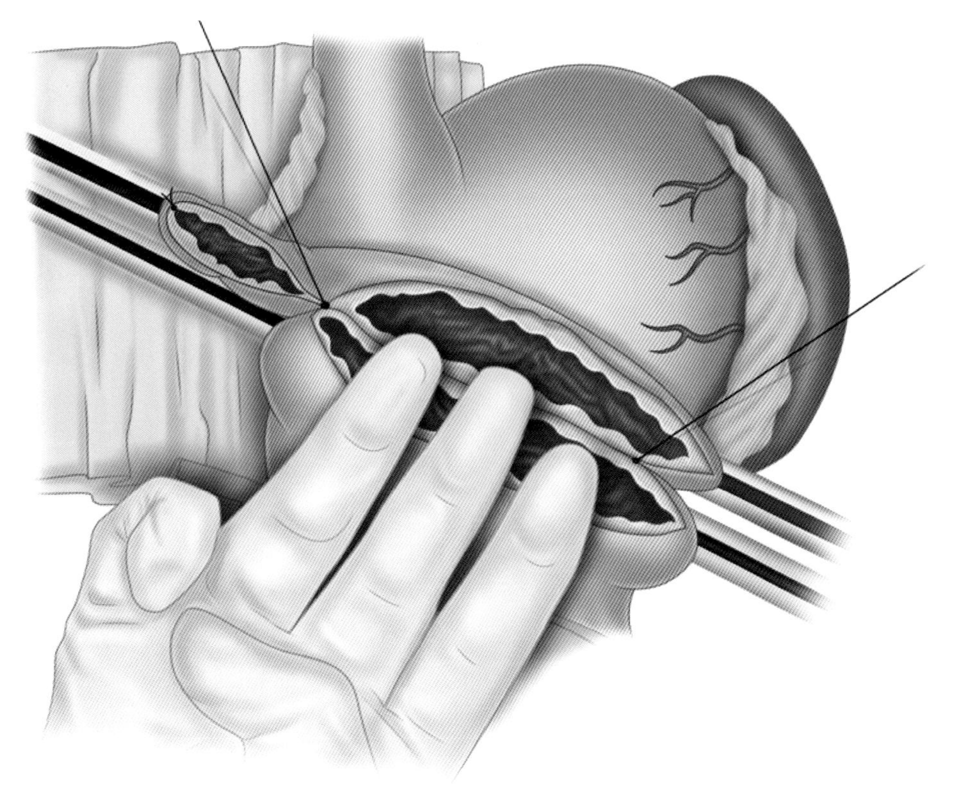

图4-21　图4-20示意图。

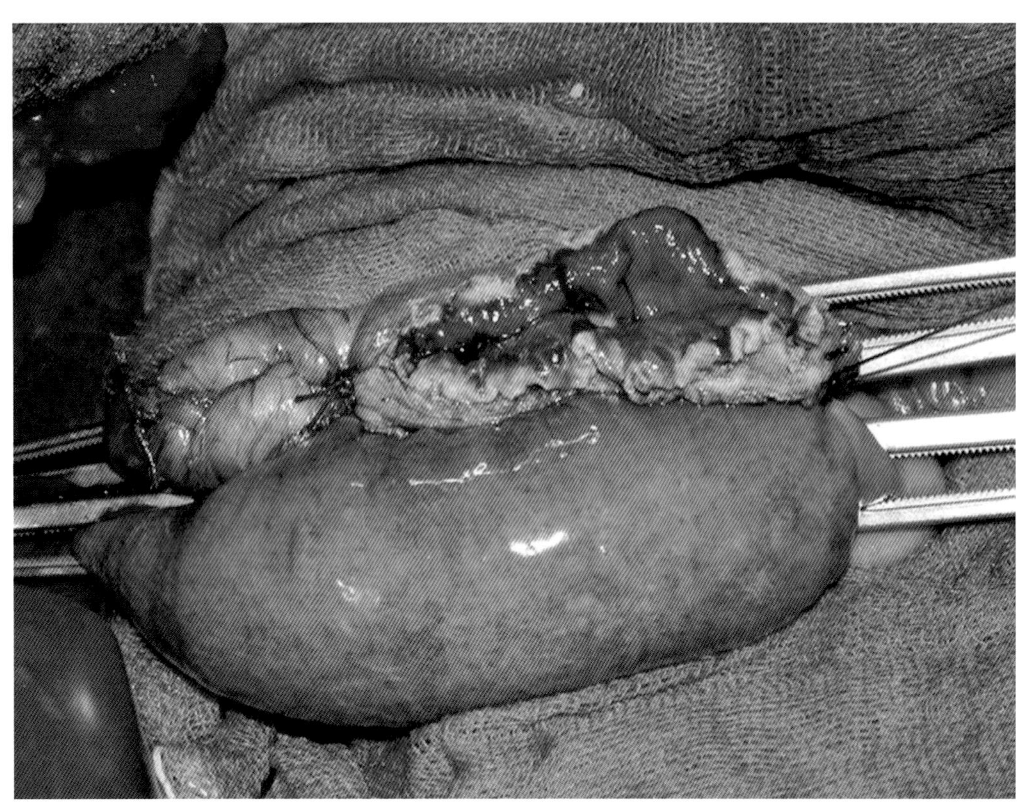

图4-22 用2-0缓慢可吸收线连续Connell缝合关闭胃小弯侧胃残端。

（四）后壁第二层及前壁第一层缝合

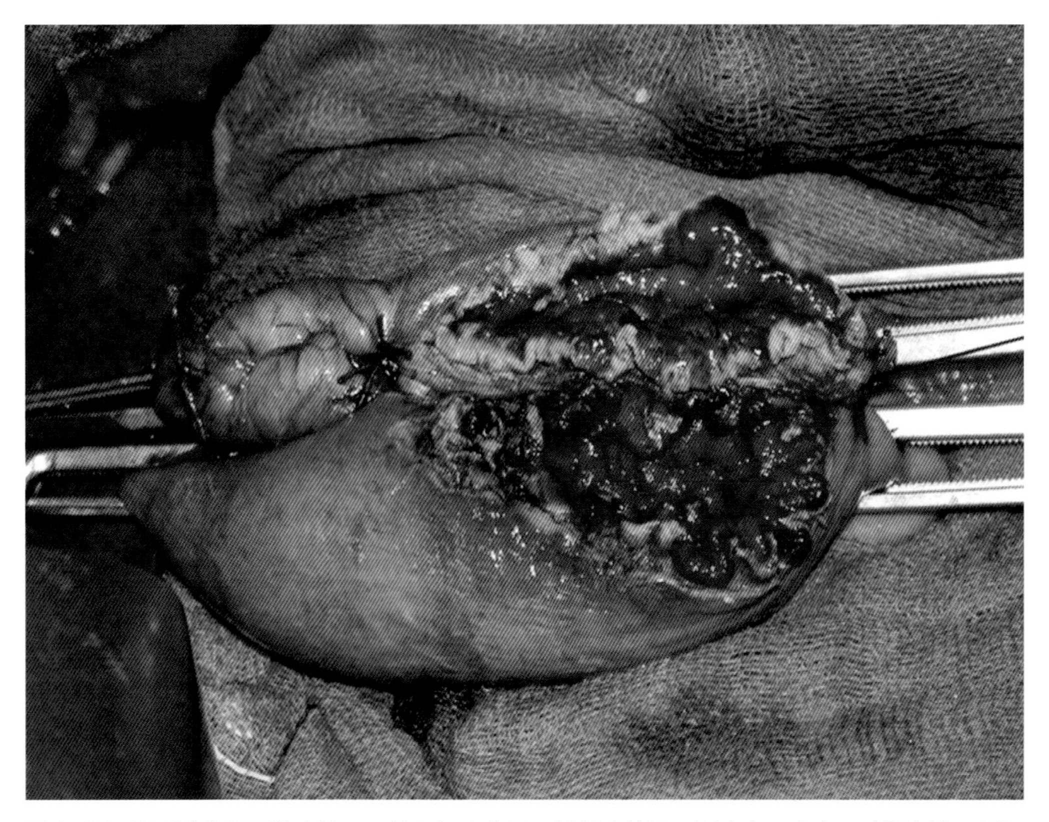

图4-23 距后壁浆肌层缝合线1cm处，切开空肠，其长度等同于胃吻合口宽度。（译者注：最好略短于胃吻合口宽度）

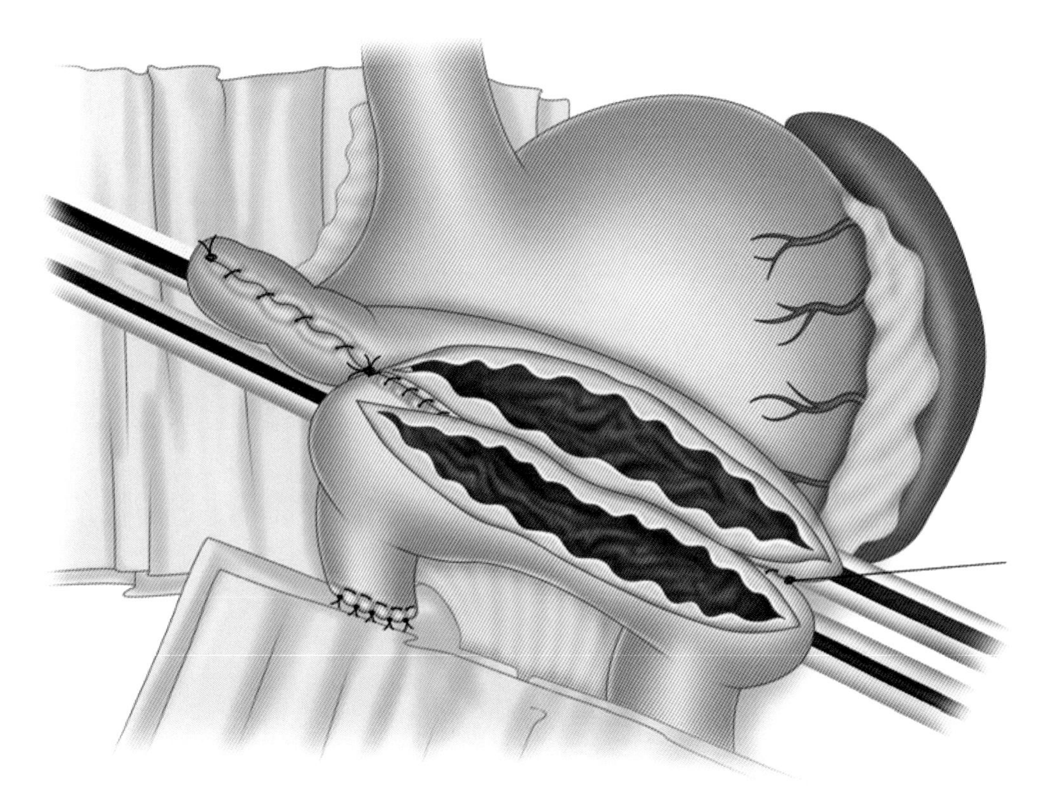

图4-24 图4-23示意图。

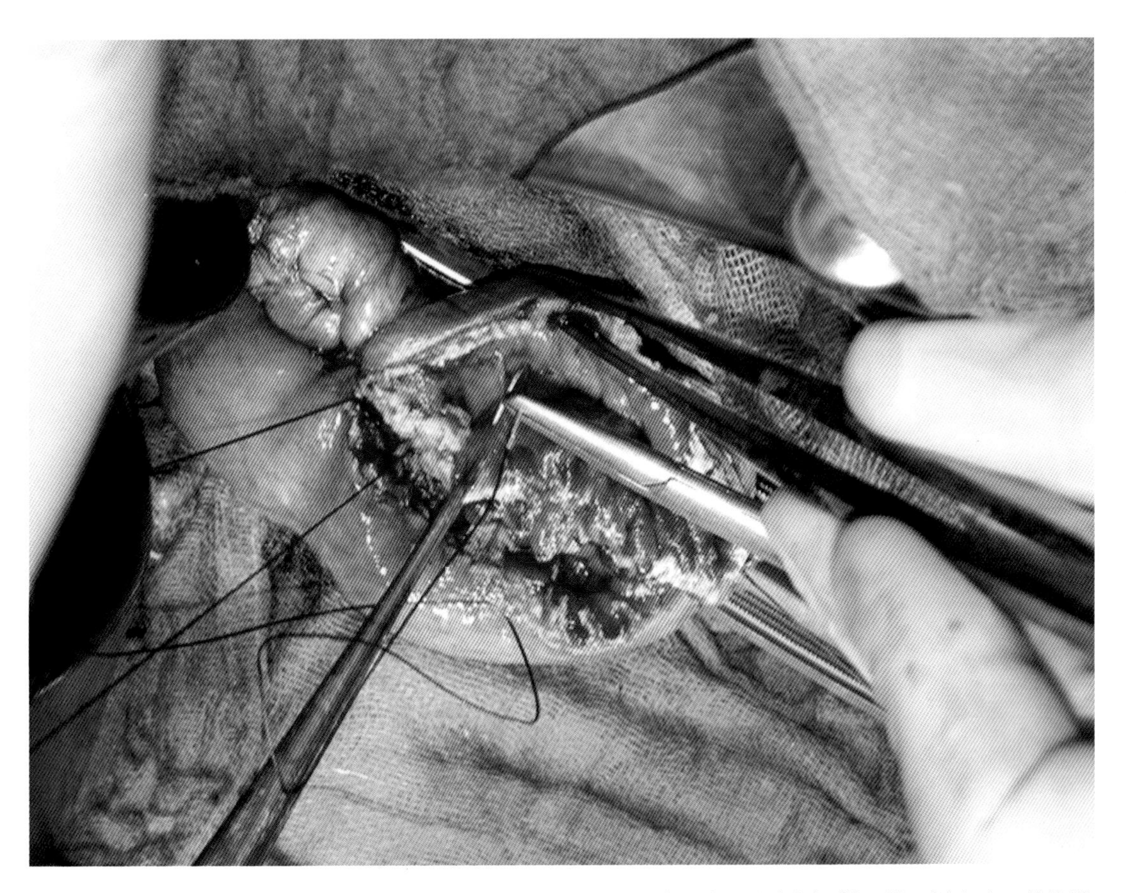

图4-25 后壁第二层缝合采用2-0缓慢可吸收线连续锁边缝合，自胃小弯侧开始。第一针由内而外先缝胃壁，再缝空肠壁，提起打结，尽量压向背侧，同时助手将胃、空肠黏膜向中间对拢，打结后即可妥善缝合关闭吻合口内侧角。线尾与后壁浆肌层缝合线打结，剪除此线尾。

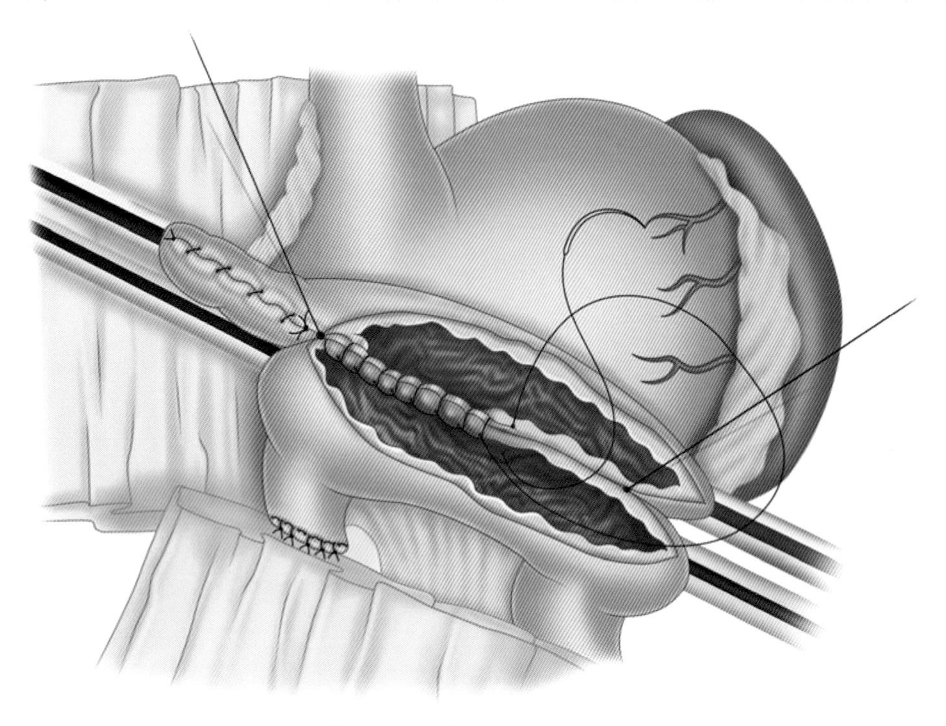

图4-26 图4-25示意图。

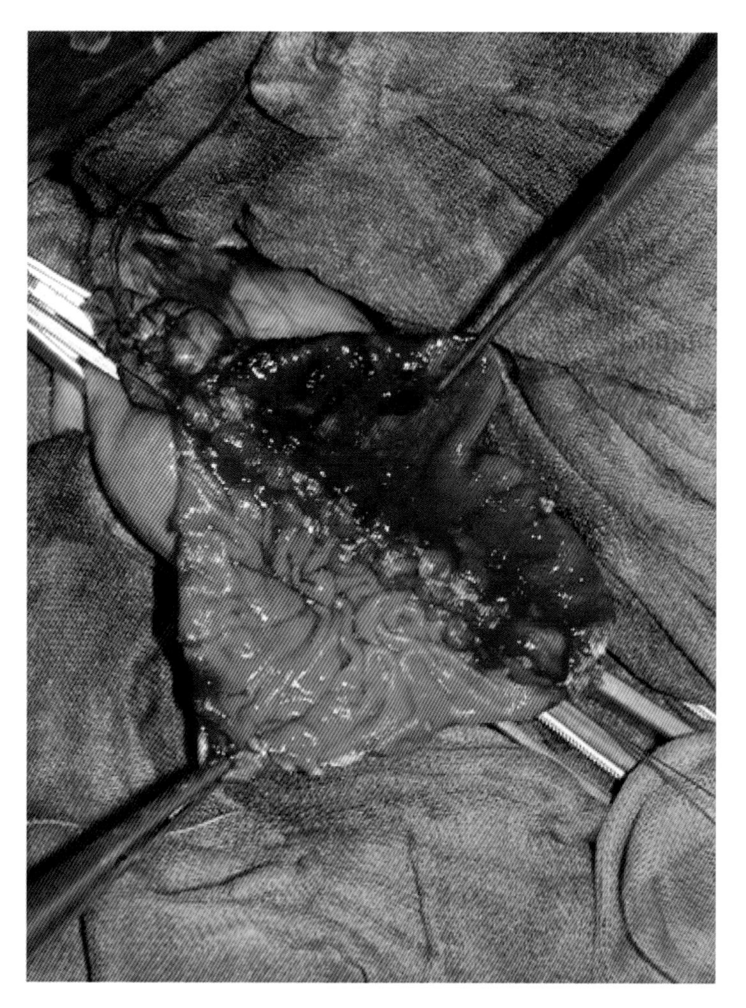

图4-27 后壁第二层连续锁边缝合可确保内层彻底止血和良好对合。后壁缝合完毕后，缝针穿出空肠壁，再缝入大弯侧胃壁，继续用同一根线完成自胃大弯侧至胃小弯侧前壁第一层缝合。

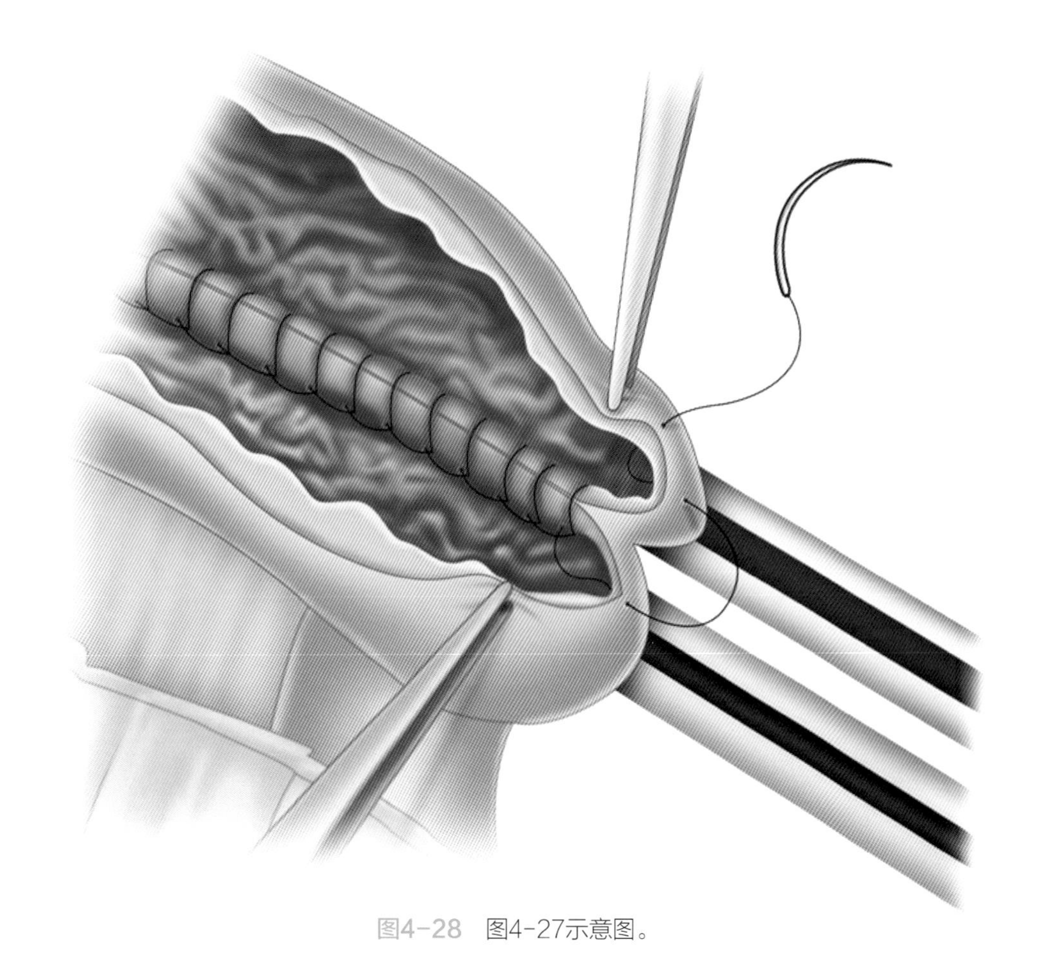

图4-28　图4-27示意图。

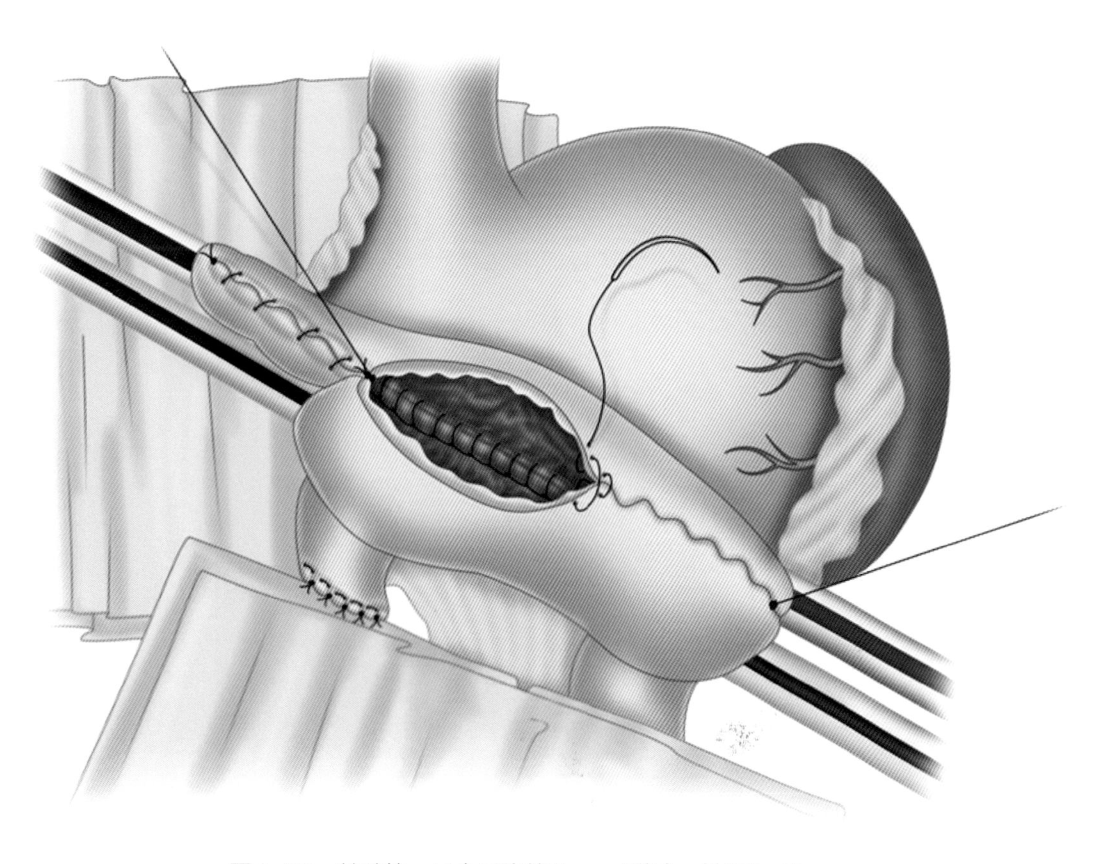

图4-29　前壁第一层全层连续Connell缝合，针距5~7mm。

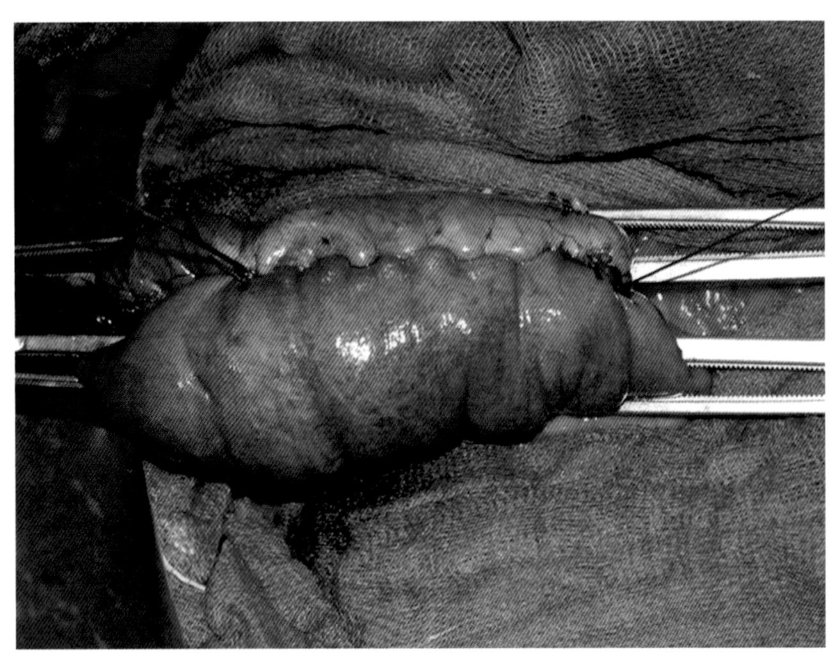

图4-30 前壁第一层缝合完毕。

（五）残胃小弯侧包埋缝合

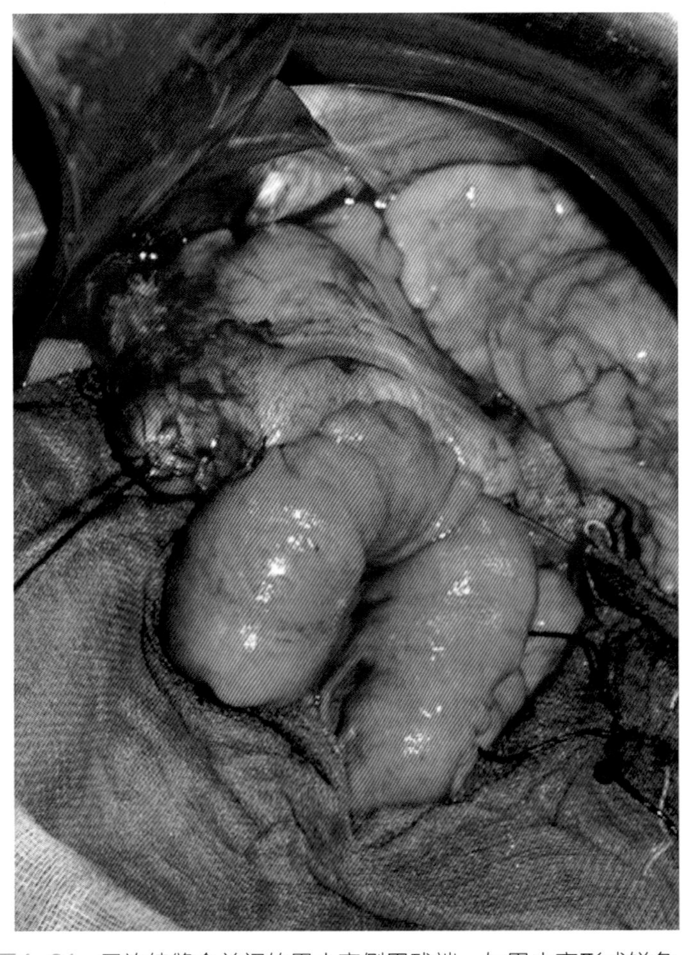

图4-31 已连续缝合关闭的胃小弯侧胃残端，与胃小弯形成锐角，需要将其直线化。距离此角2～3cm，将其用半荷包浆肌层缝合包埋，第一助手缝置此荷包并将锐角处压向胃内。

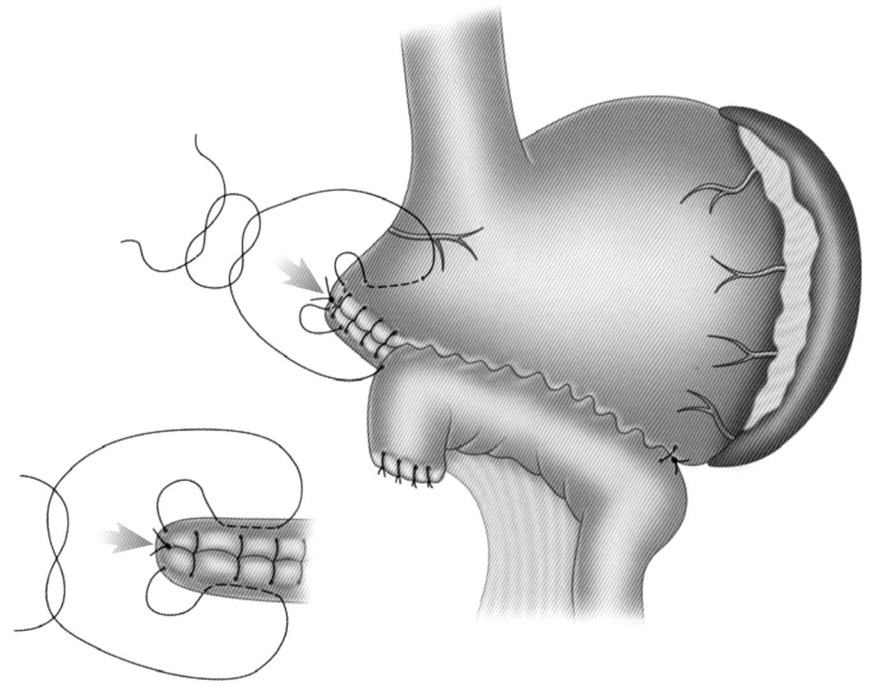

图4-32　图4-31示意图。

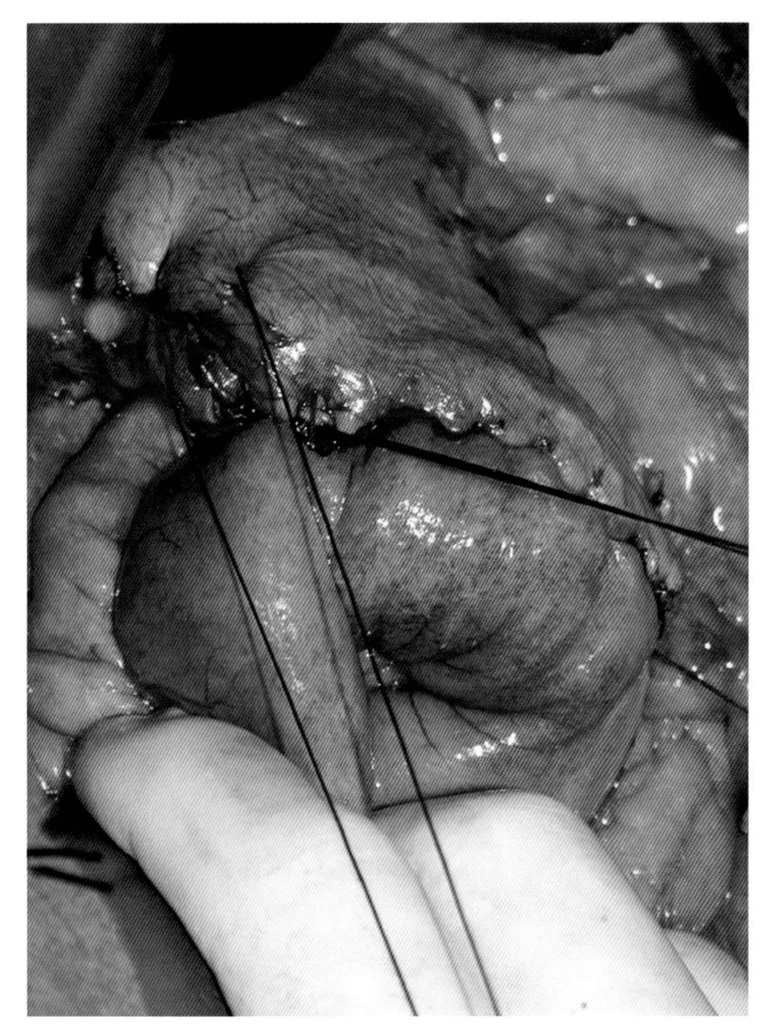

图4-33　于半荷包缝合线上、下方，用2-0缓慢可吸收线间断缝合浆肌层，包埋胃残端。

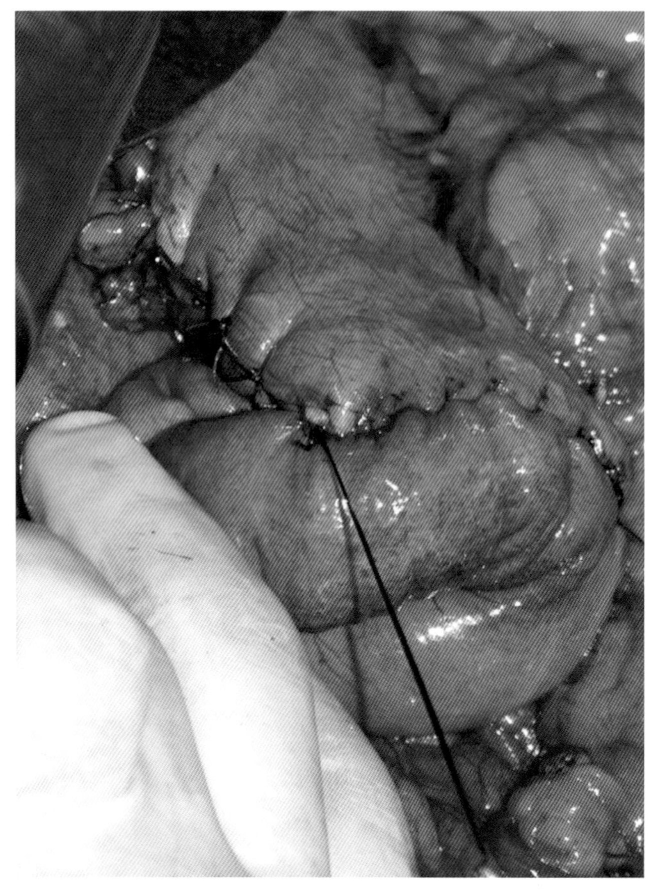

图4-34　将上述锐角区域予以直线化，其长度缩减至吻合口大小。

（六）前壁第二层缝合

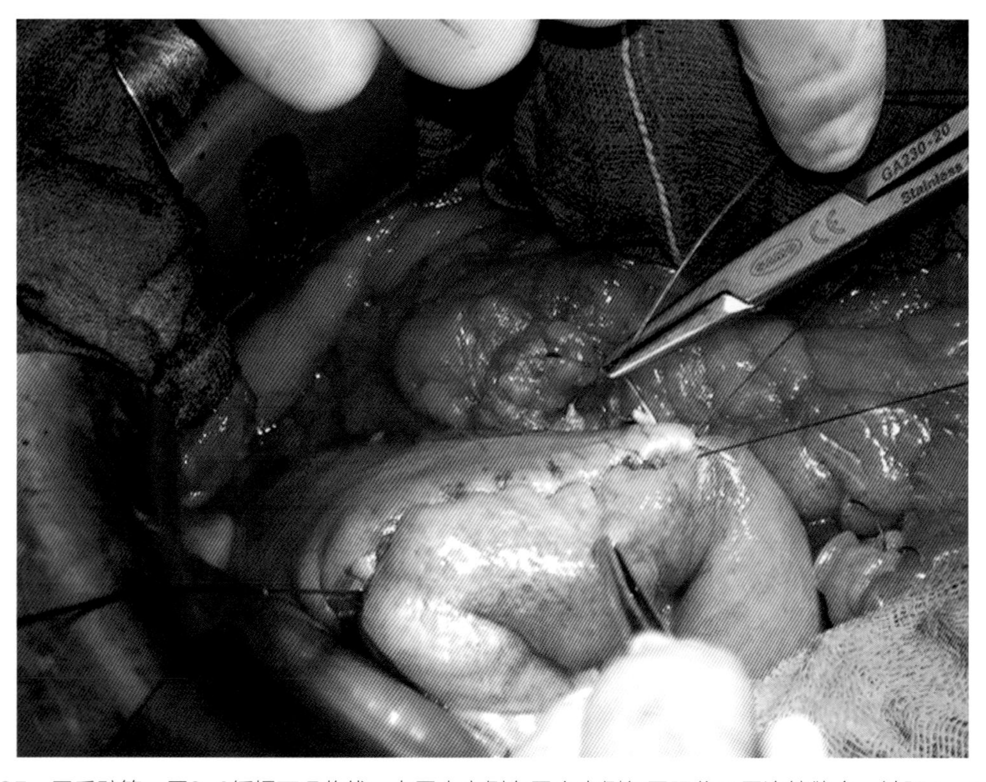

图4-35　用后壁第一层2-0缓慢可吸收线，自胃大弯侧向胃小弯侧行胃肠浆肌层连续缝合，针距5～7mm。

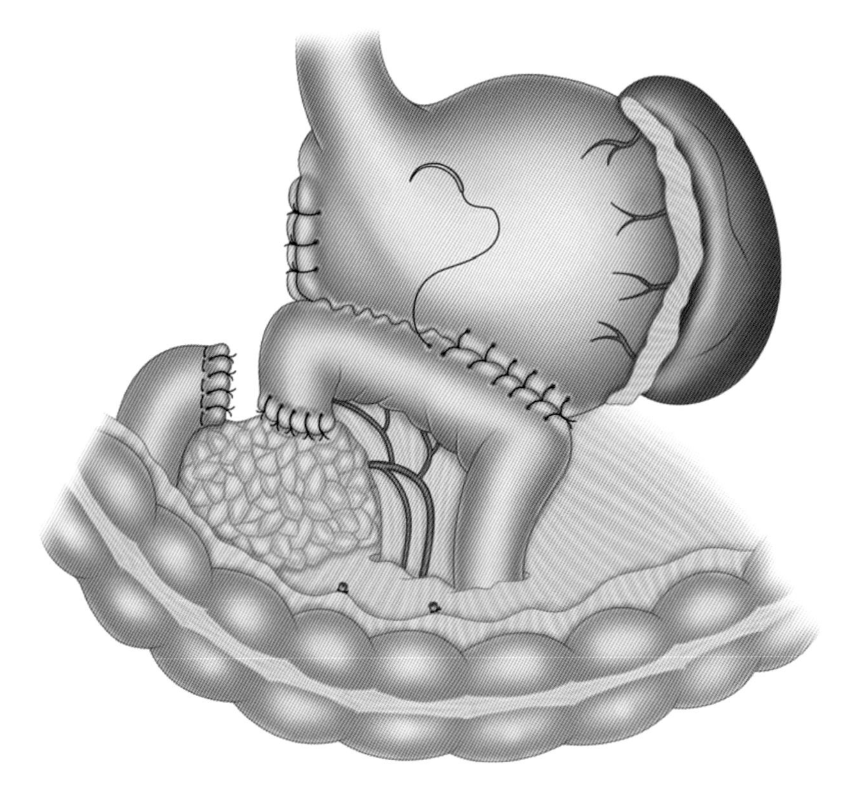

图4-36 图4-35示意图。

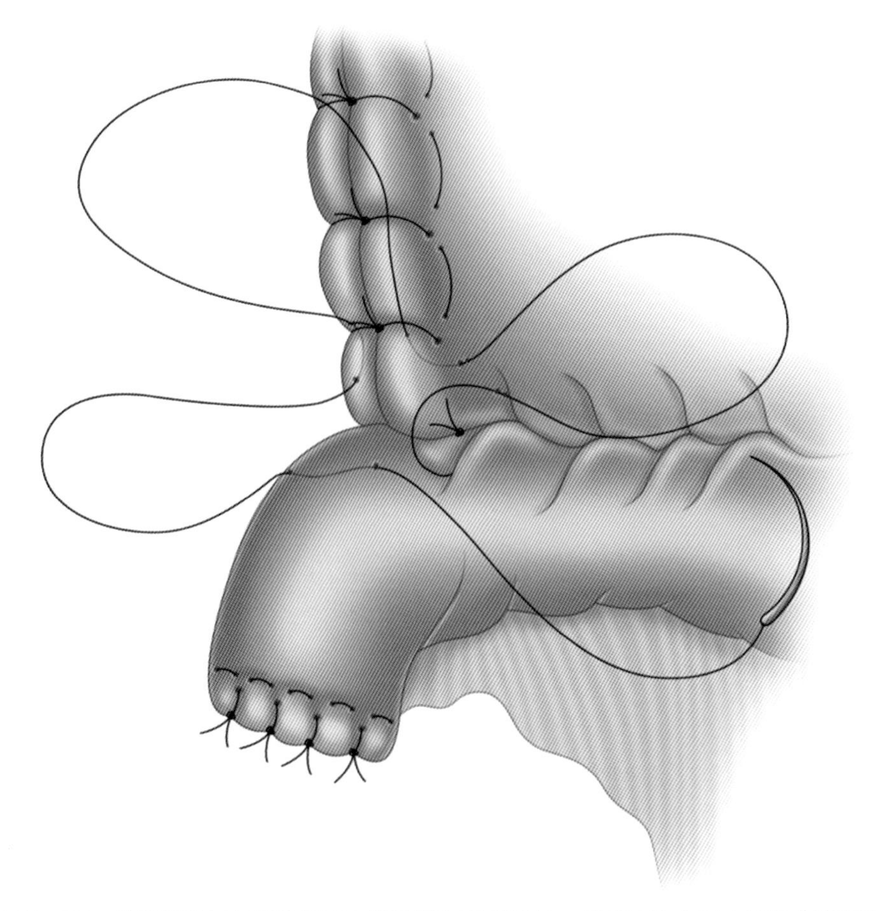

图4-37 前壁浆肌层包埋线缝至后壁浆肌层包埋线处，即抵达吻合口内侧角（译者注：危险三角），然后行非吻合口残胃前壁、后壁及空肠浆肌层缝合，包埋此三角。

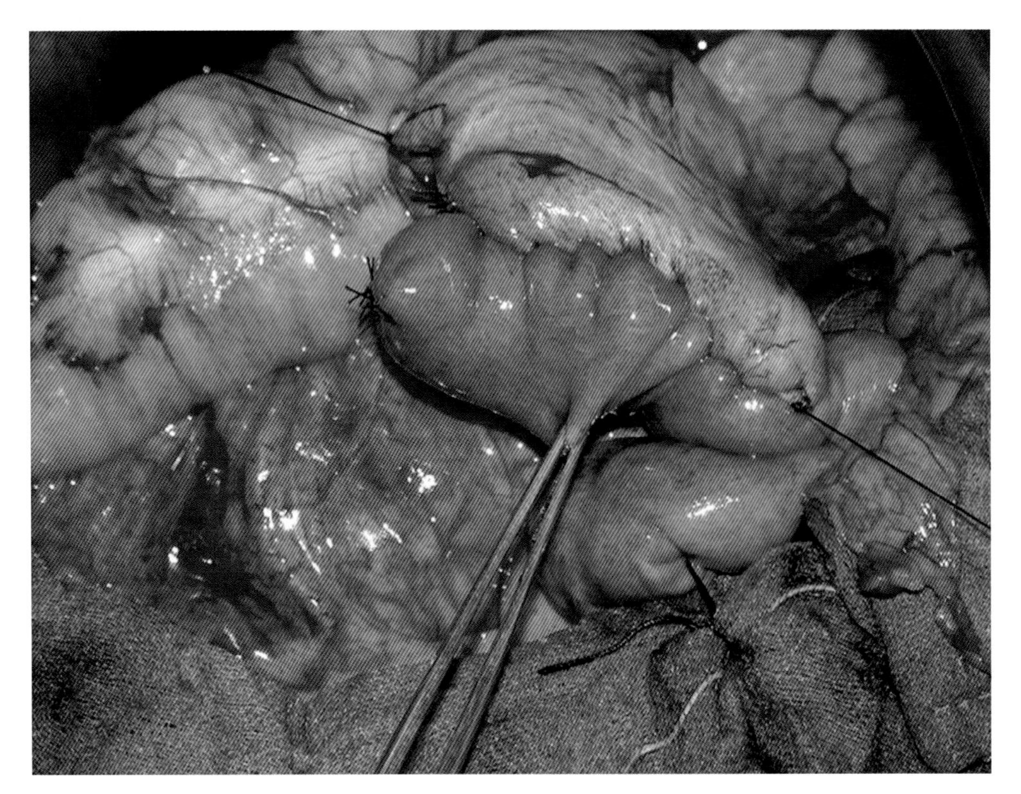

图4-38 胃空肠吻合完毕。

七、空肠空肠吻合

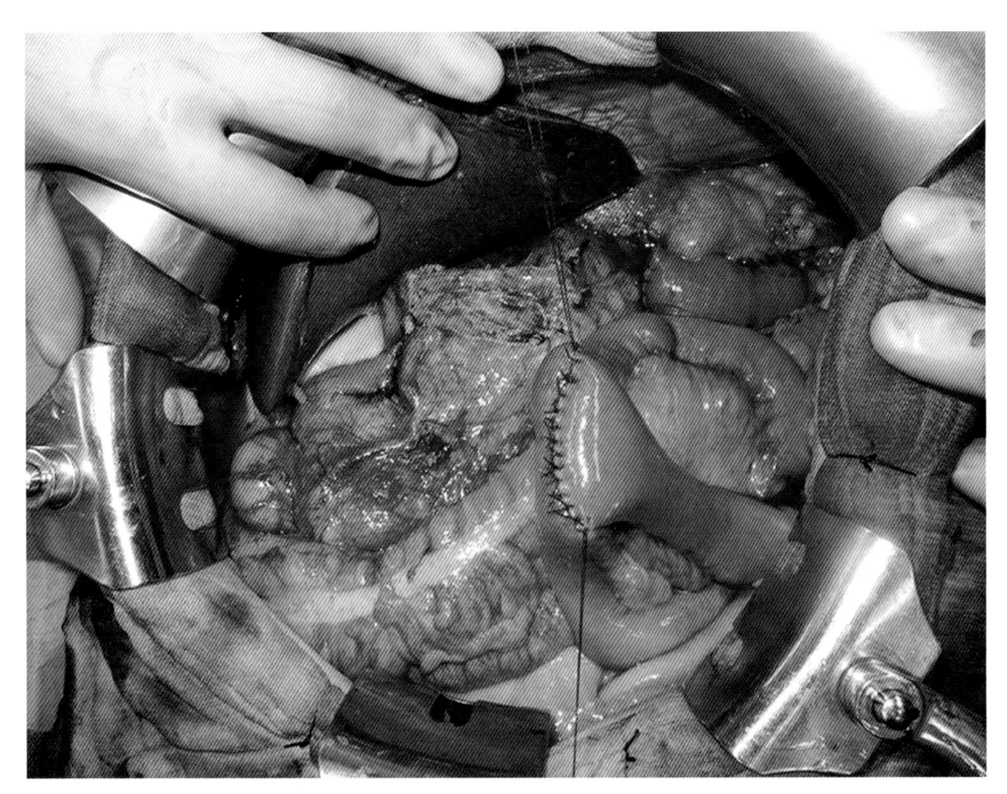

图4-39 输入襻空肠与距胃空肠吻合口约60cm处Roux臂用3-0缓慢可吸收线行双层端侧吻合。用3-0可吸收线缝合关闭横结肠系膜裂隙，以降低内疝形成的风险。（译者注：应放置引流管，引流管经肝十二指肠韧带后方达吻合口背侧，同时也可引流十二指肠残端周围渗液）

参考文献

[1] Japanese Gastric Cancer Association. Japanese gastric cancer treatment guidelines 2010 (ver. 3) [J]. Gastric Cancer, 2011, 14:113–123. doi: 10. 1007/s10120–011–0042–4.

第五章

吻合器法胃次全切除术

自20世纪80年代始，吻合器广泛应用，减少了食管、胃及结直肠手术时间。吻合器特别适用于腹腔镜腹腔内吻合、低位直肠及食管贲门切除术。目前，吻合器吻合是食管空肠吻合的理想方法，可以降低手术难度，缩短手术时间，降低吻合口漏等并发症发生率。与手工缝合相比，吻合器吻合在难以进入的部位更具优势，手术操作更快、更符合标准及简单易行，唯一不足的是许多吻合器需要重新上置吻合钉，因此费用较高。

许多文献报道使用直线型或圆型吻合器成功实施胃切除Billroth Ⅱ式胃肠道重建、残胃空肠Roux-en-Y吻合术、端侧或侧侧吻合术。

在此，我们仅讲述器械法胃次全切除术，用多把直线型切割吻合器横断胃壁，消化道连续性重建使用圆型吻合器在胃大弯完成残胃空肠Roux-en-Y端侧吻合或侧侧吻合。

笔者多用3-0缓慢可吸收线间断浆肌层缝合包埋各吻合线或吻合口，以降低吻合口漏和出血的风险。

P. Stortoni（通讯作者）
Division of General Surgery ,
“A. Murri” Hospital , Fermo , Italy
e-mail: pierpaolostortoni@libero.it

R. Ridolfo
Division of General Surgery ,
Senigallia General Hospital, Senigallia, Italy
e-mail: raffaella.ridolfo@email.it

E. Feliciotti
Department of Surgery , “Ospedali Riuniti”
University Hospital , Ancona , Italy
e-mail: feliciotti@live.it

W. Siquini
Division of General Surgery ,
“Madonna del Soccorso” Hospital ,
San Benedetto del Tronto , Italy
e-mail: walter.siquini@sanita.marche.it

W. Siquini (ed.), *Total, Subtotal and Proximal Gastrectomy in Cancer A Color Atlas*,
DOI 10.1007/978-88-470-5749-4_5, © Springer-Verlag Italia 2015

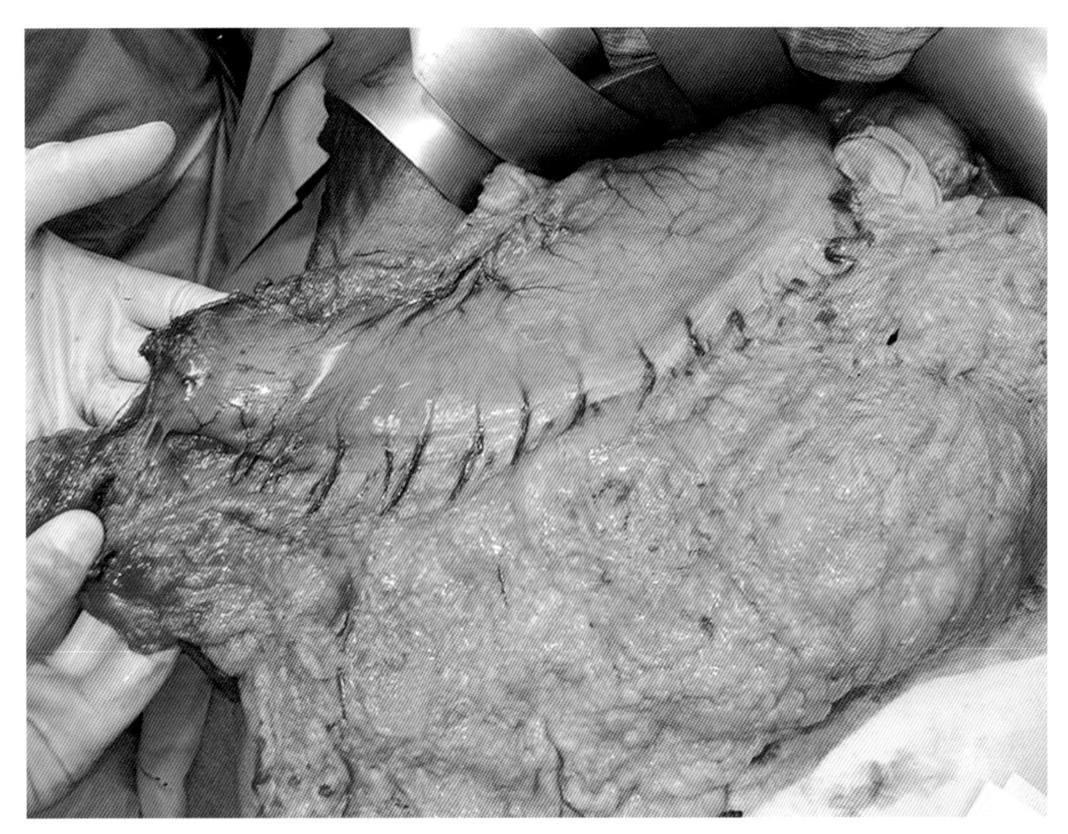

图5-1　胃次全切除术适用于可以获得阴性切缘的患者。吻合器胃次全切除术有几种手术方式：全部或部分下方吻合、直线型切割闭合器（GIA）侧侧吻合以及关闭横断胃壁后用端端吻合器吻合。

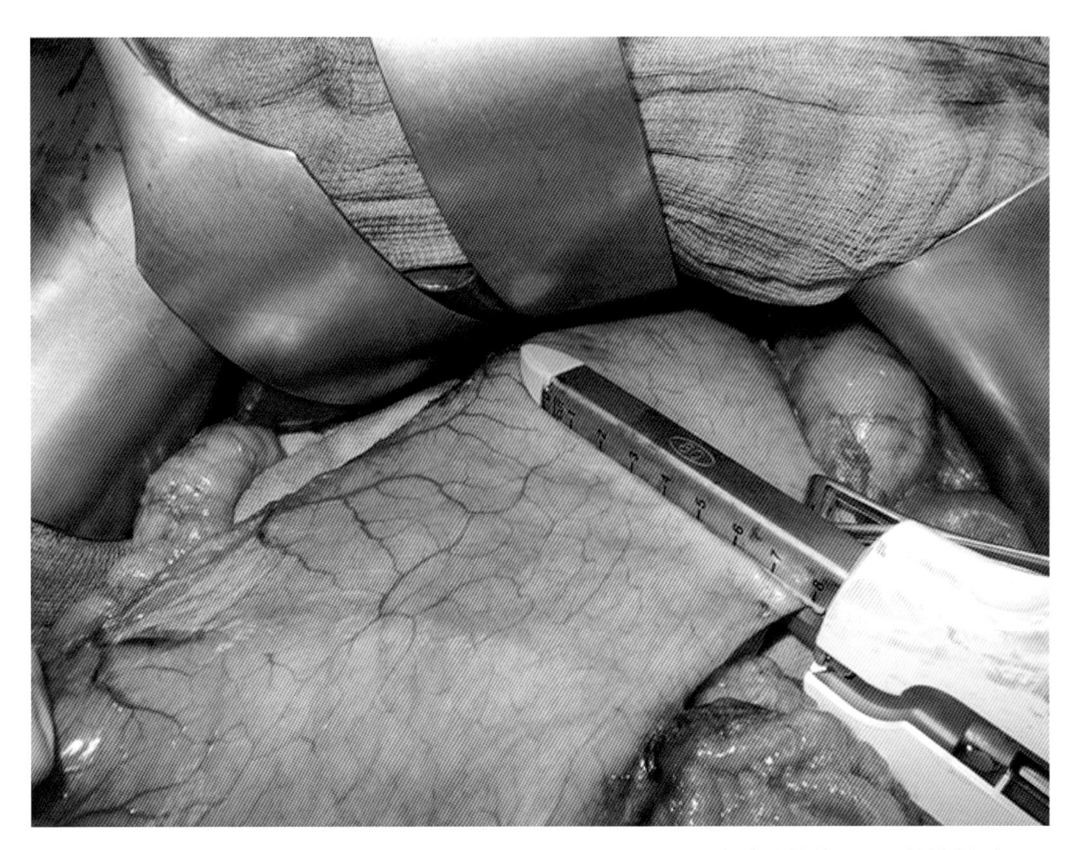

图5-2　笔者多使用直线型GIA横断胃壁，用端端吻合器行大弯侧与失功能的Roux臂端侧吻合。

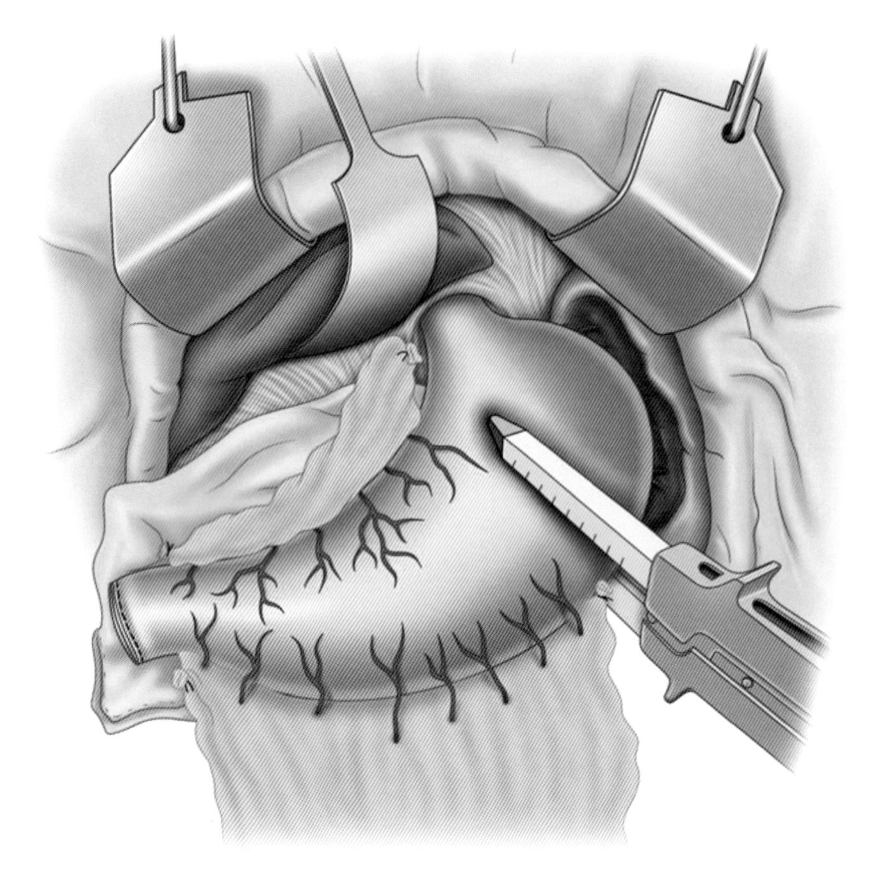

图5-3　图5-2示意图。

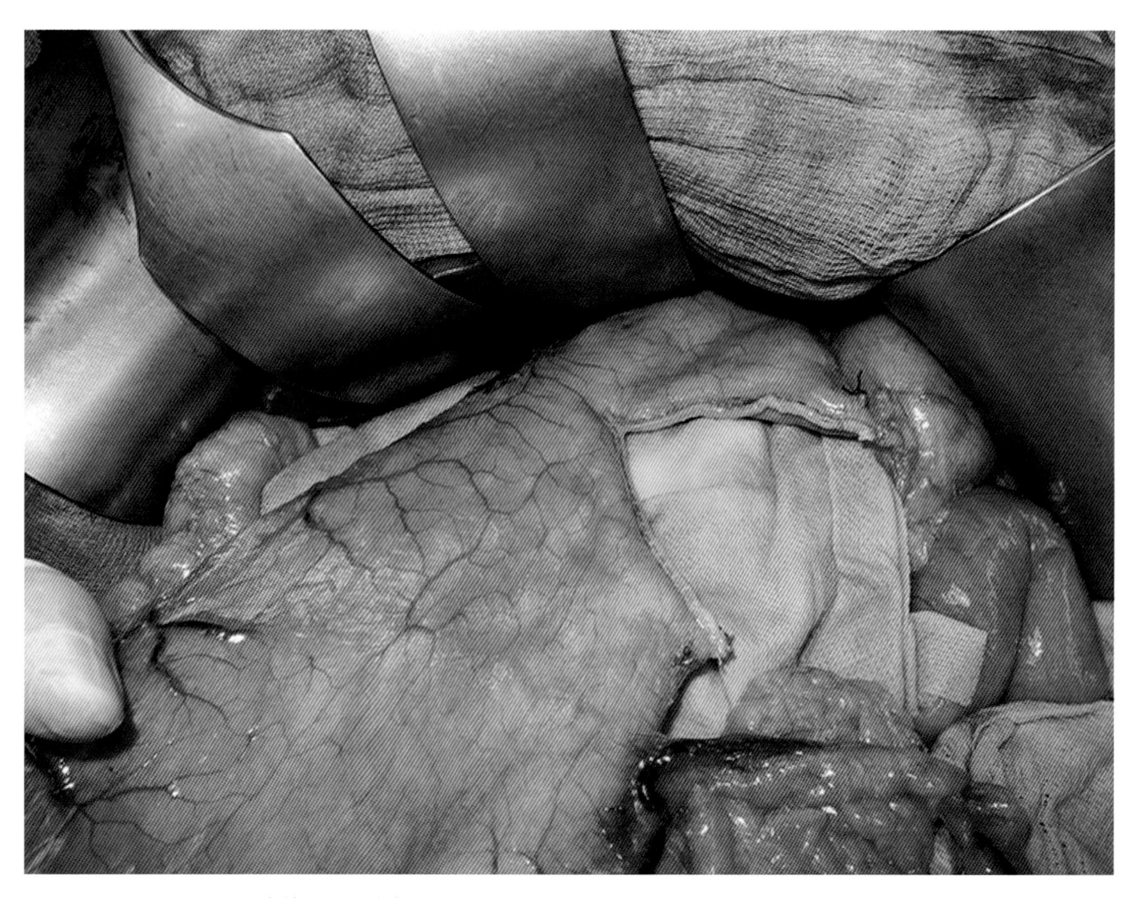

图5-4　用直线型GIA在切除线横断胃壁，胃管务必回撤，以免将其钉合在闭合缘。

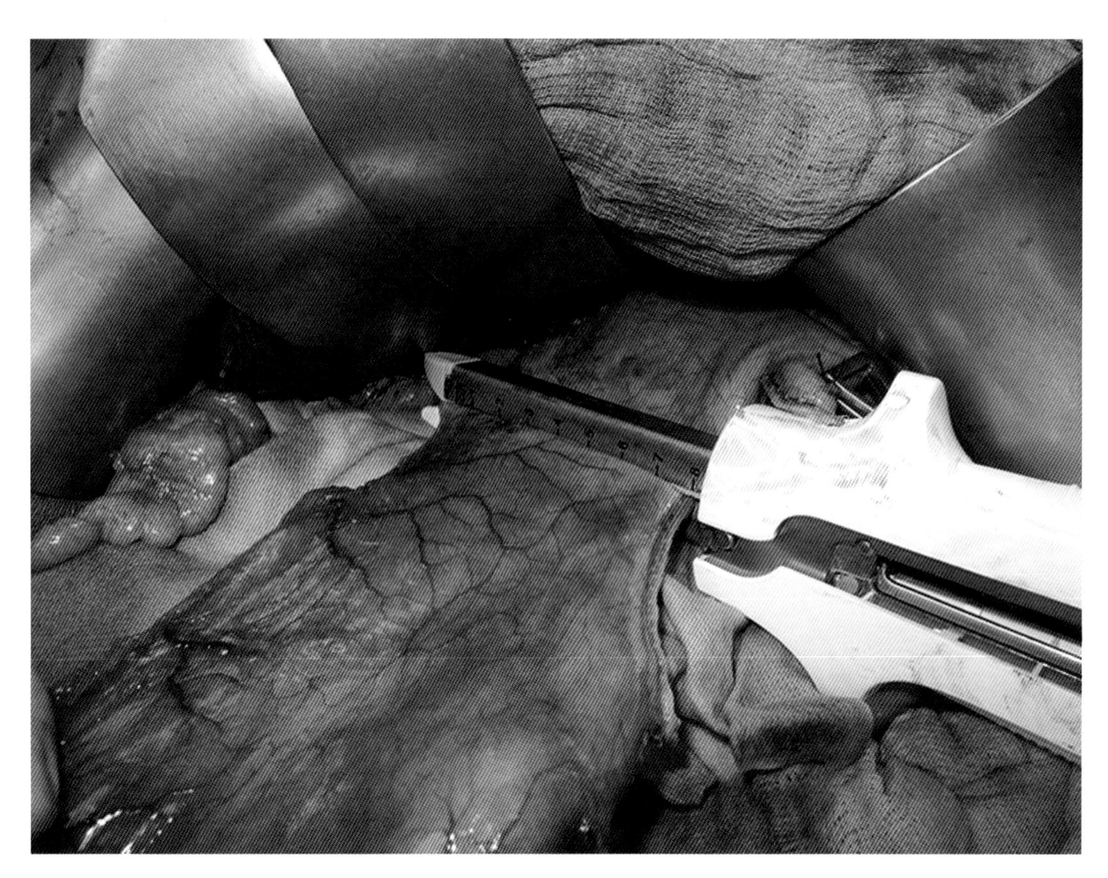

图5-5　胃切割闭合线与肛侧胃小弯呈120°～130°角，以确保彻底切除胃窦。

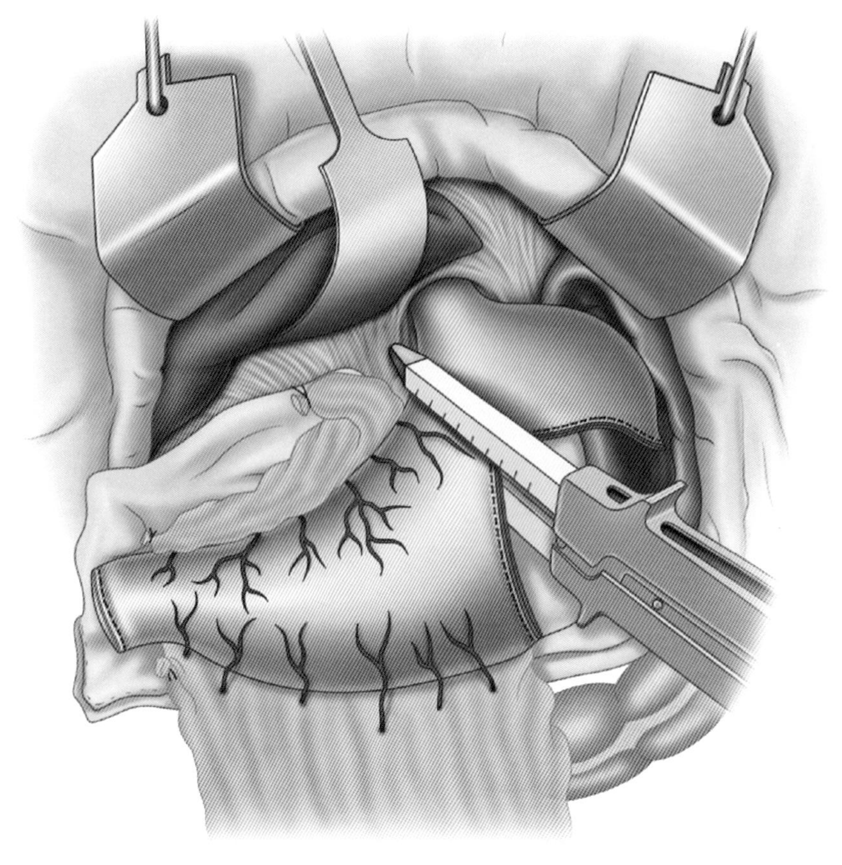

图5-6　图5-5示意图。

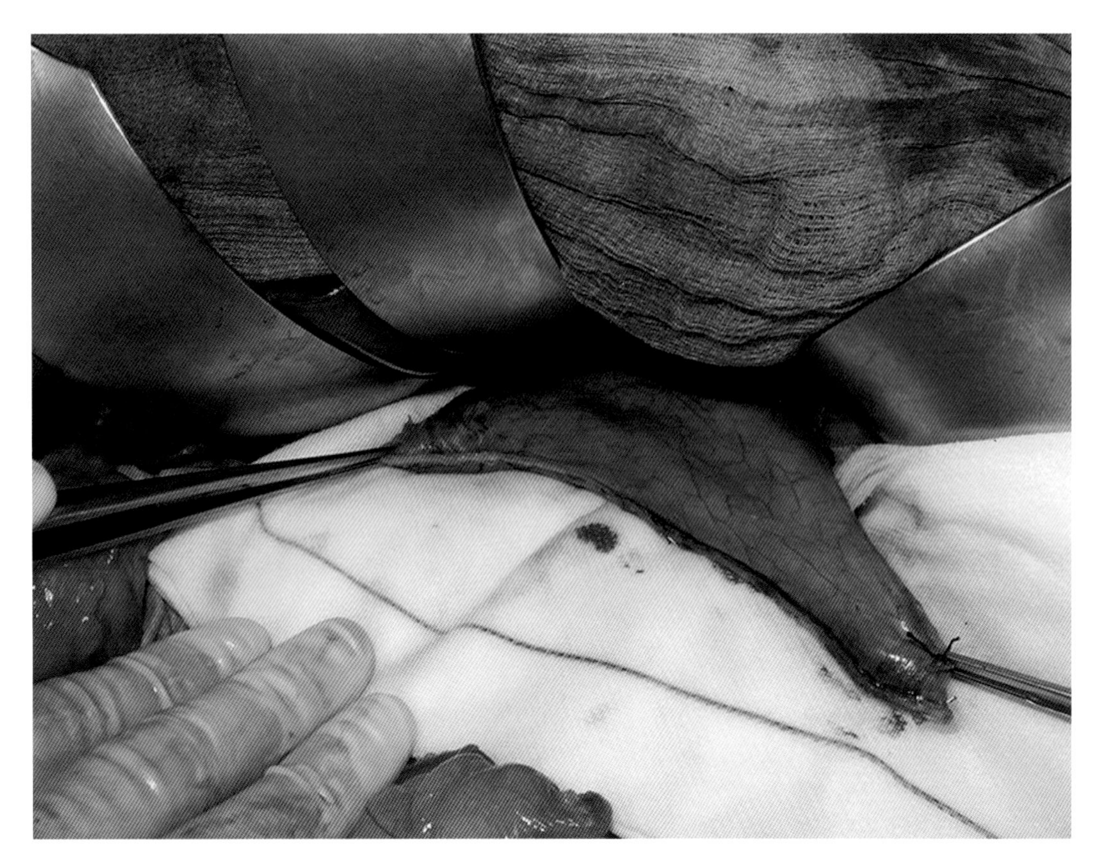

图5-7 直线型GIA横断胃体。

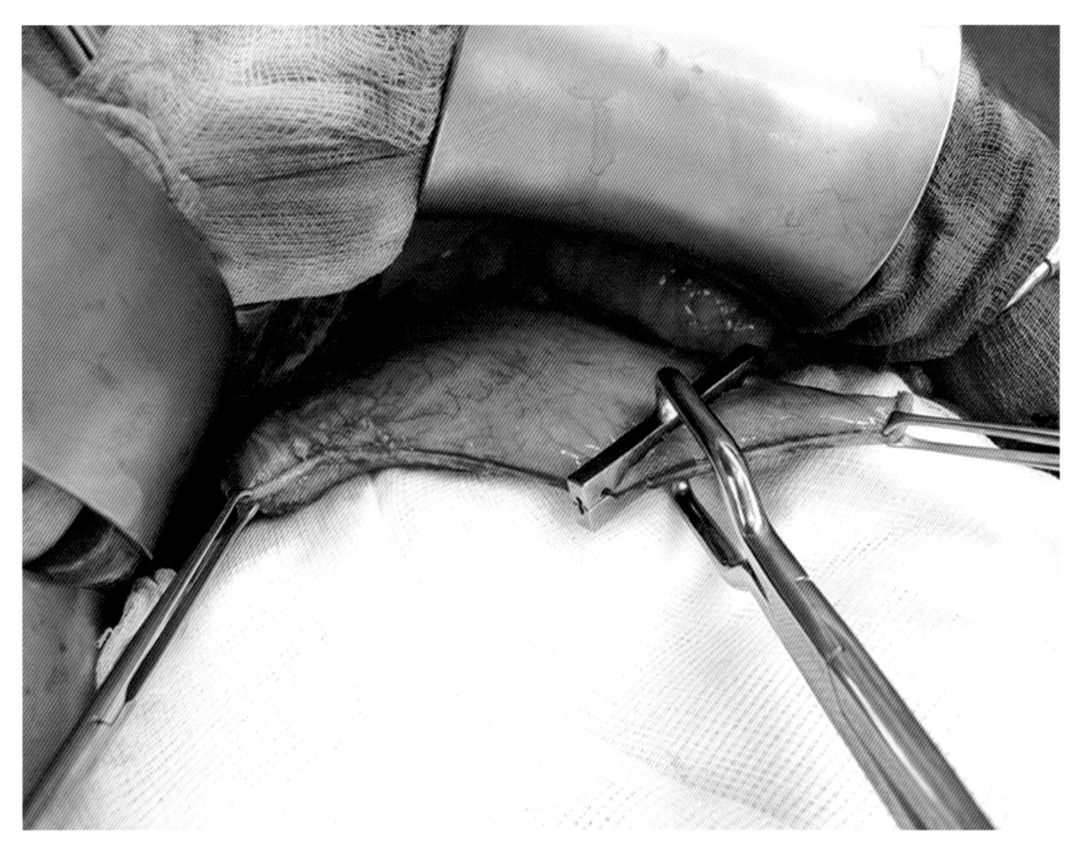

图5-8 于残胃大弯侧胃与切断线交角上置荷包缝合器，置入2-0不可吸收荷包缝合线。

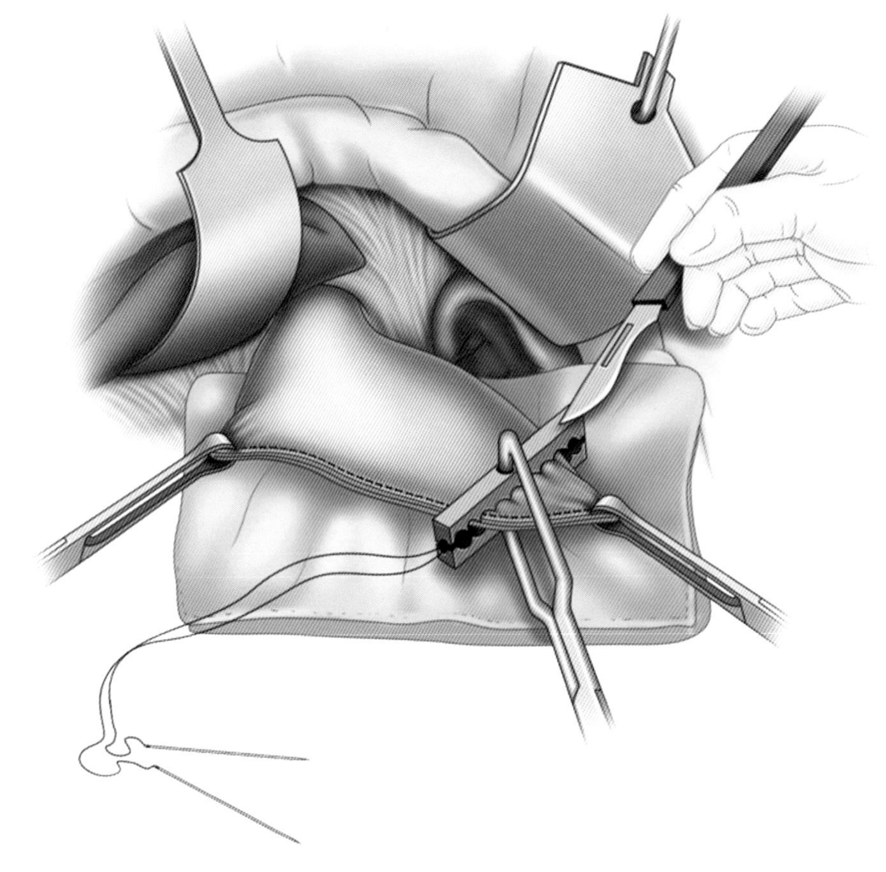

图5-9　图5-8示意图。

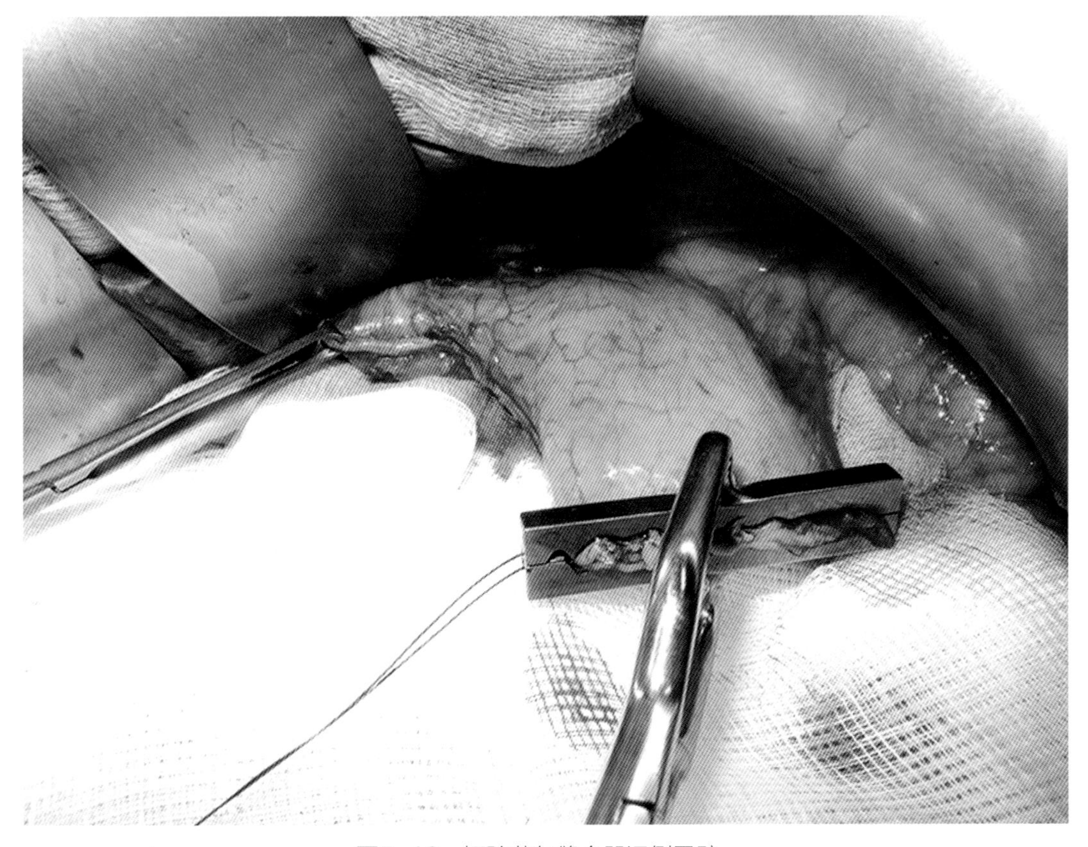

图5-10　切除荷包缝合器远侧胃壁。

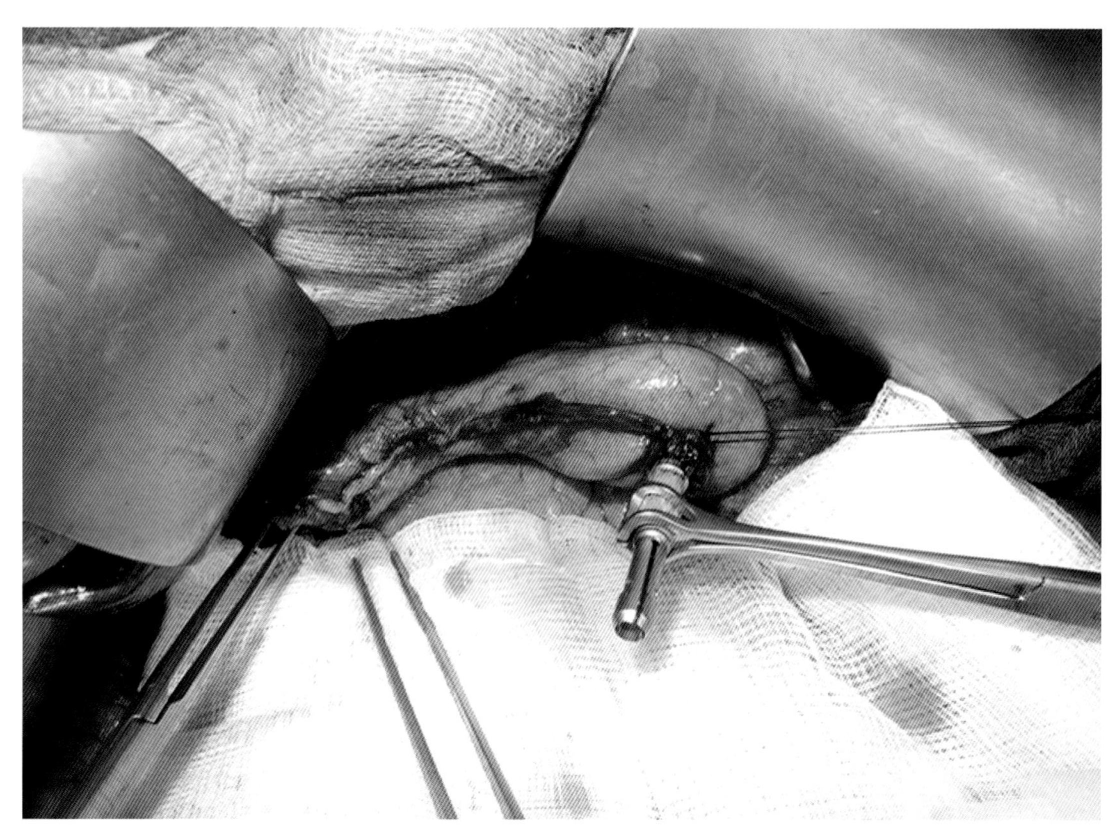

图5-11　25mm或31mm抵钉座置入已做荷包缝合的胃残端，收紧荷包线。

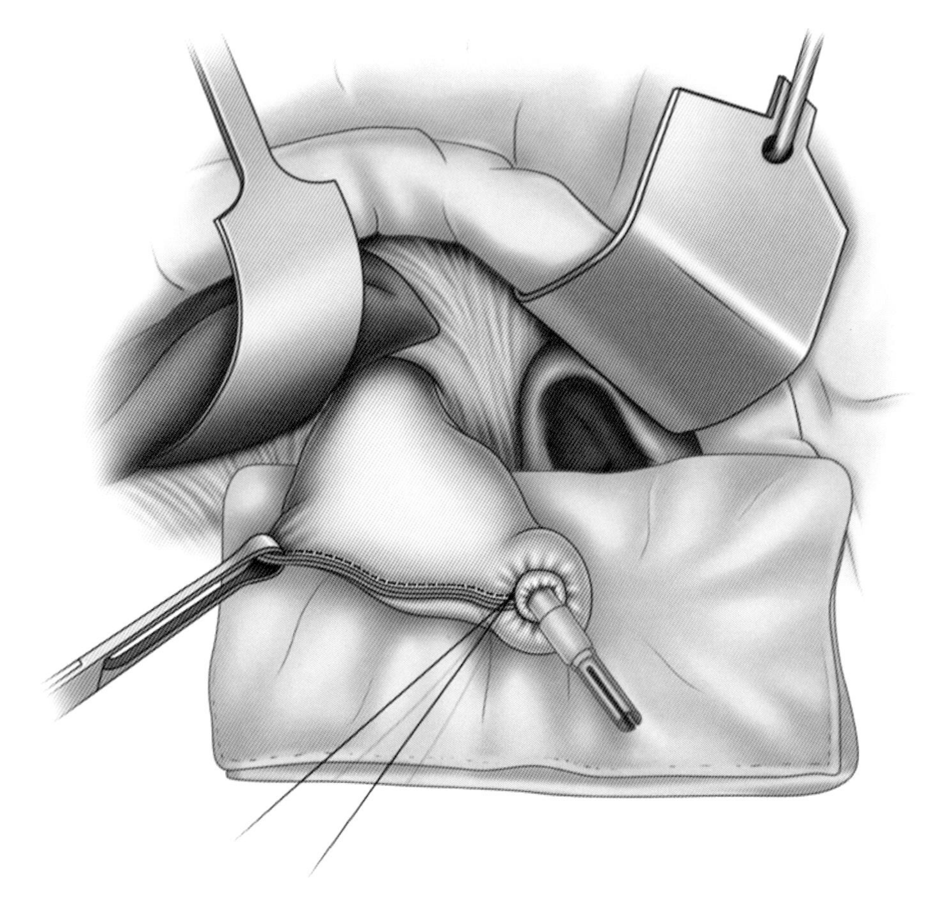

图5-12　图5-11示意图。

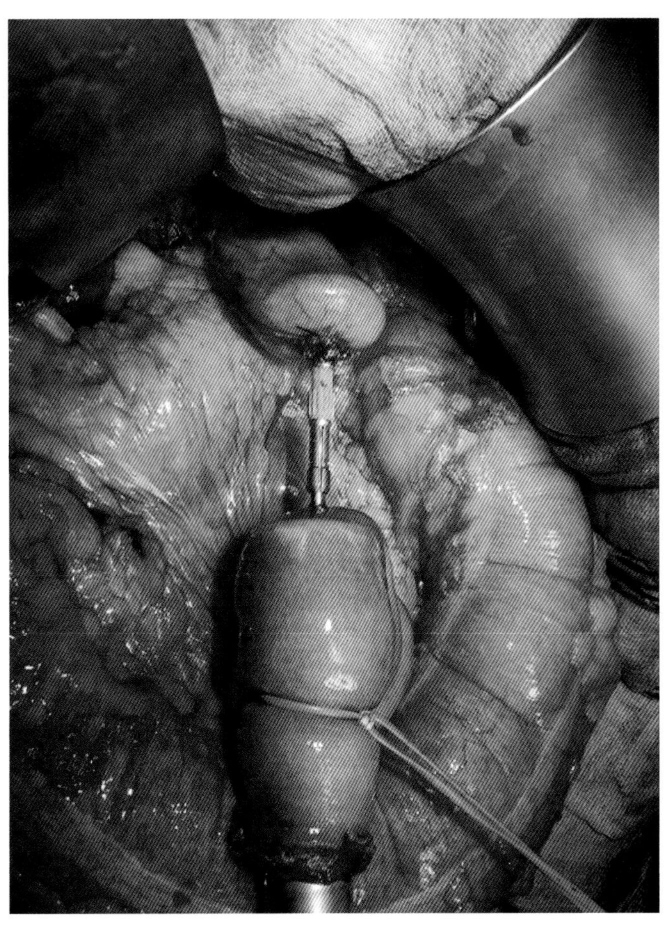

图5-13 吻合器置入已准备好的Roux臂，旋出穿刺锥，对合中心杆，收紧吻合器，击发，完成残胃食管端侧吻合。

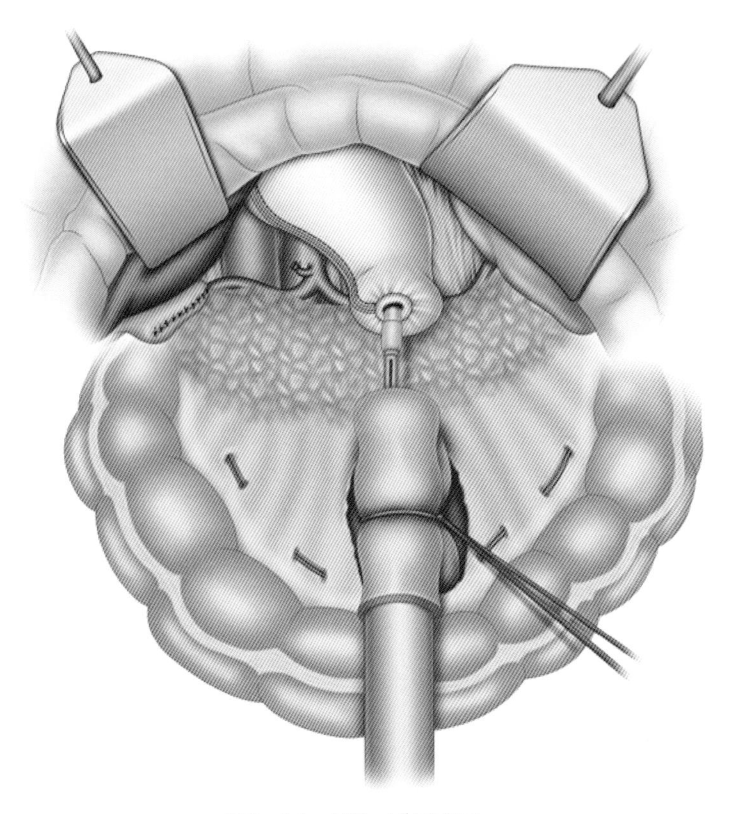

图5-14 图5-13示意图。

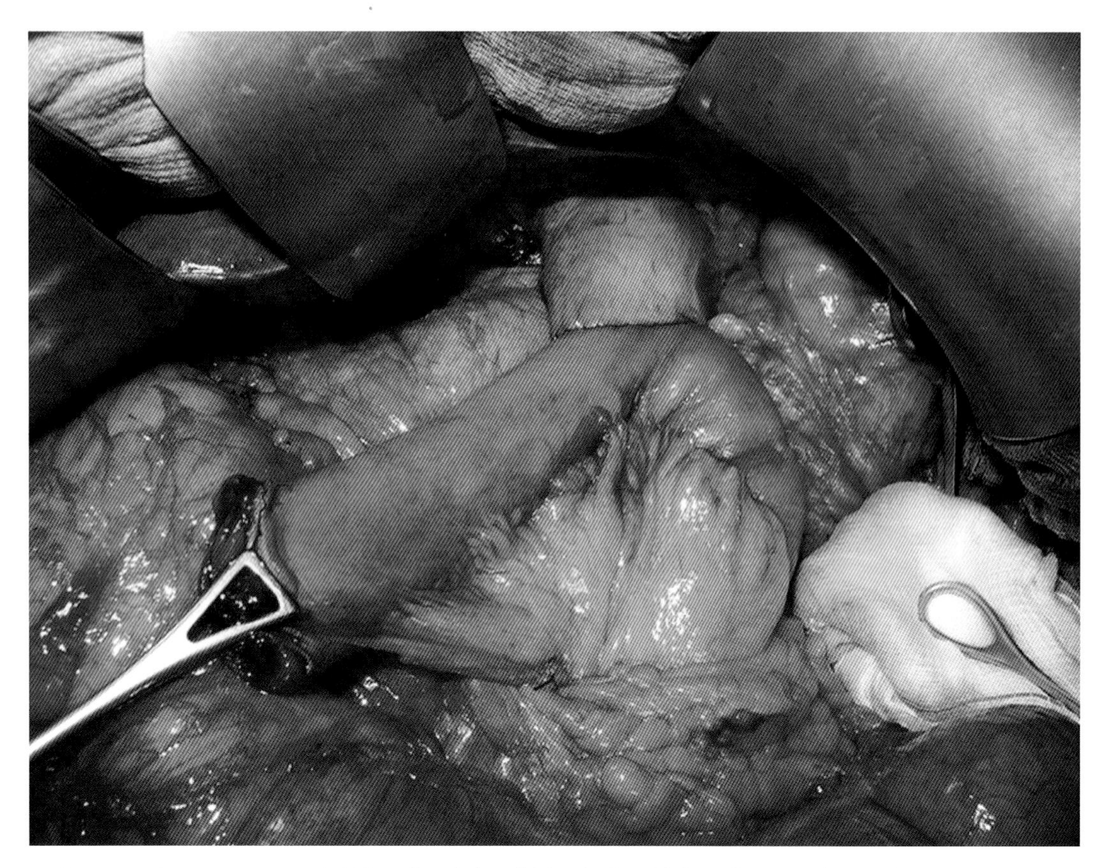

图5-15 轻柔展开Roux臂残端系膜，分离、钳夹、切断、结扎系膜至距胃空肠吻合口2～3cm处。

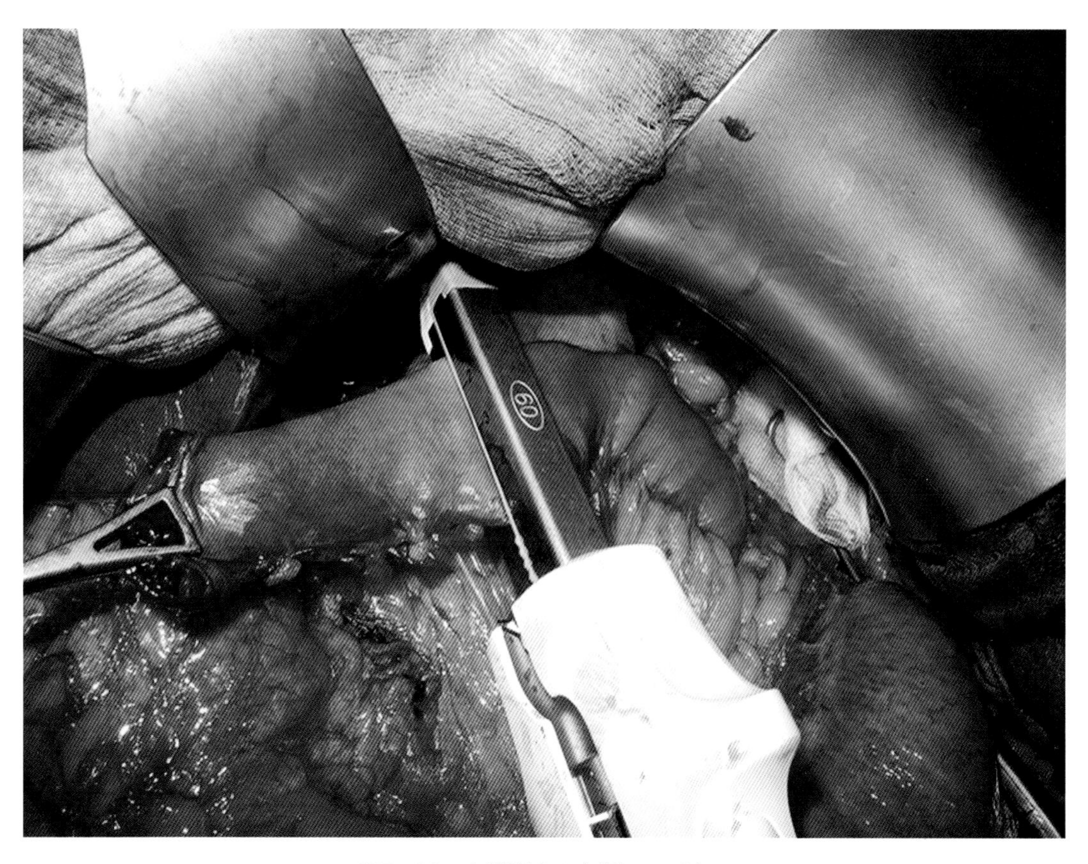

图5-16 直线型GIA离断Roux臂。

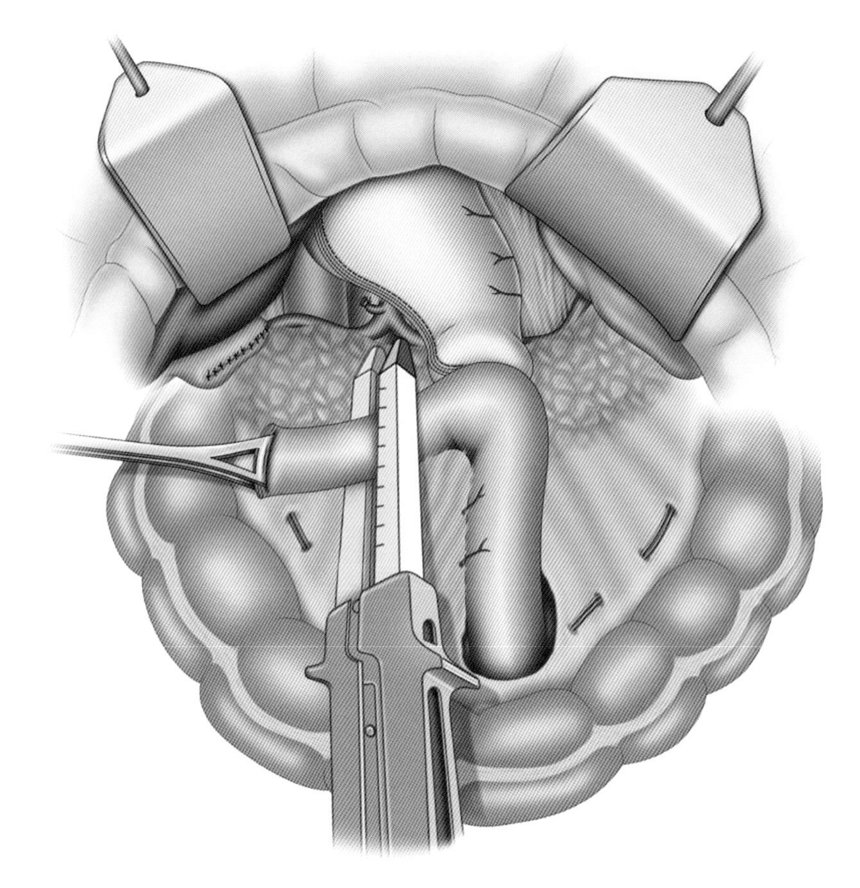

图5-17 图5-16示意图。

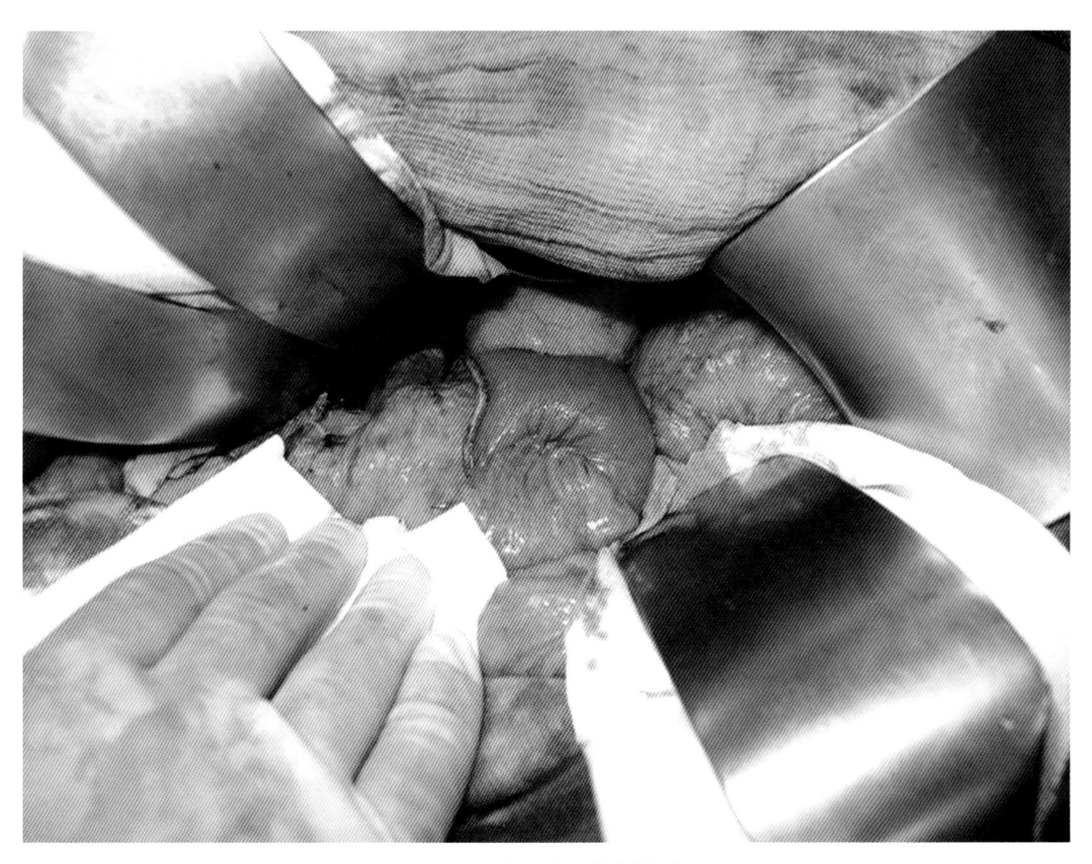

图5-18 残胃空肠端侧吻合。

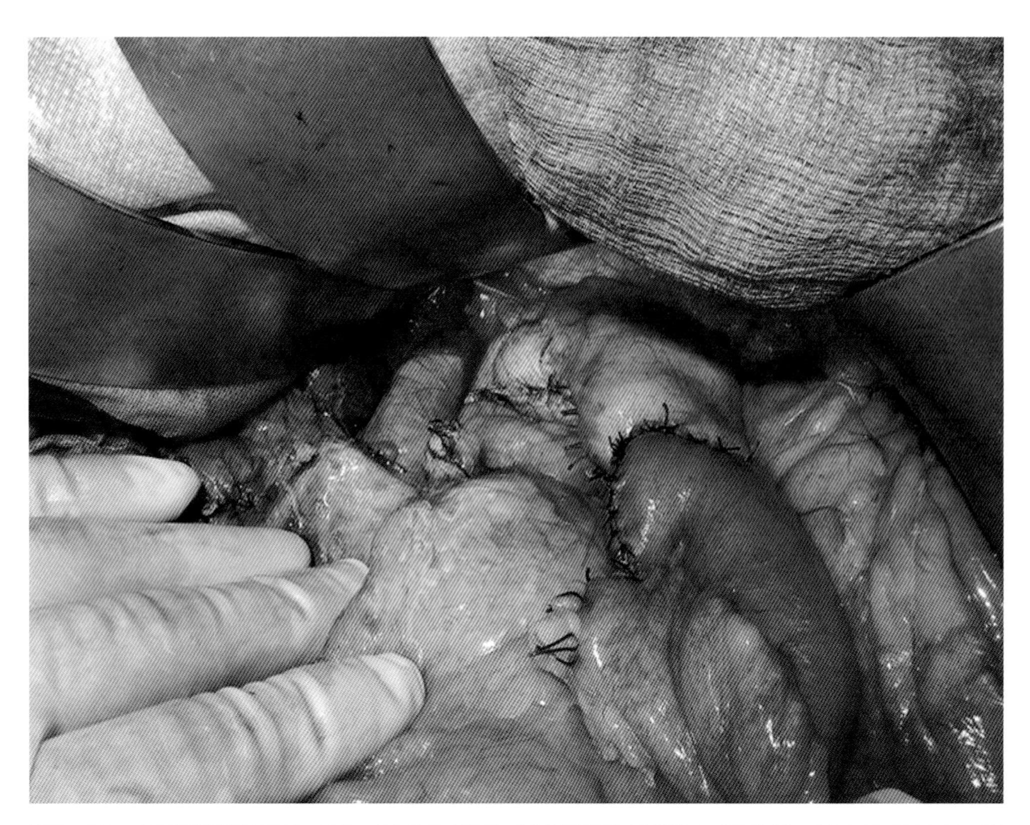

图5-19 空肠断端消毒后，用3-0缓慢可吸收线间断浆肌层缝合包埋残端，减少残端长度，残胃断端可行间断或用2-0缓慢可吸收线连续浆肌层缝合包埋。胃空肠吻合完毕后，关闭肠系膜裂隙，放置引流管。

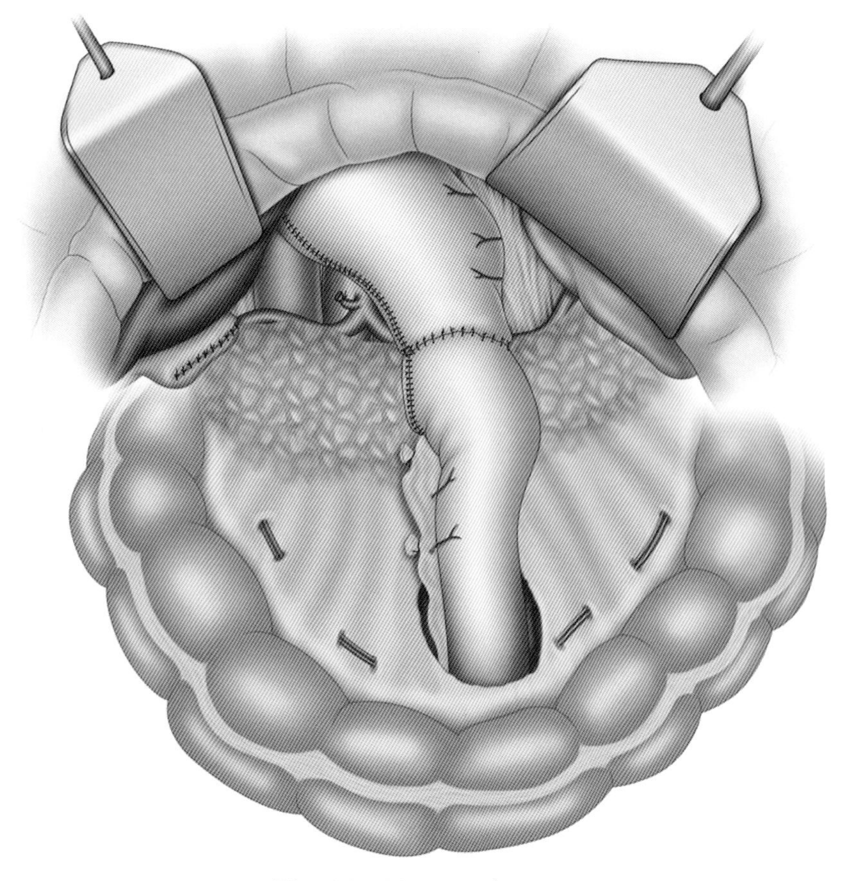

图5-20 图5-19示意图。

第六章

近端胃切除术

食管胃结合部腺癌位于食管和胃的交界区，新的TNM分期系统（第七版）将该部位腺癌分期等同于食管癌。有几种切除方式，其中经胸与经膈肌食管胃切除术是两种常见的手术入路。

Sievert Ⅰ型食管胃结合部腺癌适于Ivor-Lewis食管胃切除术并清扫第二站淋巴结，需中线开腹和右侧开胸，在奇静脉水平或其上方行食管胃吻合。大多数胃食管外科医生习惯于制作管状胃，采用Cordiano技术行食管胃吻合。管状胃的制作须清扫腹腔动脉干和胃左动脉淋巴结，离断胃左动脉，但应保留胃网膜右动脉和胃右动脉。

W. Siquini
Division of General Surgery,
"Madonna del Soccorso" Hospital,
San Benedetto del Tronto, Italy
e-mail: walter. siquini@sanita. marche. it

R. Ridolfo（通讯作者）
Division of General Surgery,
Senigallia General Hospital, Senigallia,
Italy
e-mail: raffaella. ridolfo@email. it

E. Feliciotti
Department of Surgery, "Ospedali Riuniti"
University Hospital, Ancona, Italy
e-mail: feliciotti@live. it

P. Stortoni
Division of General Surgery, "A. Murri"
Hospital, Fermo, Italy
e-mail: pierpaolostortoni@libero.it

A. Cardinali
Division of General Surgery, "Madonna del
Soccorso" Hospital, San Benedetto del Tronto,
Italy
e-mail: alessandro. cardinali@sanita. marche. it

G. de Manzoni
Department of Surgery,
General Surgery and Surgery of Esophagus
and Stomach, Verona, Italy
e-mail: giovanni. demanzini@univr. it

W. Siquini (ed.), *Total, Subtotal and Proximal Gastrectomy in Cancer A Color Atlas*,
DOI 10.1007/978-88-470-5749-4_6, © Springer-Verlag Italia 2015

Sievert Ⅲ型食管胃结合部腺癌实为胃癌，可行经腹或经膈肌入路手术，行食管空肠Roux-en-Y吻合术。

Sievert Ⅱ型食管胃结合部腺癌需行Ivor-Lewis手术，也可经腹联合经膈肌入路，行Pinotti膈肌切开术，在胸腔内完成吻合。此类型肿瘤的具体术式应根据患者个体情况而定。

（译者注：食管胃结合部腺癌Sievert分型中，Ⅰ型为食管下端腺癌，通常源于食管肠腺化生区域，可从上向下侵犯食管胃结合部；Ⅱ型为贲门癌，源自贲门上皮或食管胃结合部肠腺化生；Ⅲ型为贲门下方胃癌，由下方向上侵犯食管胃结合部和食管下端。）

一、腹部手术阶段：贲门切除及管状胃制作

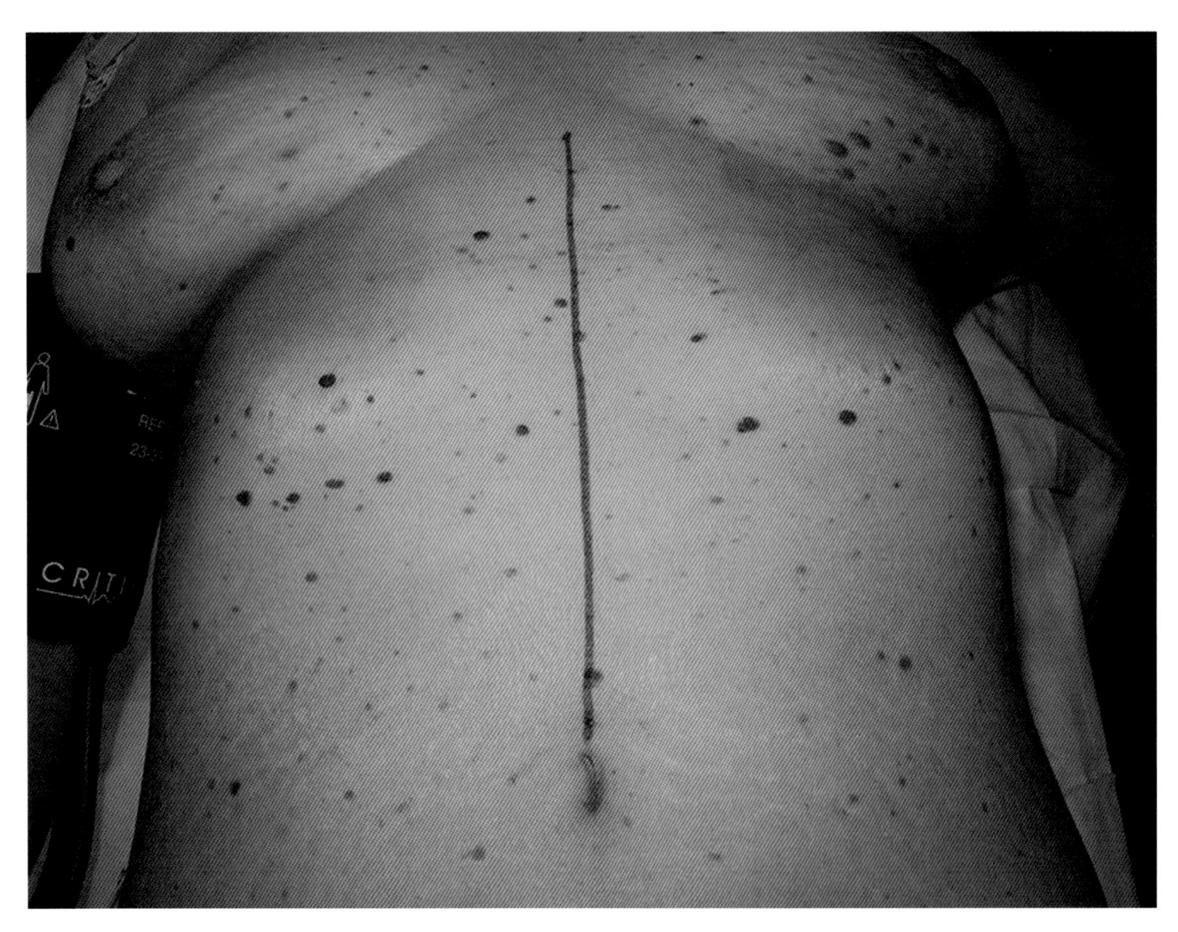

图6-1 取剑突至肚脐正中切口。

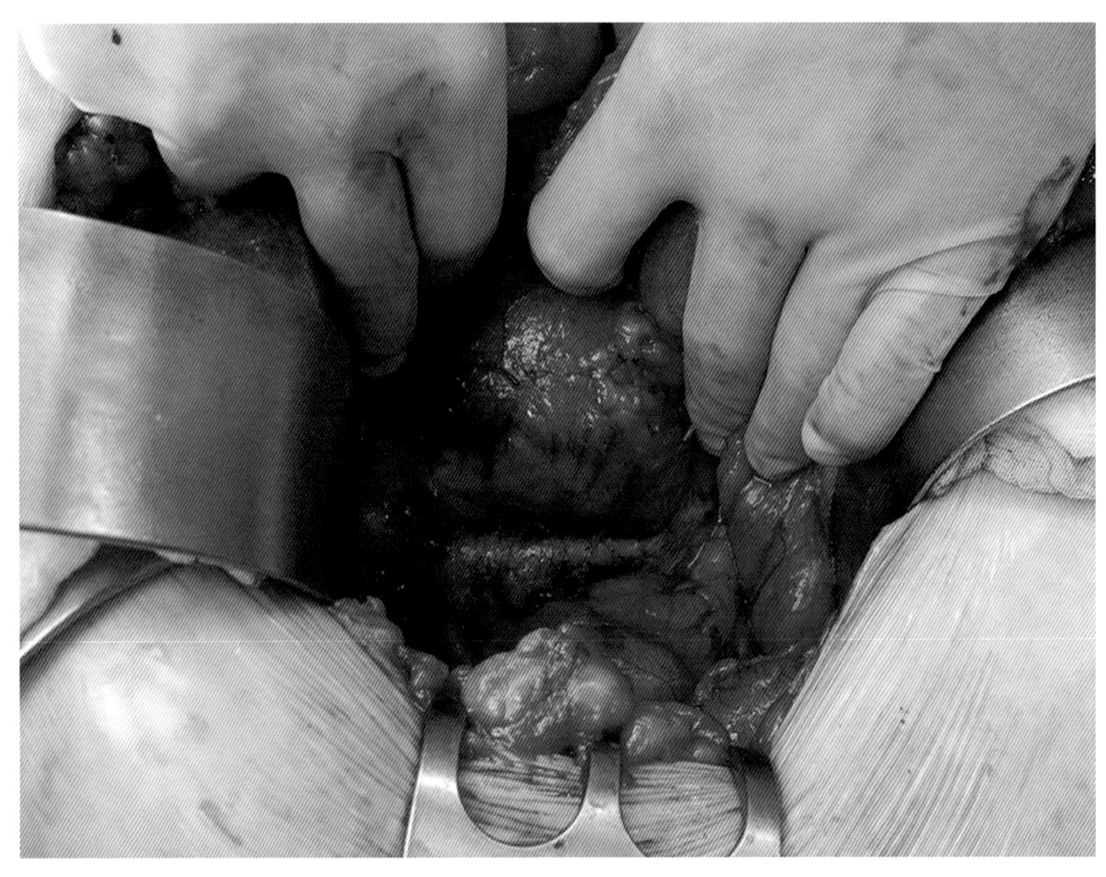

图6-2　游离大网膜后，采用Kocher方法松解十二指肠，以确保管状胃吻合时无张力。

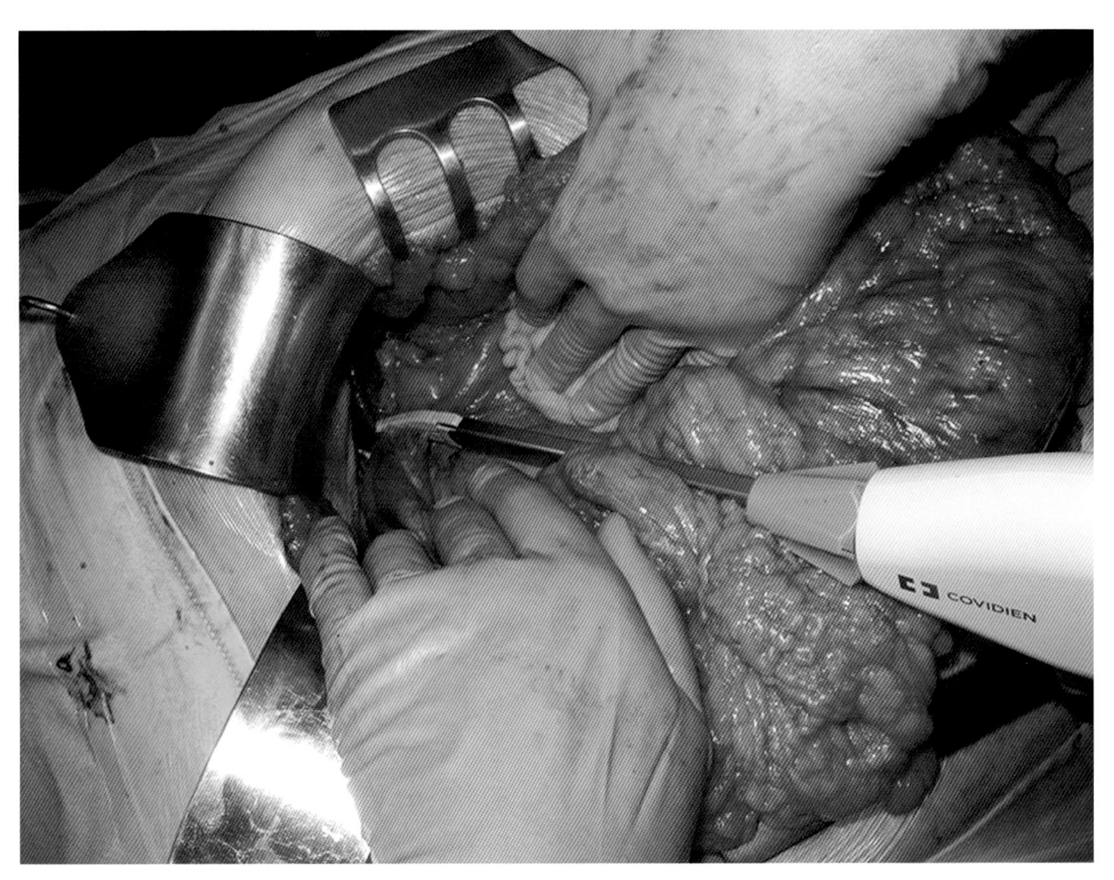

图6-3　使用射频刀（LigaSure™）离断胃短血管，完全游离胃大弯。

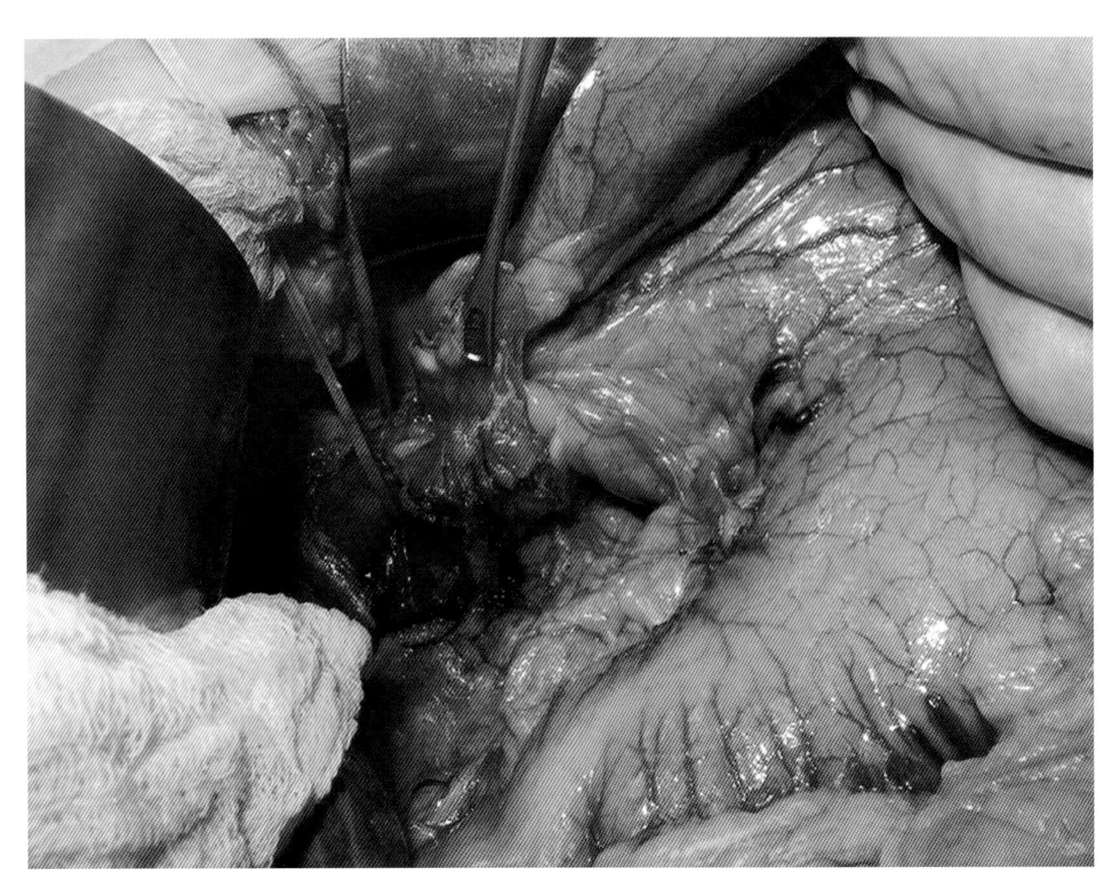

图6-4　腹段食管游离并悬吊，切断胃左动脉，并清扫No.7组淋巴结。

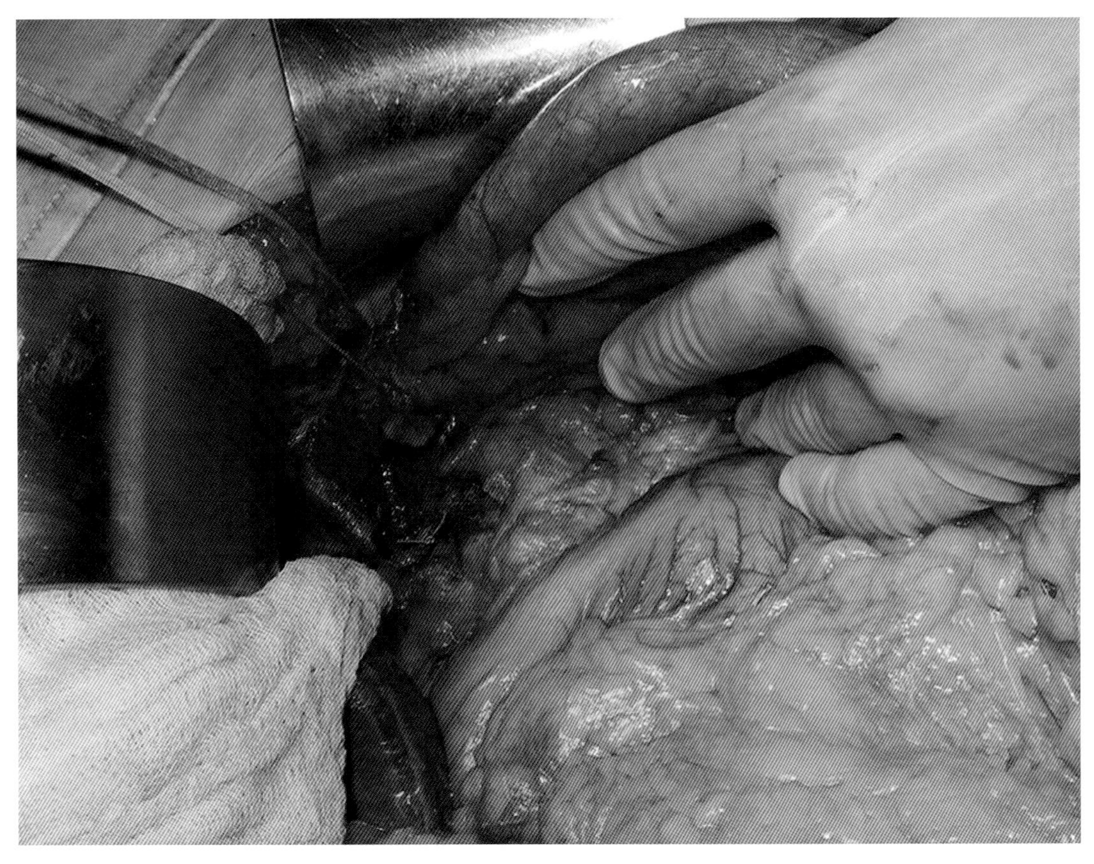

图6-5　于其根部结扎切断胃左动脉。

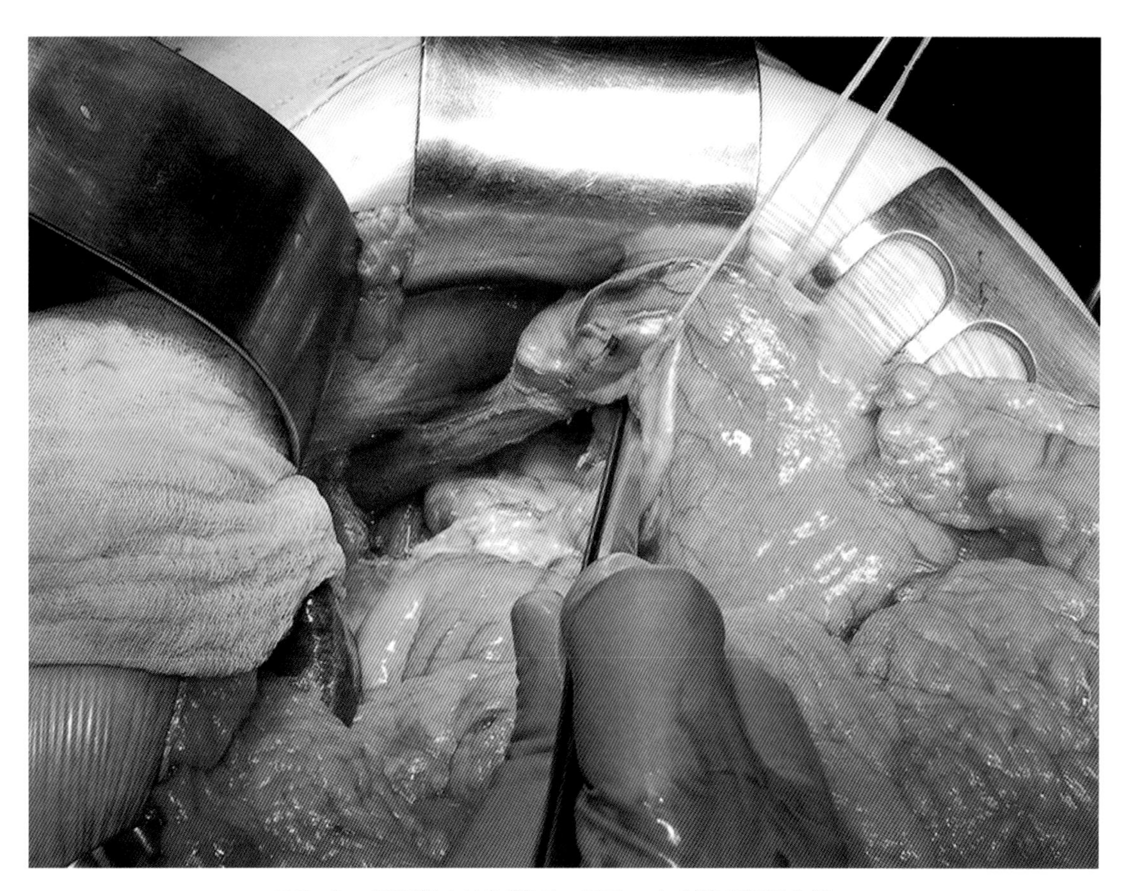

图6-6　切断迷走神经前干、后干，完全游离腹段食管。

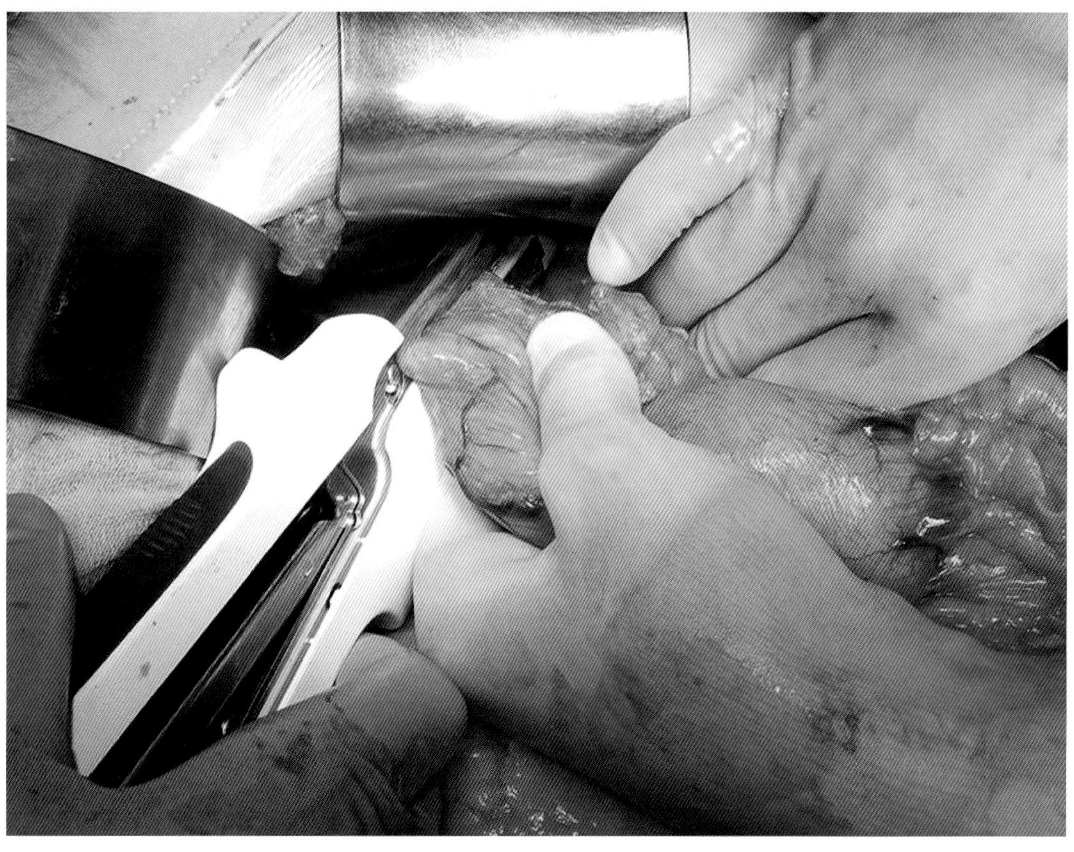

图6-7　直线型GIA 60横断食管，切断线距离肿瘤上缘至少2cm。

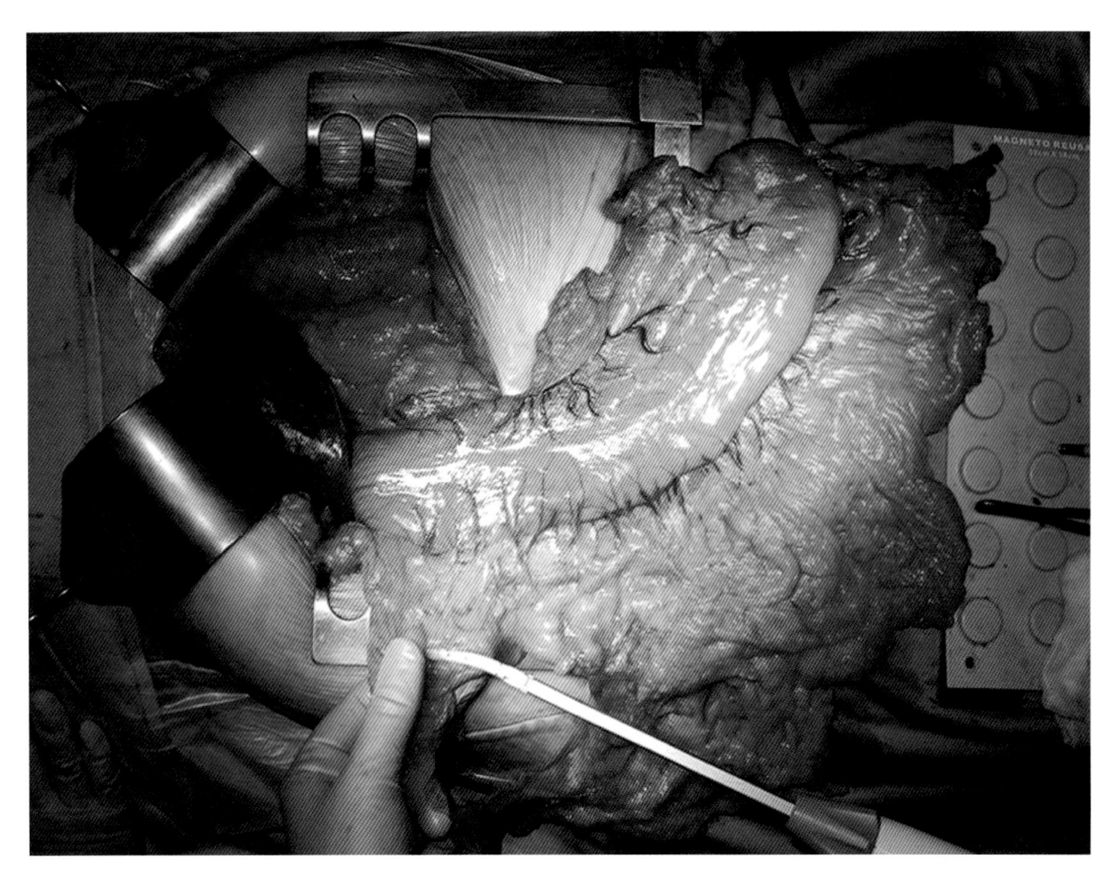

图6-8　将胃移至腹腔外并展平。

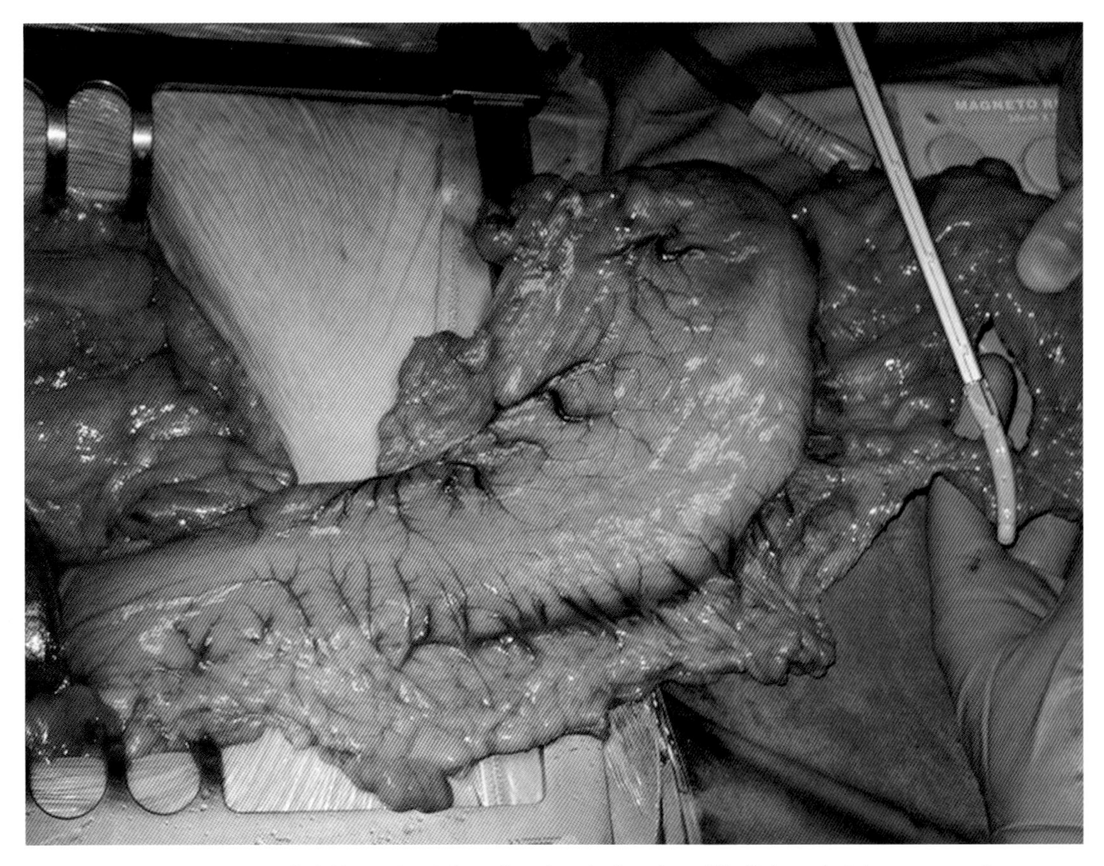

图6-9　保留胃网膜血管弓，切除大网膜。（译者注：大网膜切缘与胃大弯间距≥2cm）

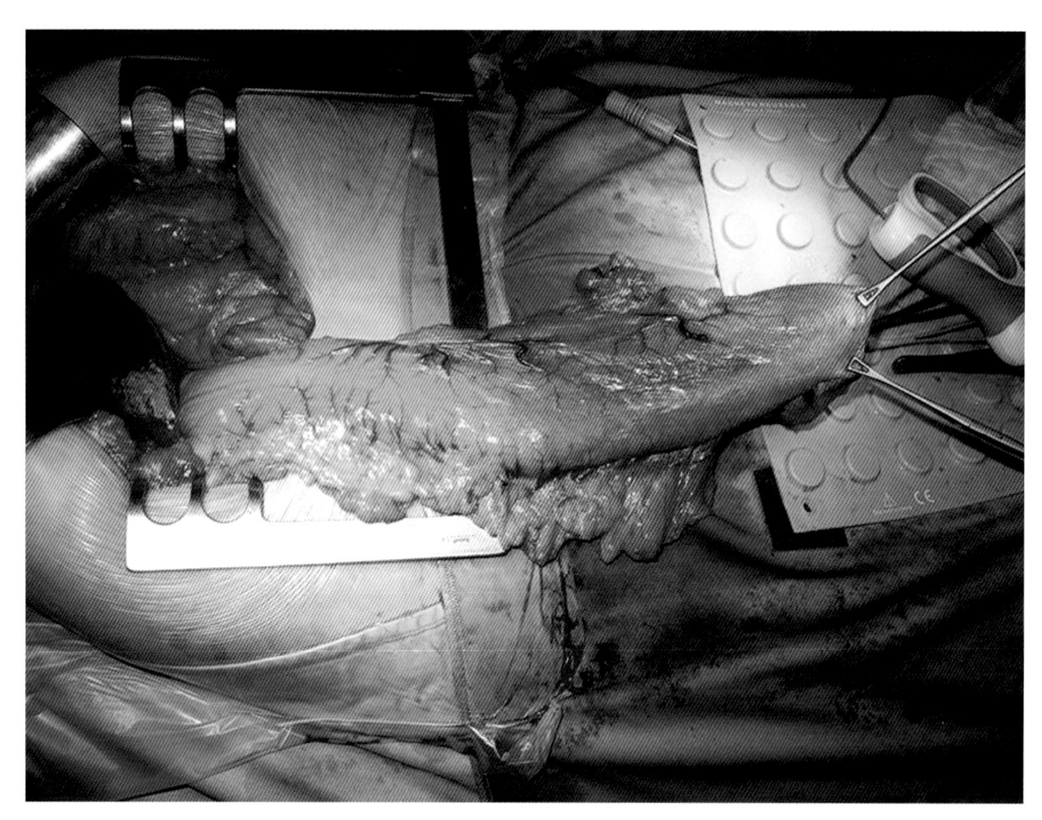

图6-10 2把鼠齿钳夹持胃底部，拉直胃大弯。

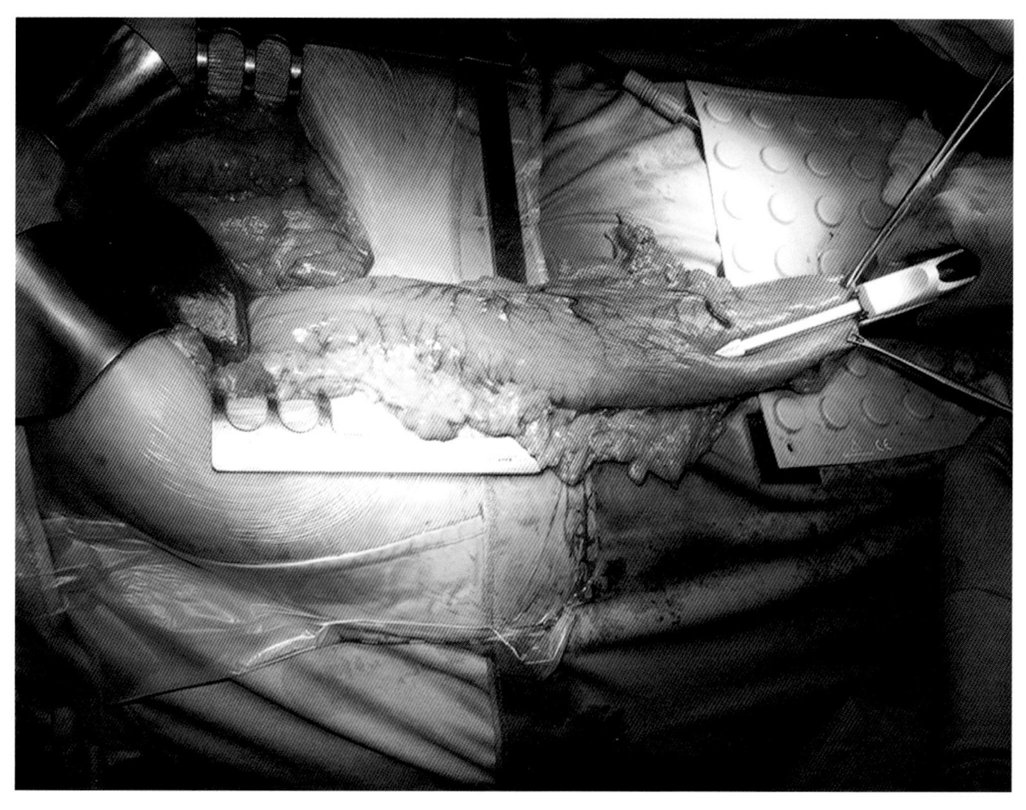

图6-11 用多把直线型切割闭合器（GIA 60与GIA 80）沿胃大弯制作管状胃。始自His角，平行胃大弯，切割闭合胃壁，闭合线距离胃大弯边缘不超过4cm，以确保管状胃良好血运。（译者注：闭合线与胃大弯边缘距离以4~5cm为宜，过宽易导致胃排空障碍，过窄则残胃血供不佳）

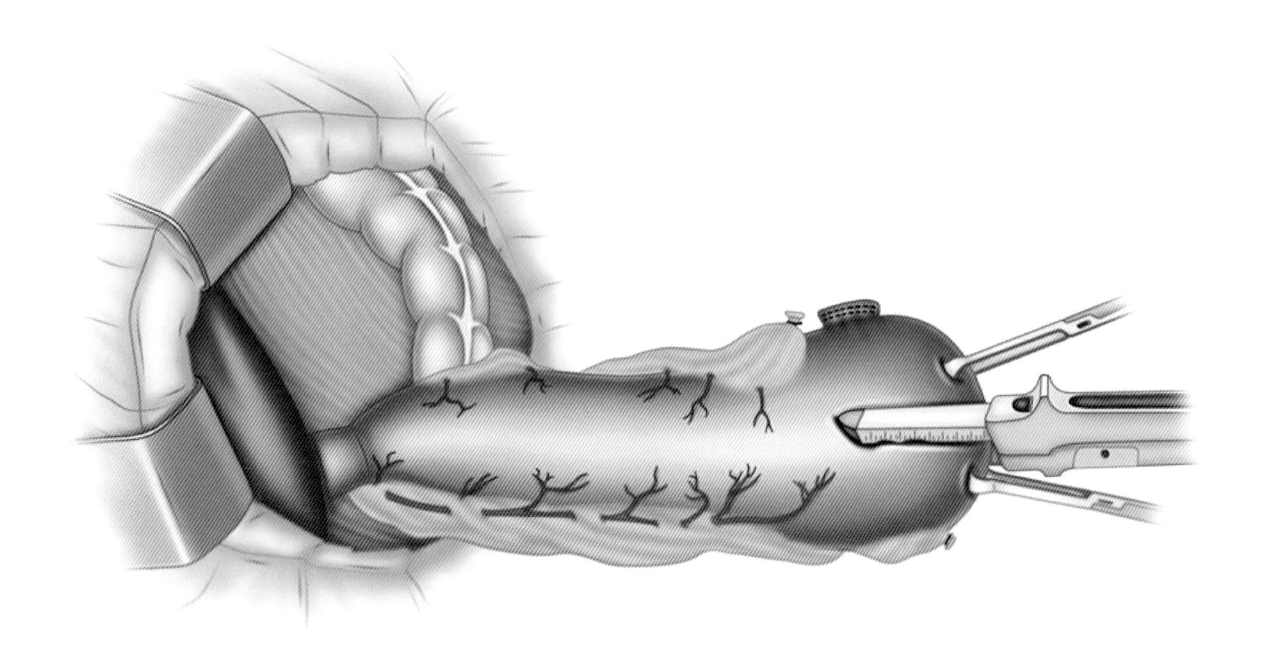

图6-12 图6-11示意图。

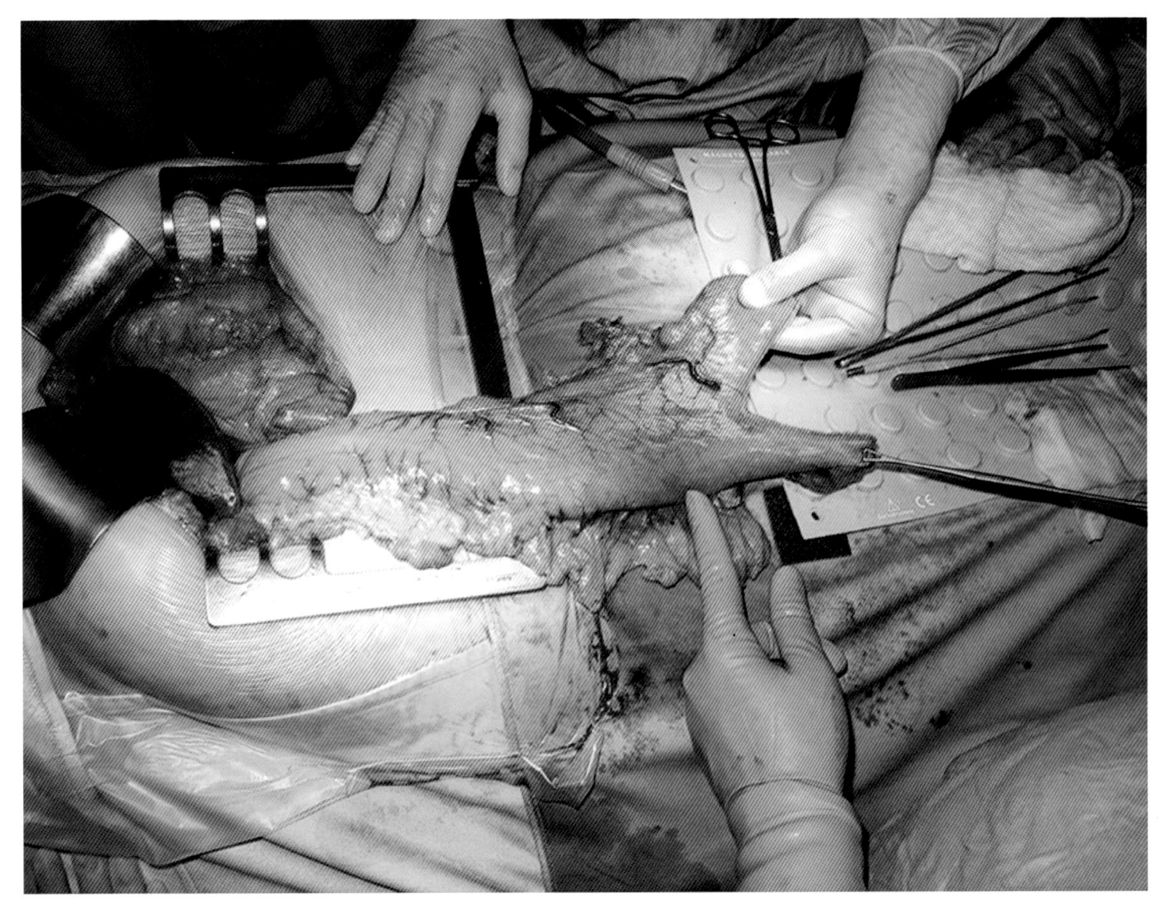

图6-13 第1次切割闭合。

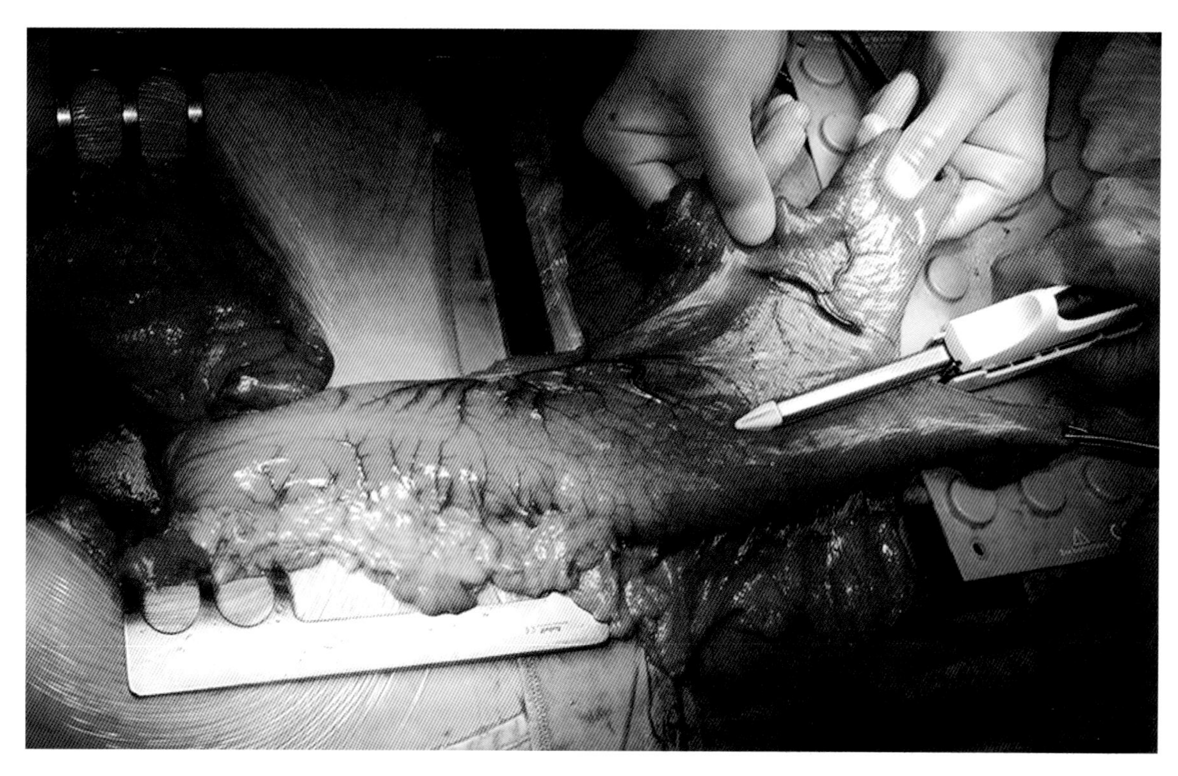

图6-14　第2次切割闭合使用GIA 80，沿第1次切割闭合线方向，与胃大弯侧距离不超过4cm。

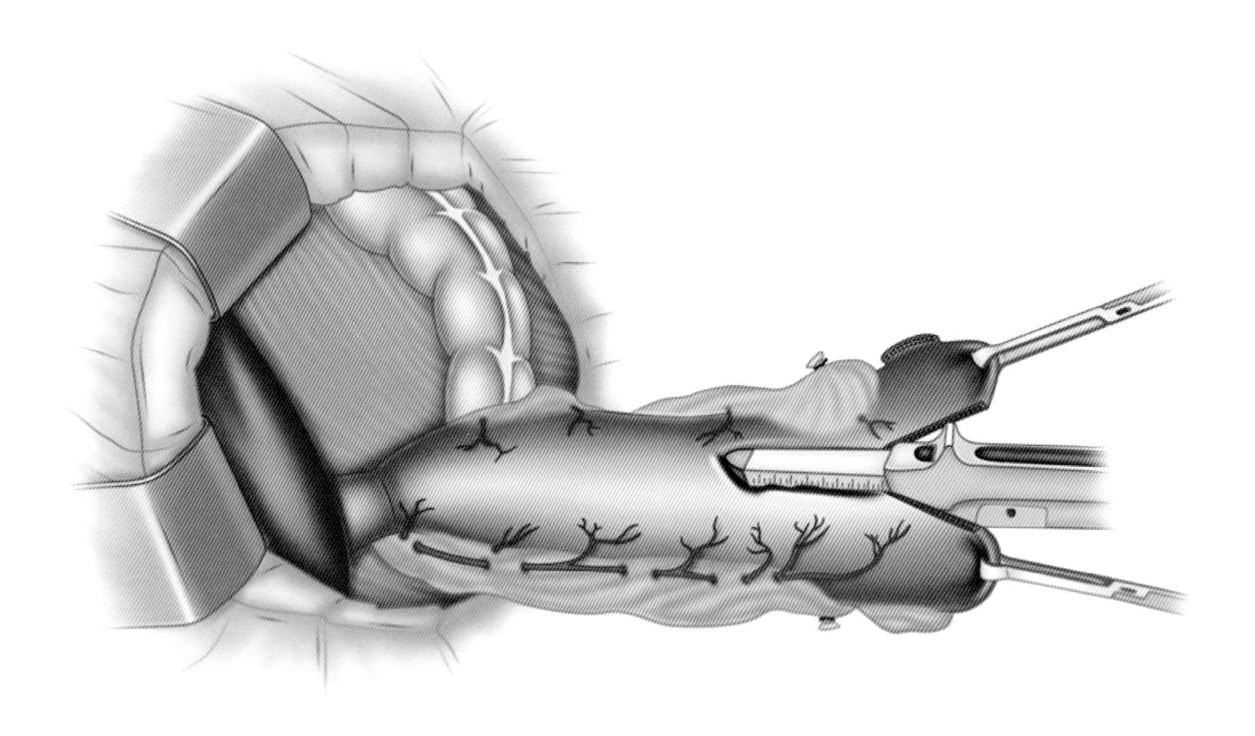

图6-15　图6-14示意图。

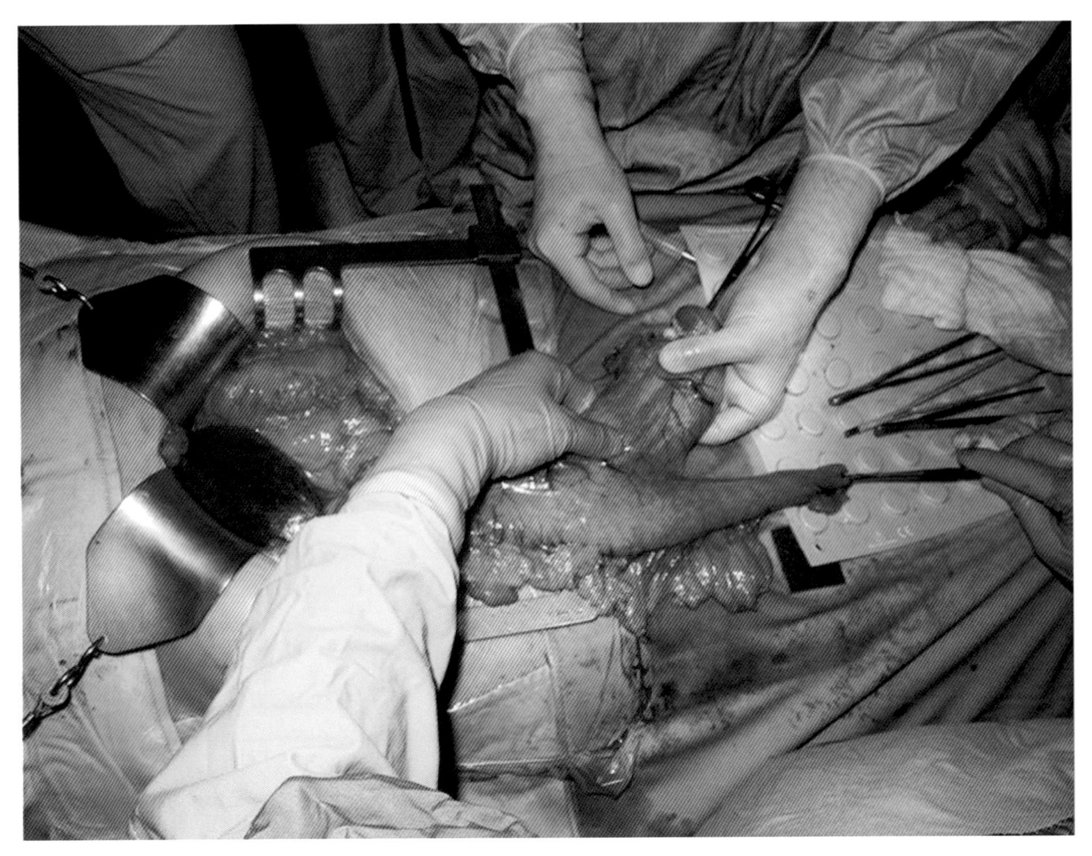

图6-16 第2次切割闭合完毕。

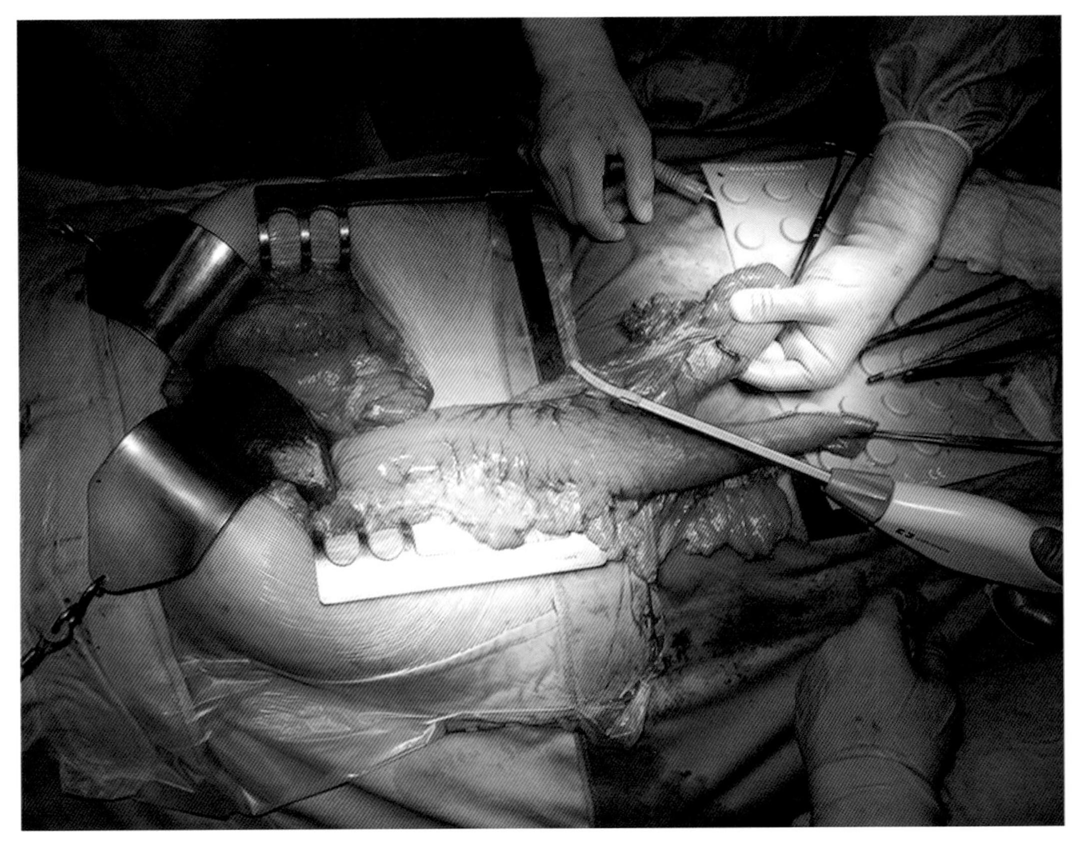

图6-17 射频刀（LigaSure™）夹持胃小弯。

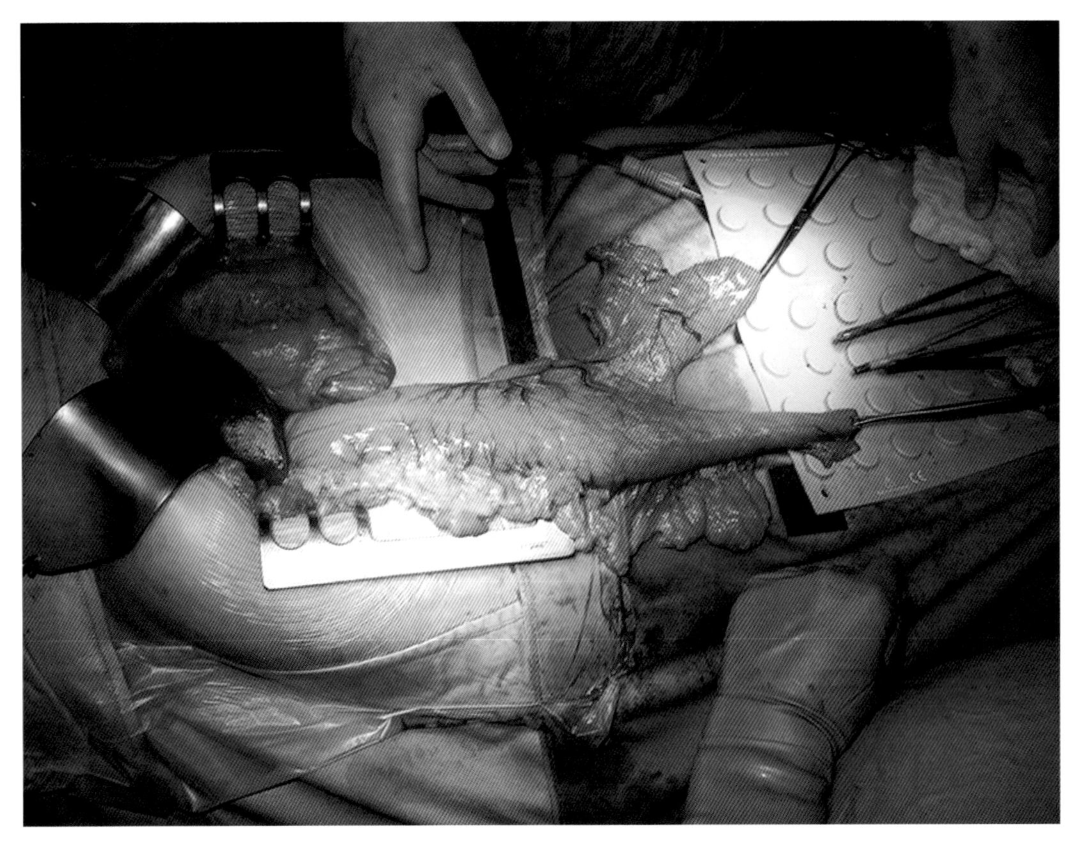

图6-18　胃小弯侧射频刀（LigaSure™）处理完毕。

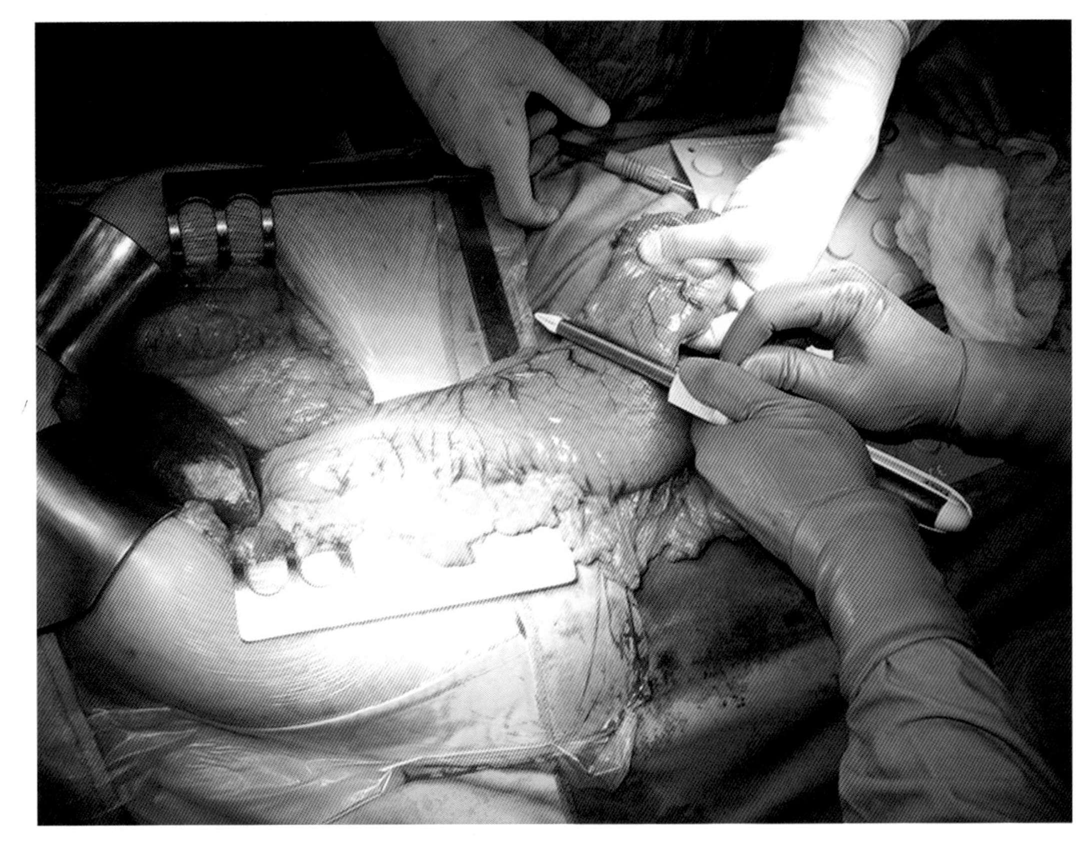

图6-19　第3把直线型GIA离断胃小弯，移除标本，其包括胃小弯上部、食管胃结合部、胃底、No.1组淋巴结及胃小弯上部淋巴结。

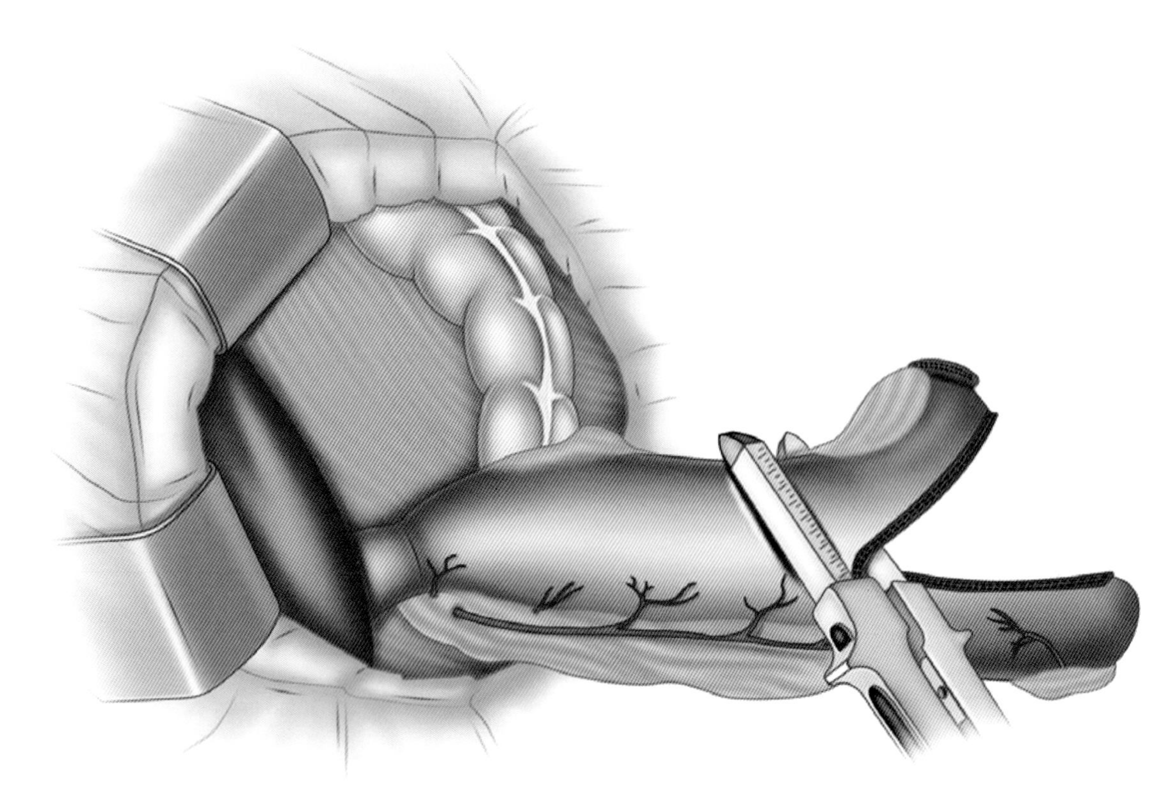

图6-20　图6-19示意图。

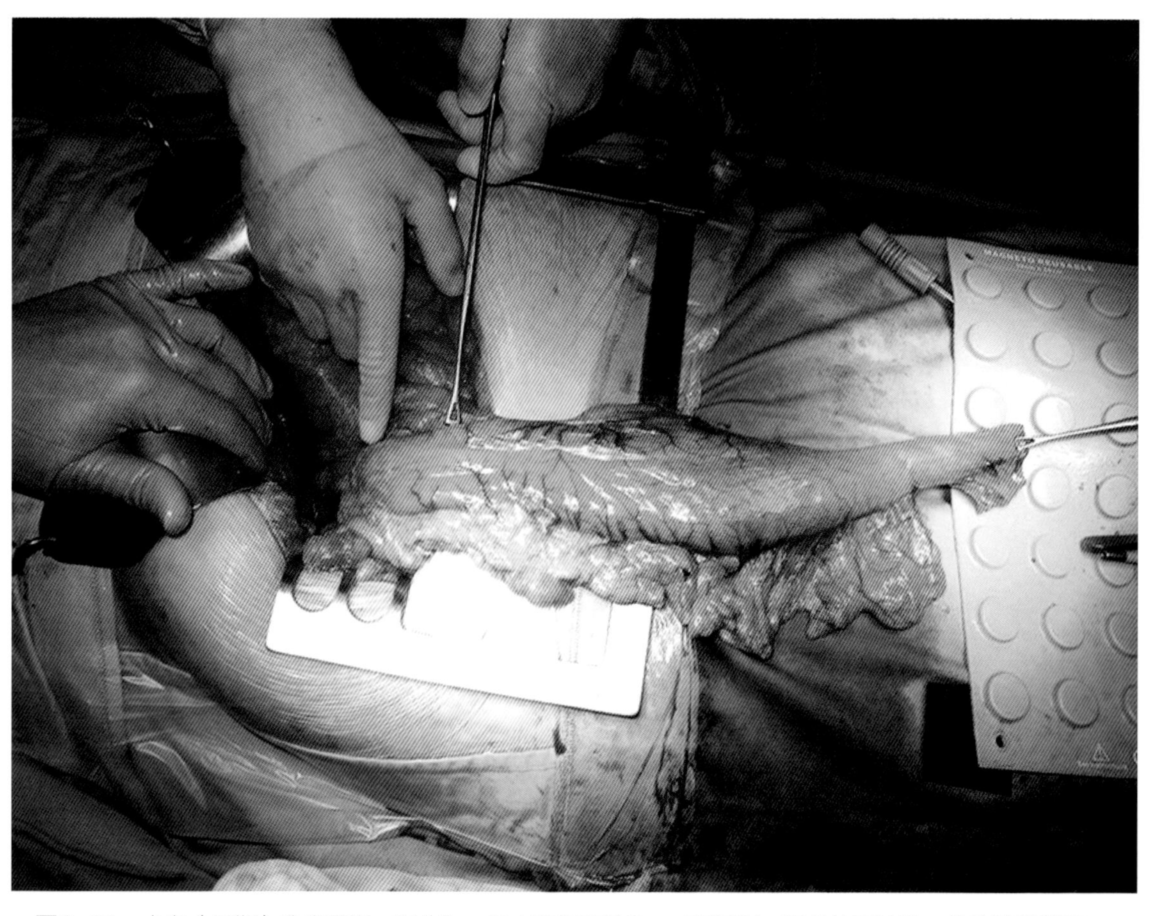

图6-21　术者（示指）确定幽门，距此3cm胃小弯侧夹持Duval组织钳，于此处开始进一步构建管状胃。

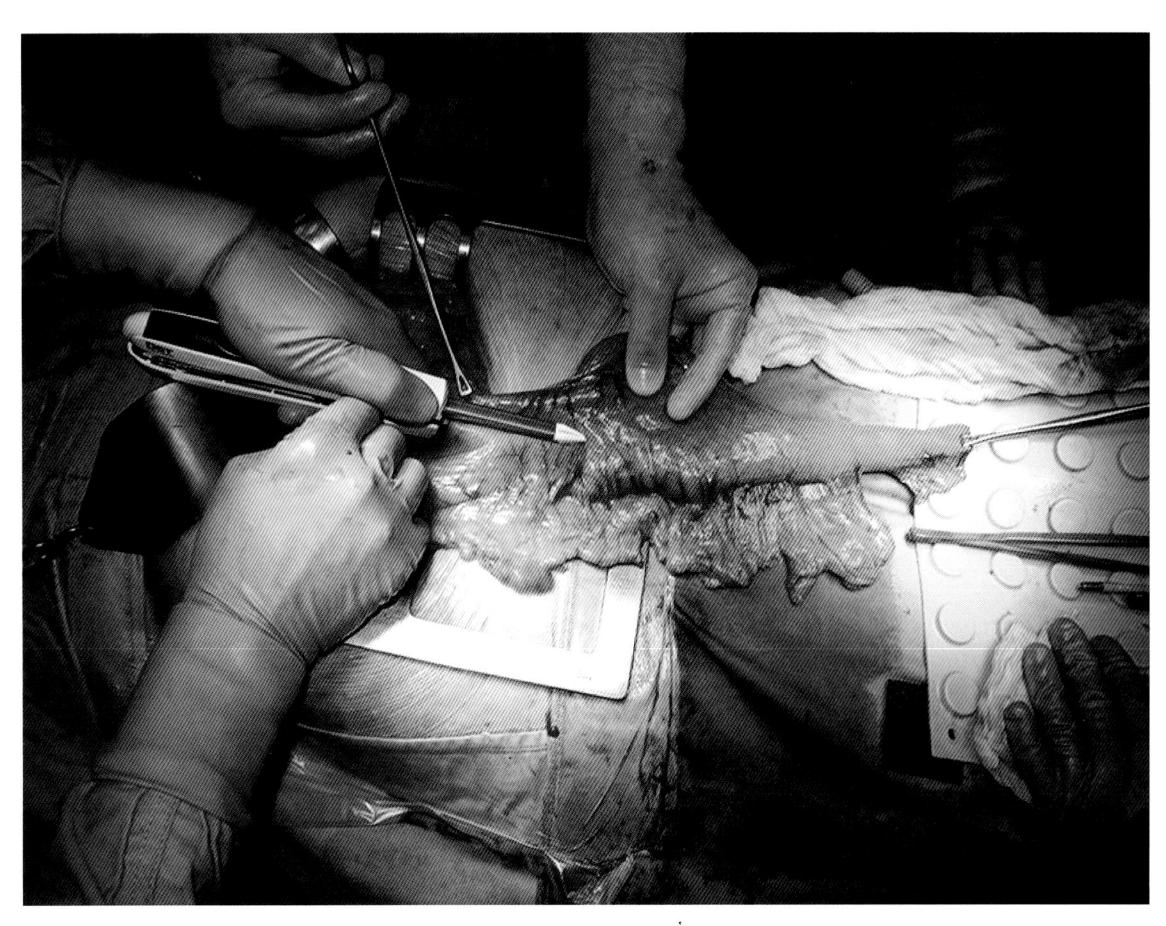

图6-22　于胃小弯下部上置第4把直线型GIA，平行胃大弯，与胃大弯间距保持4cm。

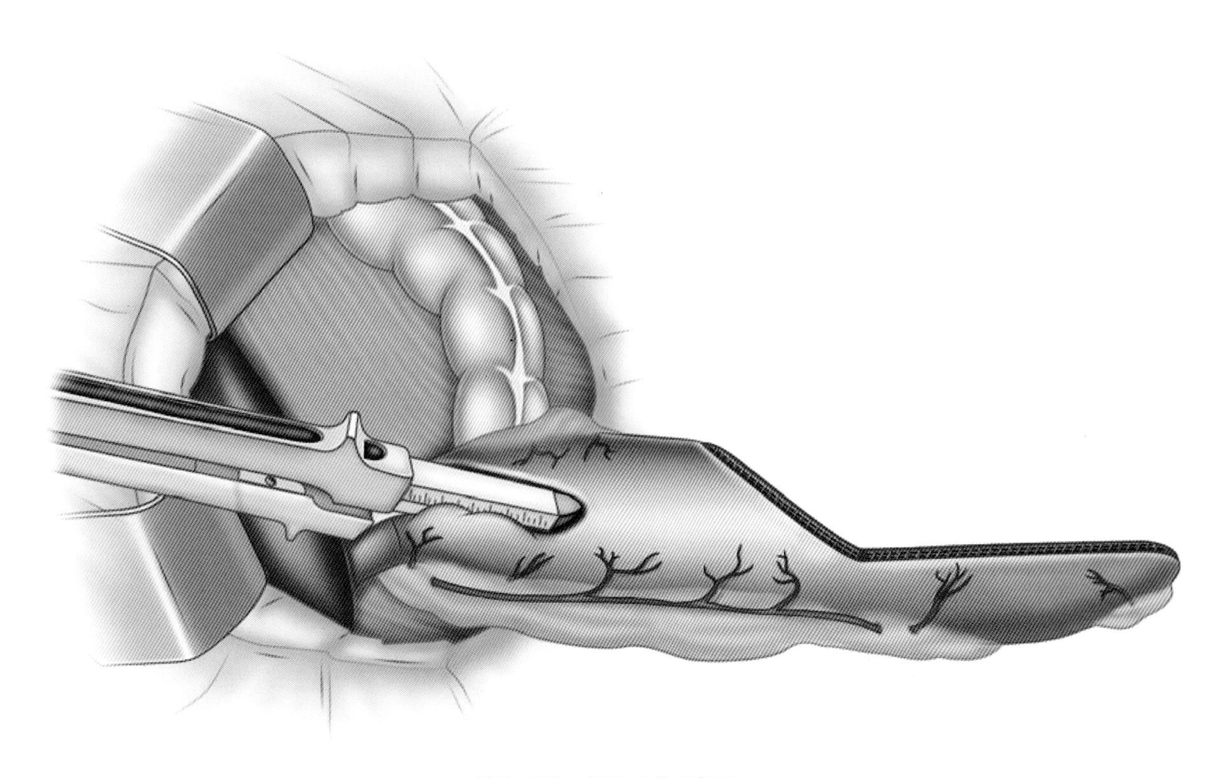

图6-23　图6-22示意图。

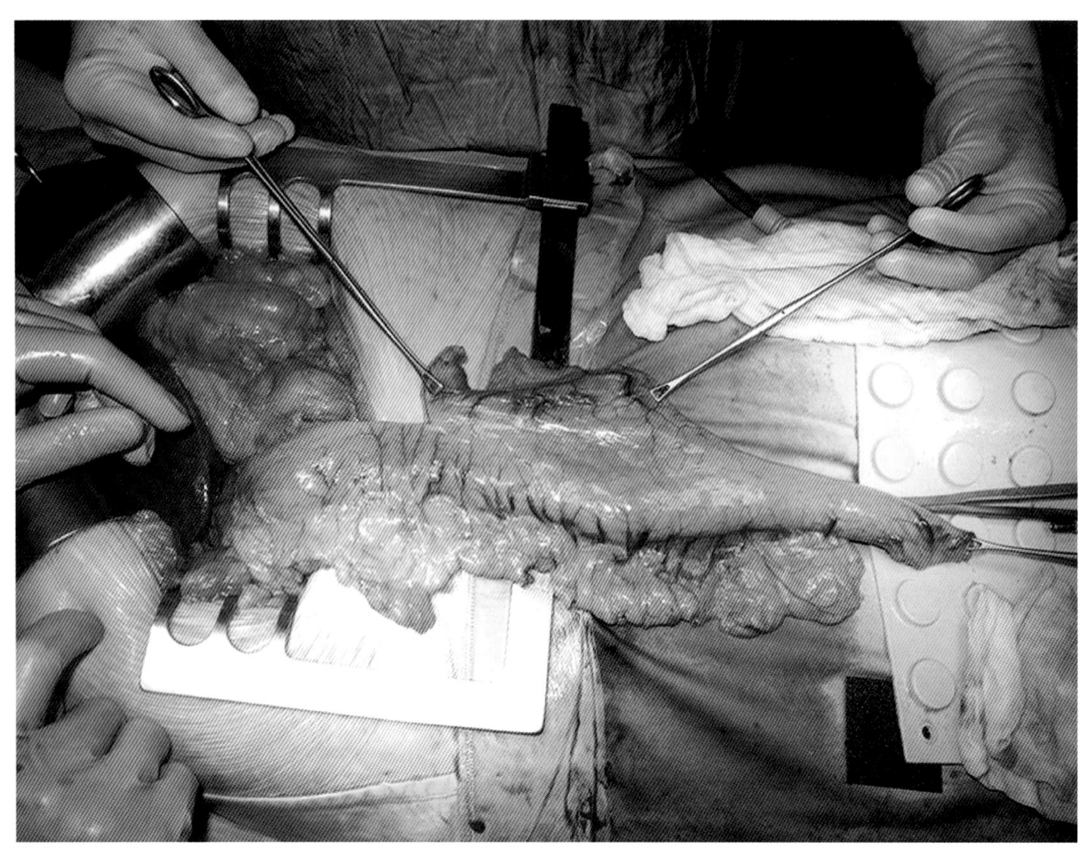

图6-24　第4把直线型GIA击发完毕。

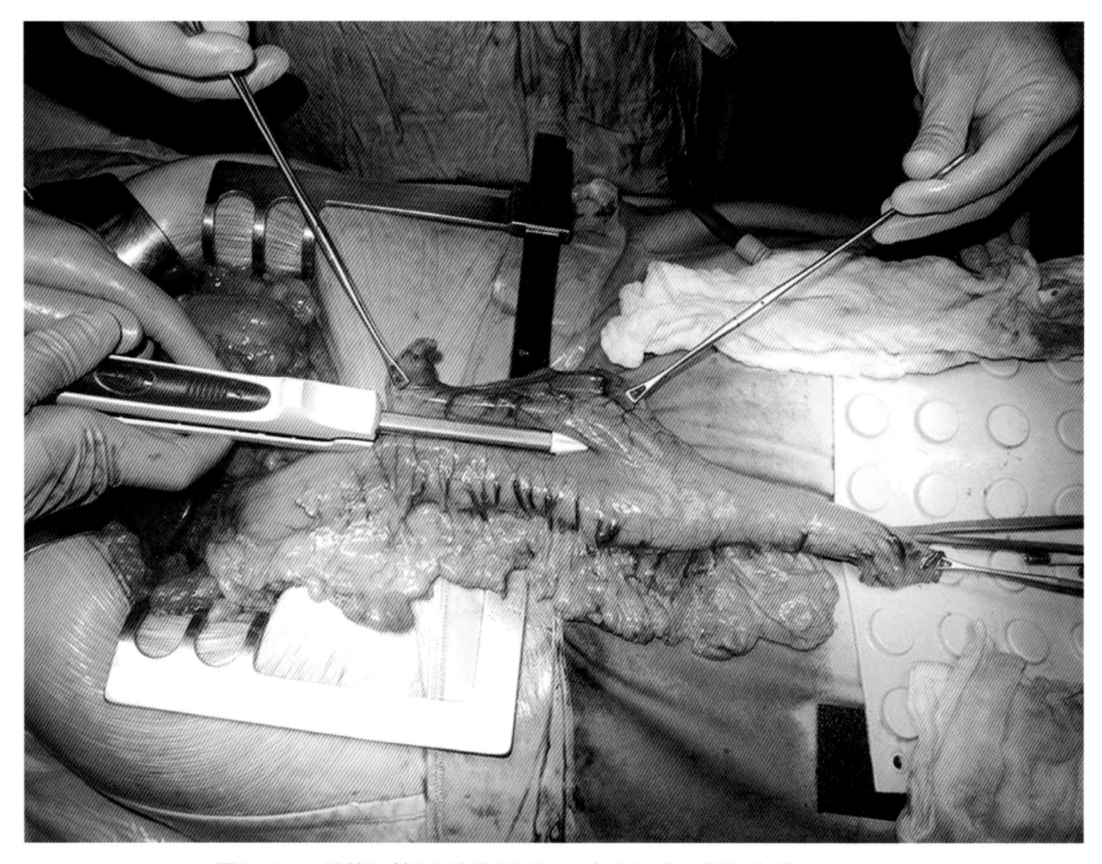

图6-25　继续用第5把直线型GIA，直至距离上部闭合端5cm处。

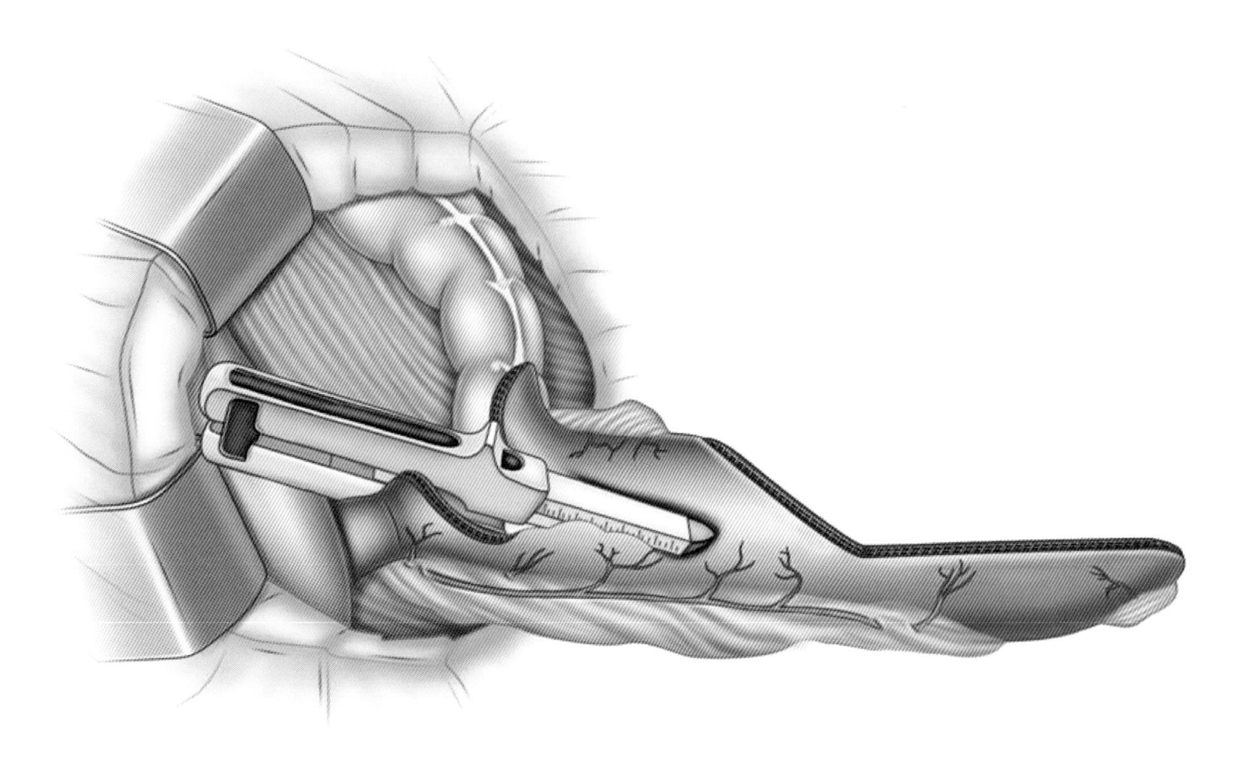

图6-26　图6-25示意图。

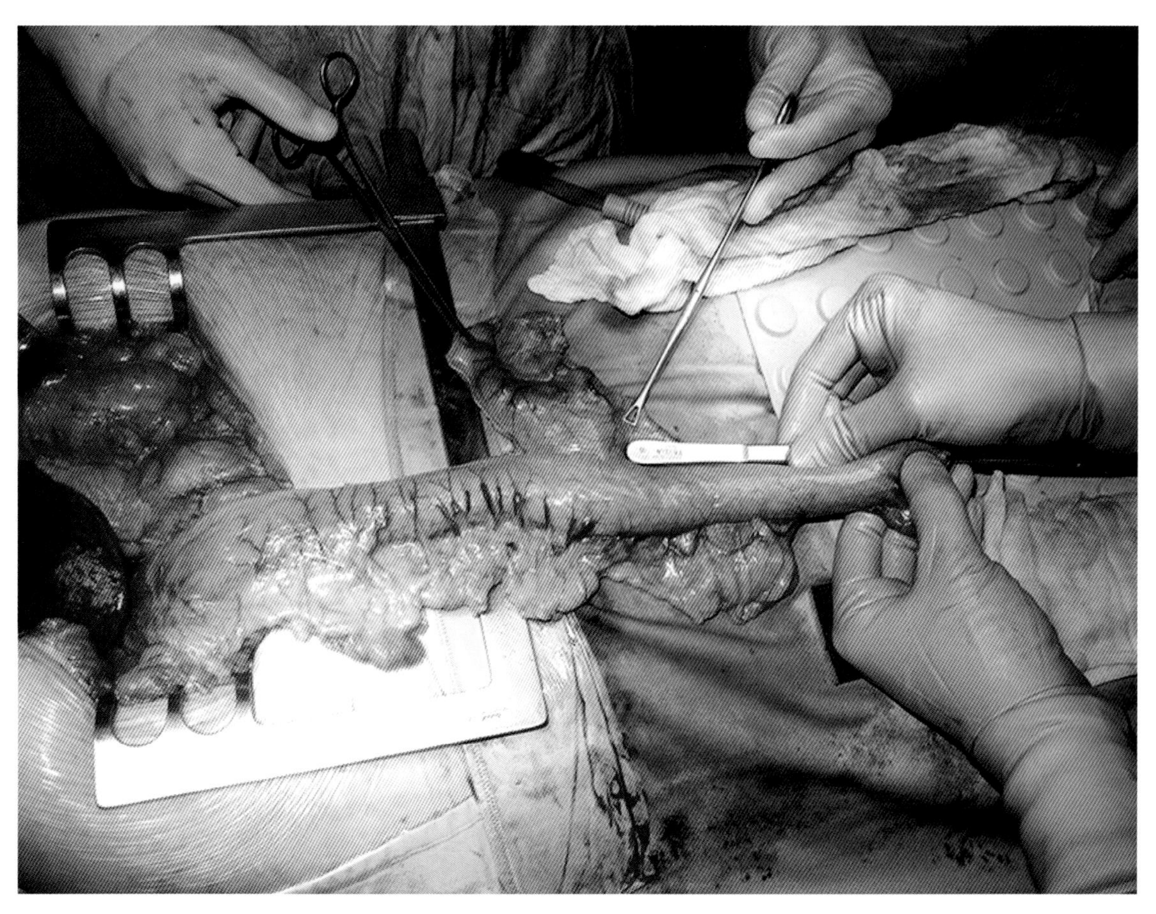

图6-27　第5把直线型GIA击发完毕，在胃小弯侧形成一个贮袋。

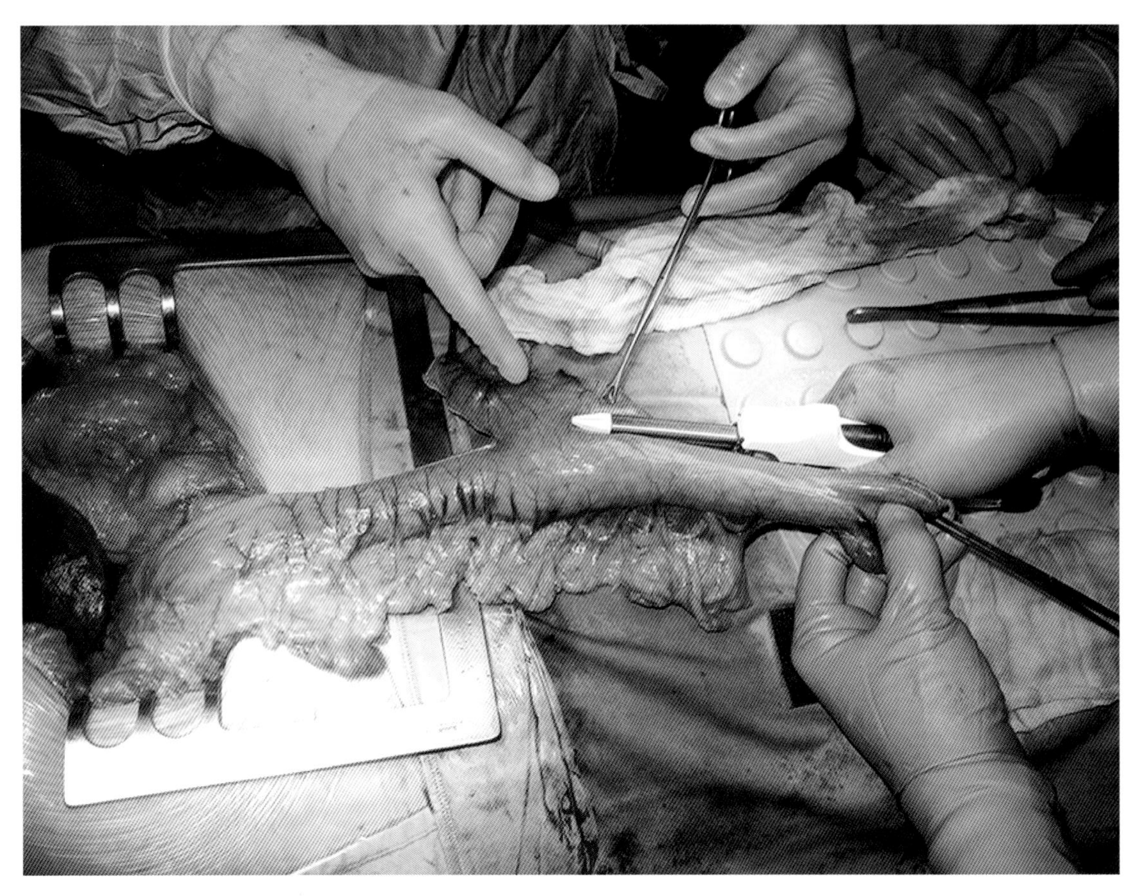

图6-28　第6把直线型GIA切割闭合部分贮袋，减少其宽度。

图6-29　形成一个长30～35cm、宽约4cm的管状胃，胃小弯侧贮袋作为后续端端吻合器置入通道。

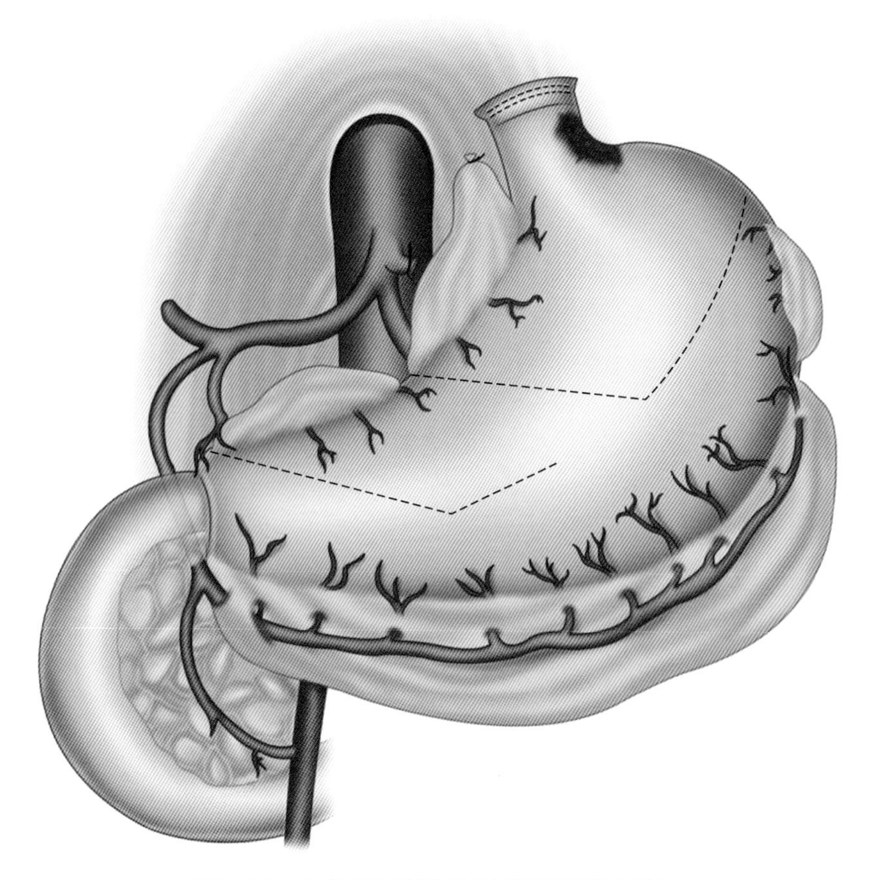

图6-30　用多把直线型GIA构建管状胃示意图。

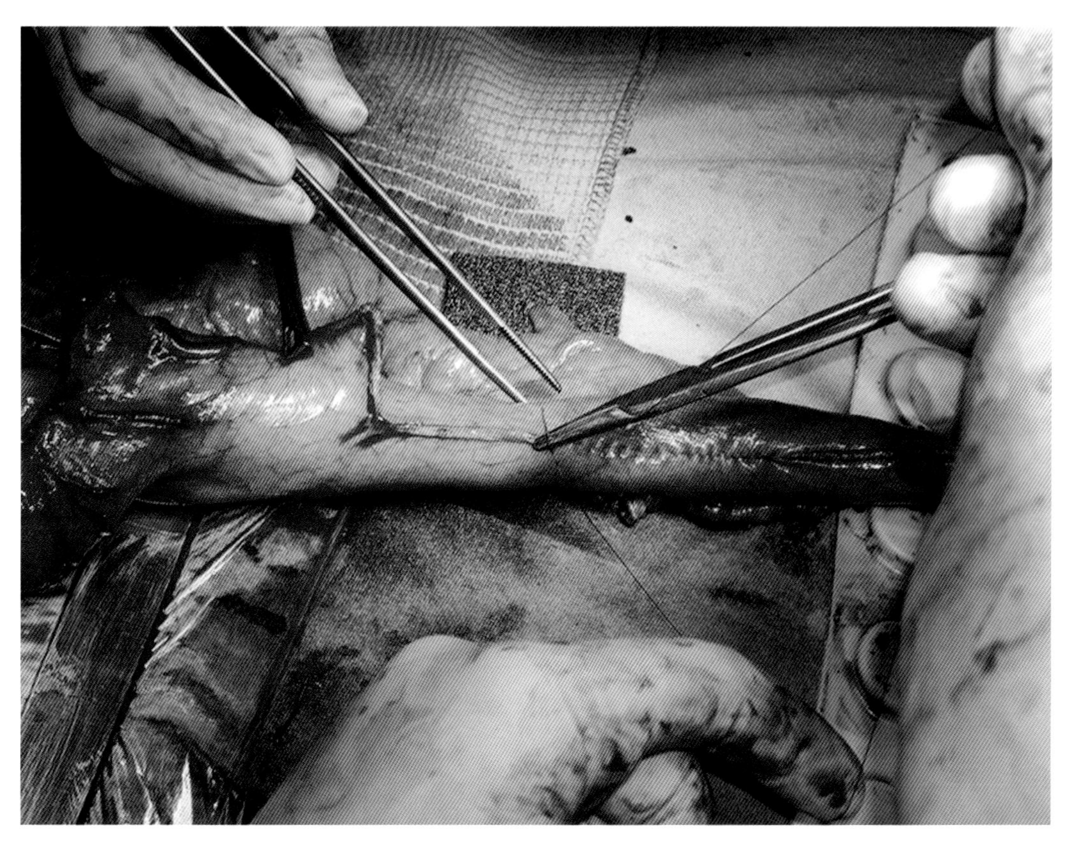

图6-31　用4-0聚对二氧环己酮可吸收线（PDS）连续浆肌层缝合包埋胃小弯侧上部闭合线。

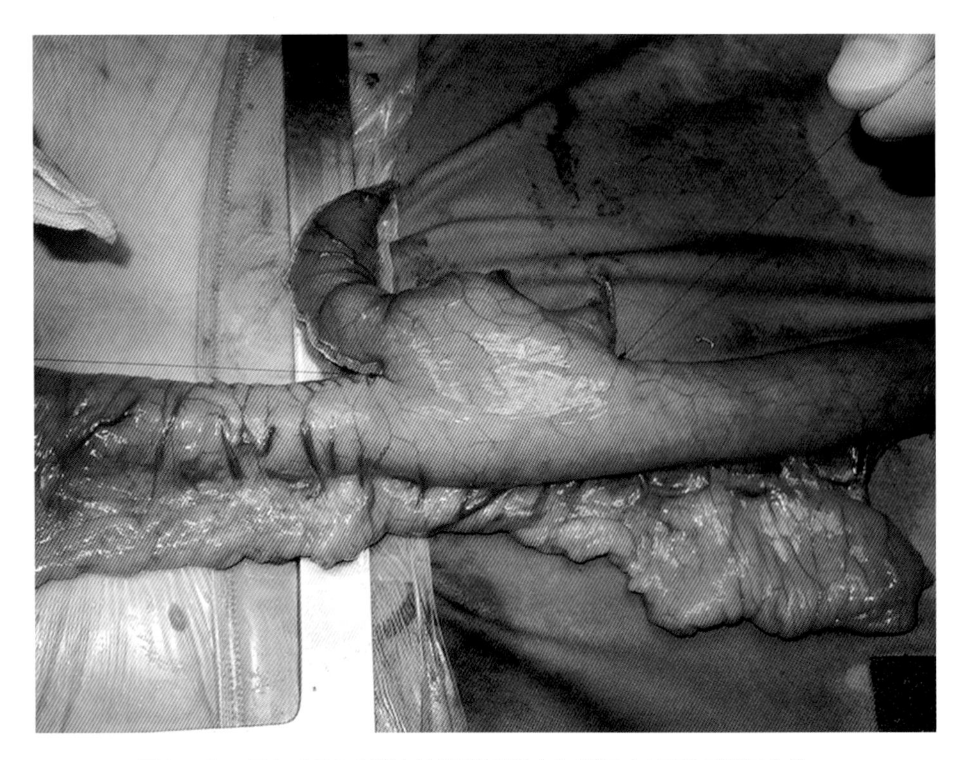

图6-32 用4-0 PDS线连续浆肌层缝合包埋胃小弯侧下部闭合线。

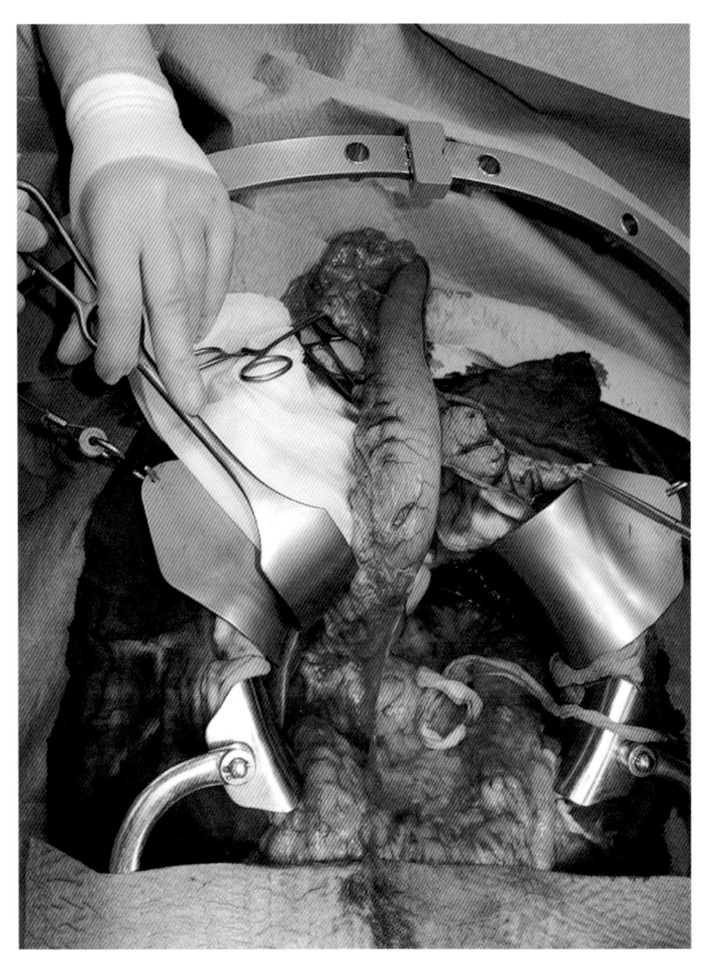

图6-33 管状胃长度足够，可达患者颈部。行D2淋巴结清扫术，打开食管裂孔，松解下端食管，清扫下纵隔淋巴结。

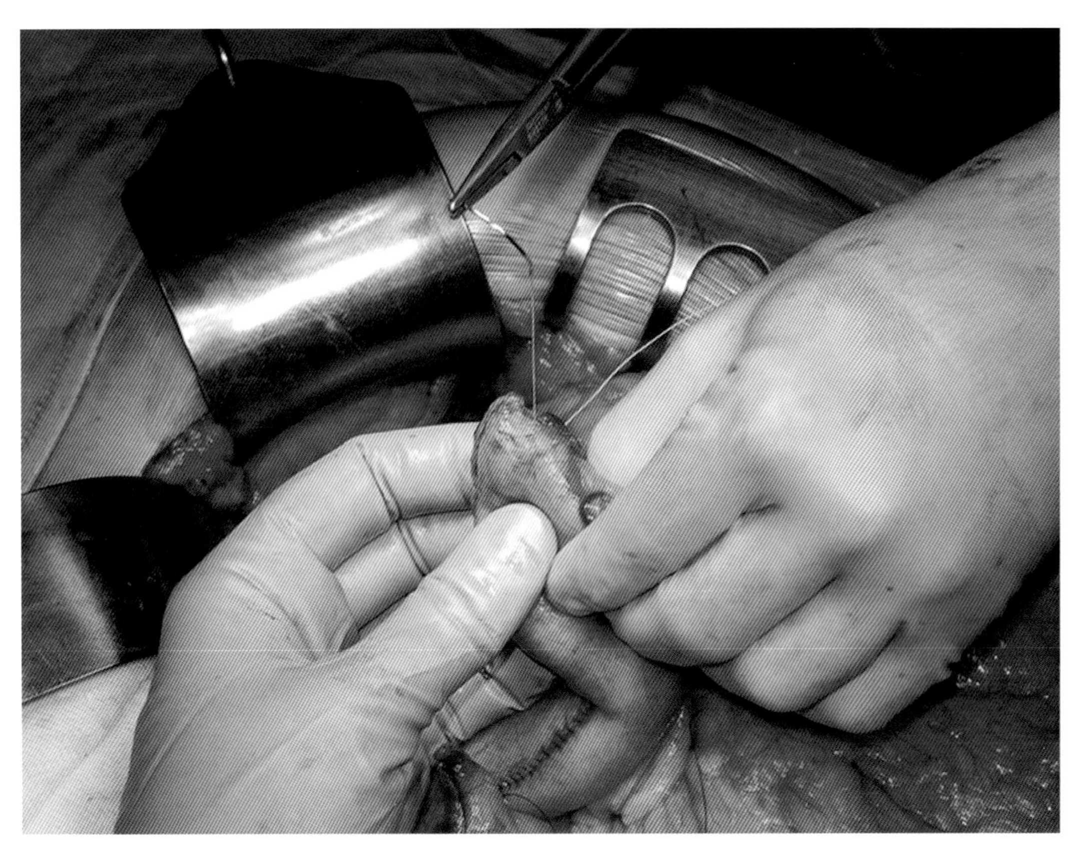

图6-34　管状胃顶端与食管残端用不可吸收线缝合固定2针，以利于胸腔内吻合时将管状胃拖入胸腔与食管吻合。先缝胃壁。

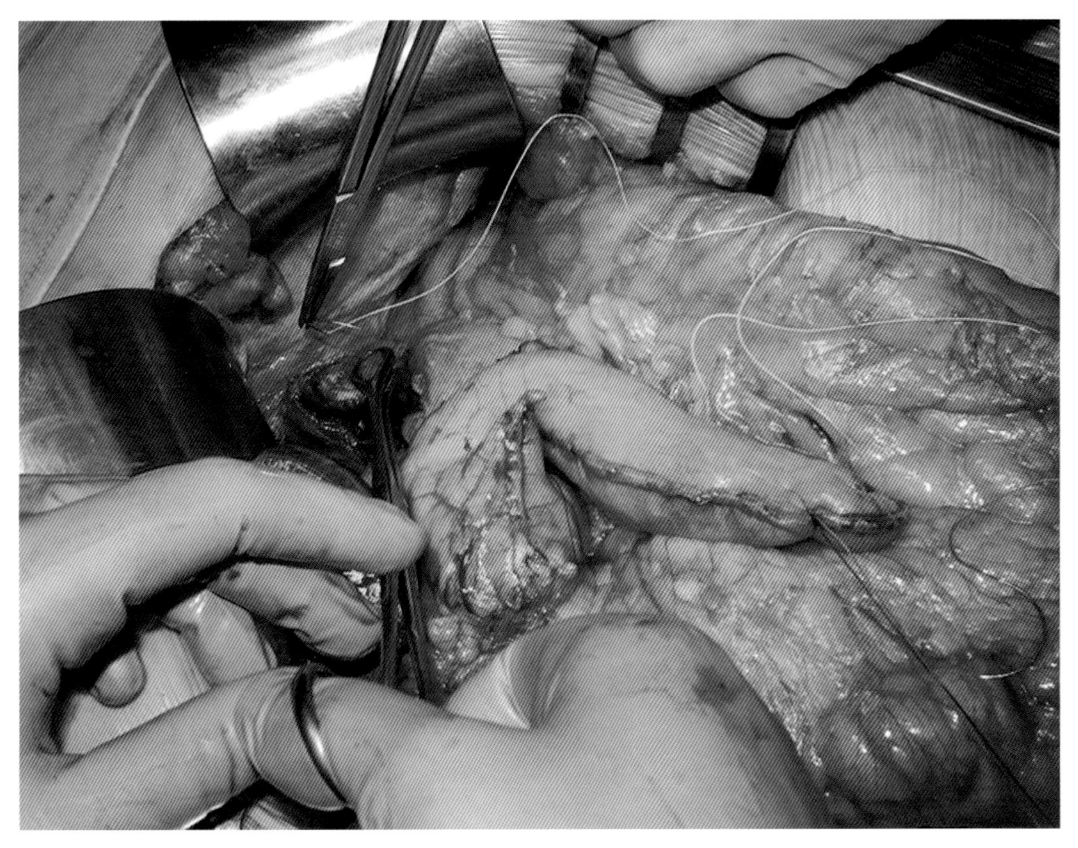

图6-35　再缝食管残端。

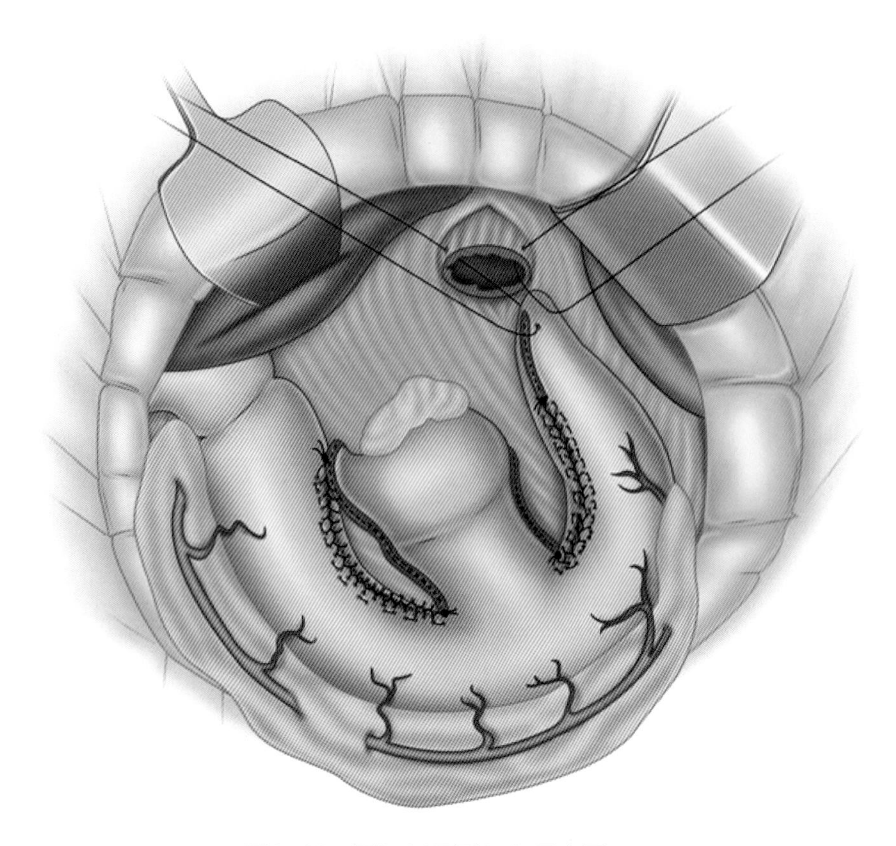

图6-36 图6-34及图6-35示意图。

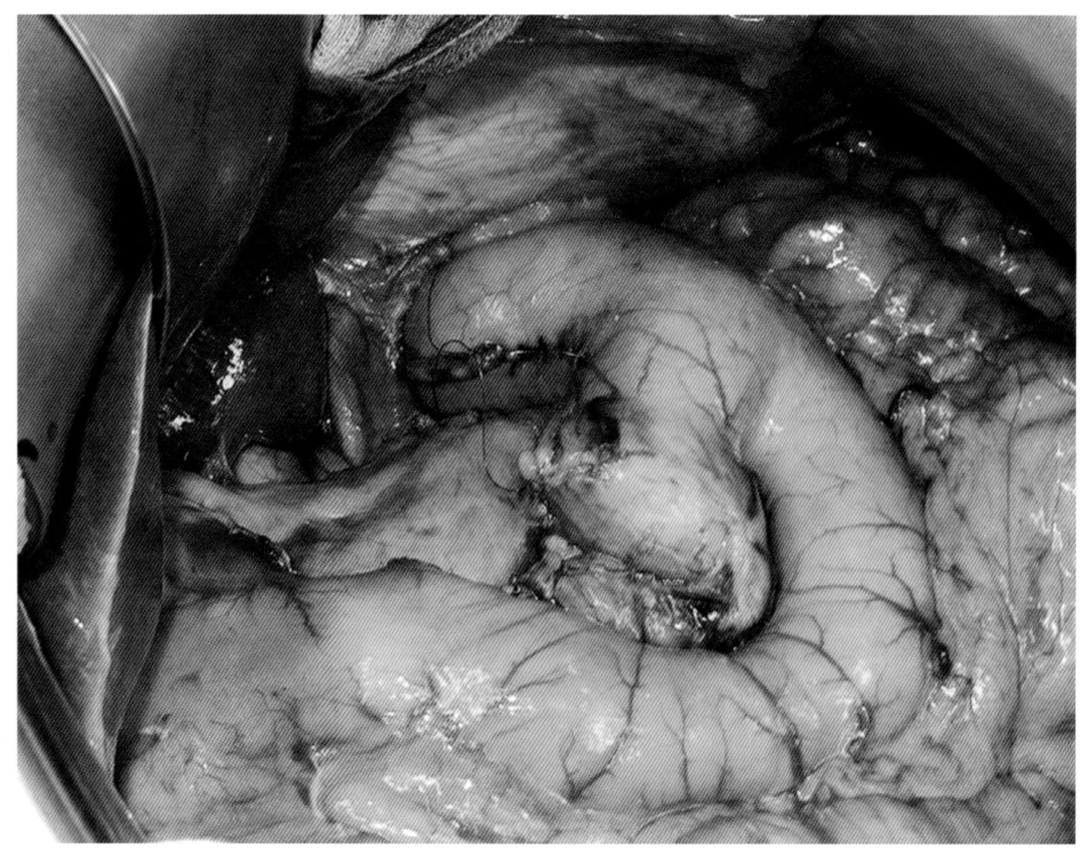

图6-37 腹腔操作完毕，右肝下放置引流管，关闭腹腔。患者改行左侧卧位。

二、胸腔手术阶段：食管切除及管状胃食管吻合

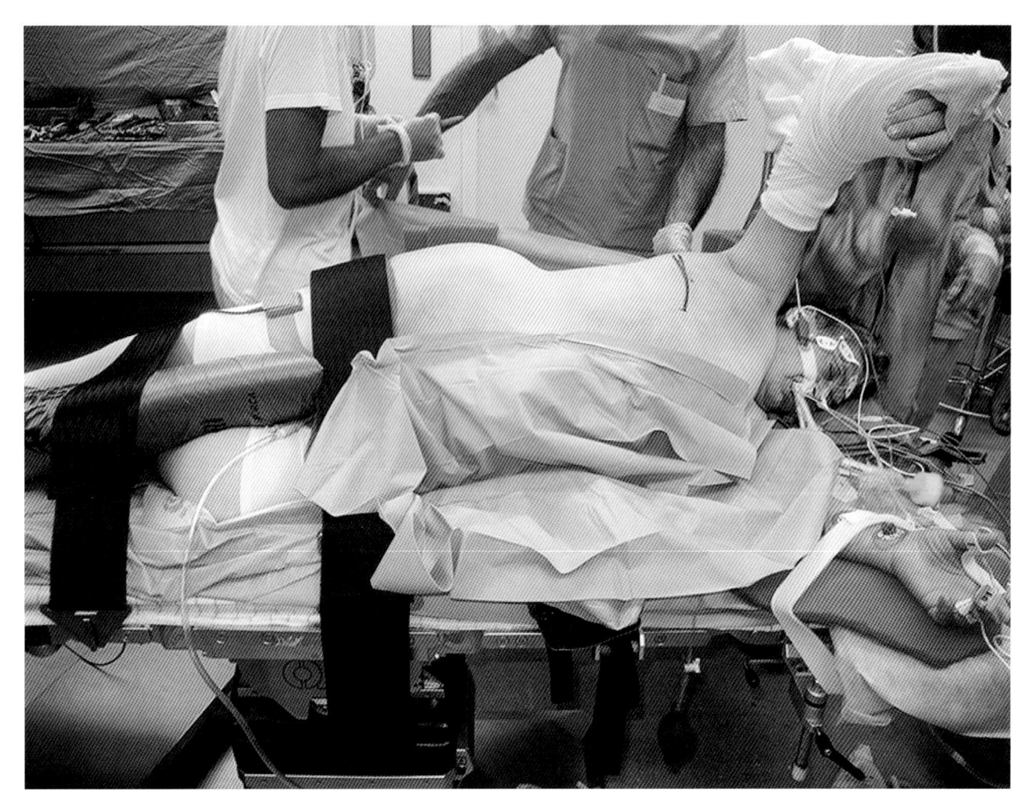

图6-38　经第五肋间行右侧开胸，进入胸腔。

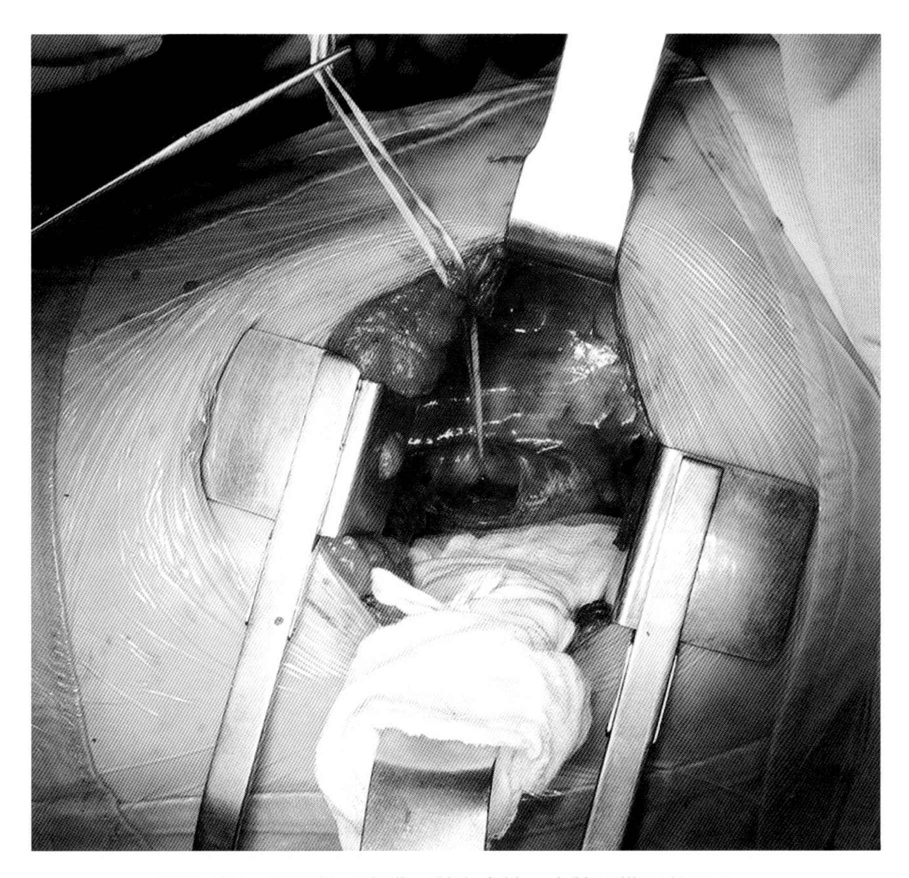

图6-39　打开纵隔胸膜，游离食管，血管吊带予以悬吊。

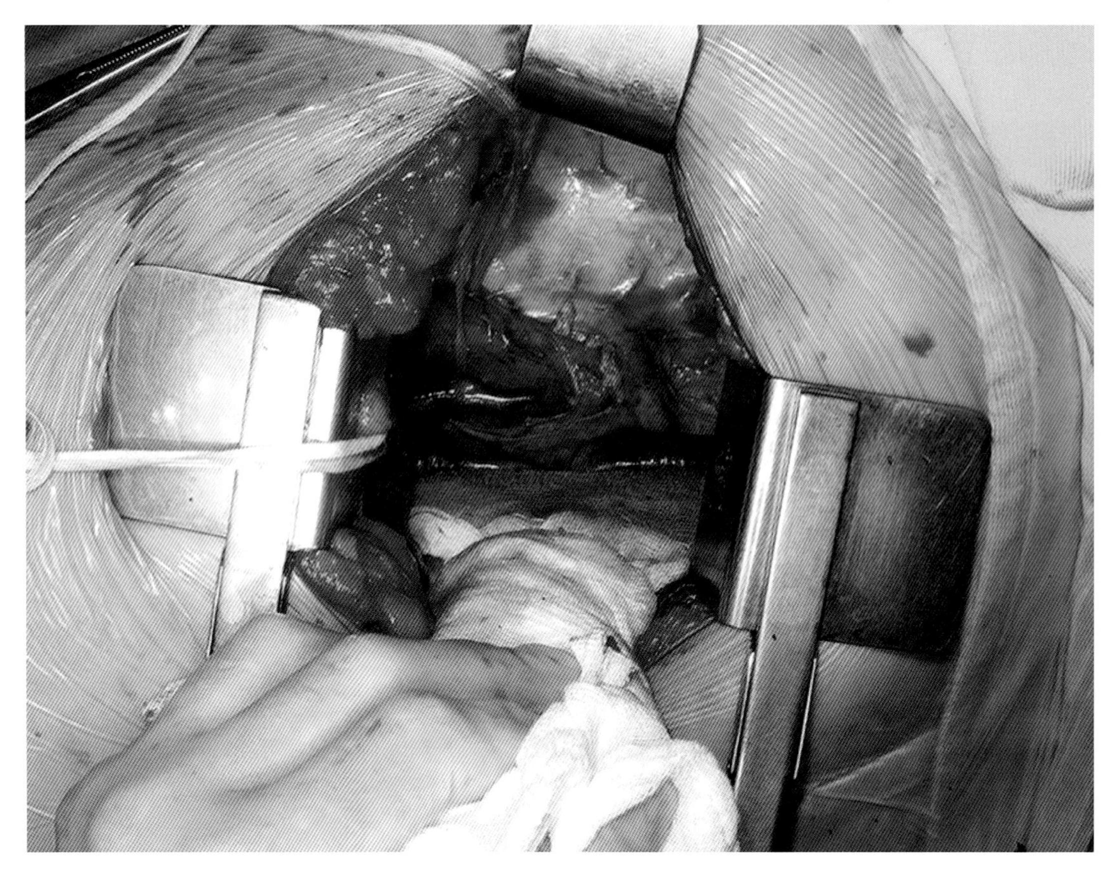

图6-40 游离食管达奇静脉水平。

图6-41 切断、结扎奇静脉。

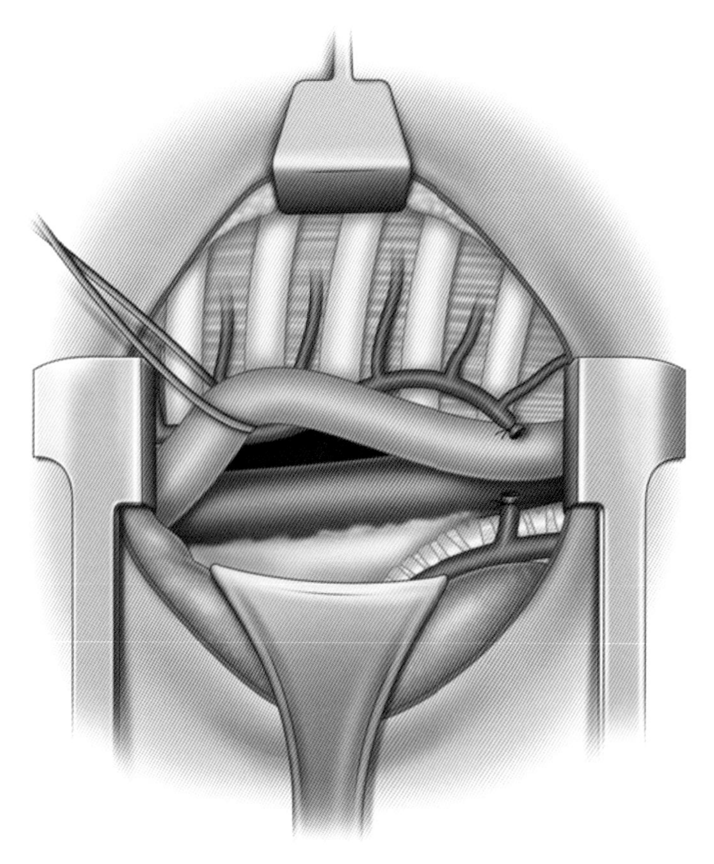

图6-42 图6-41示意图。

图6-43 解剖上胸段食管，行2D扩大淋巴结清扫术。

图6-44　在奇静脉口侧2～3cm处食管上置荷包钳。

图6-45　上置2-0不可吸收荷包缝合线。

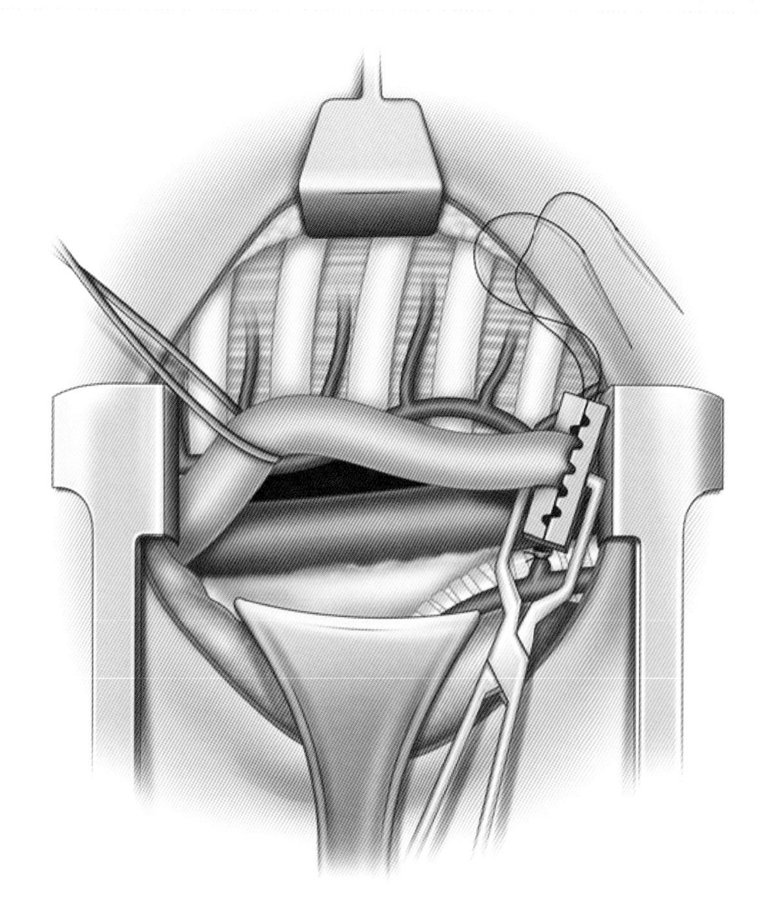

图6-46 图6-45示意图。

图6-47 切断食管，切缘行术中快速冰冻病理检查，确保无癌细胞残留。

图6-48　将25mm抵钉座置入食管残端，荷包线打结。

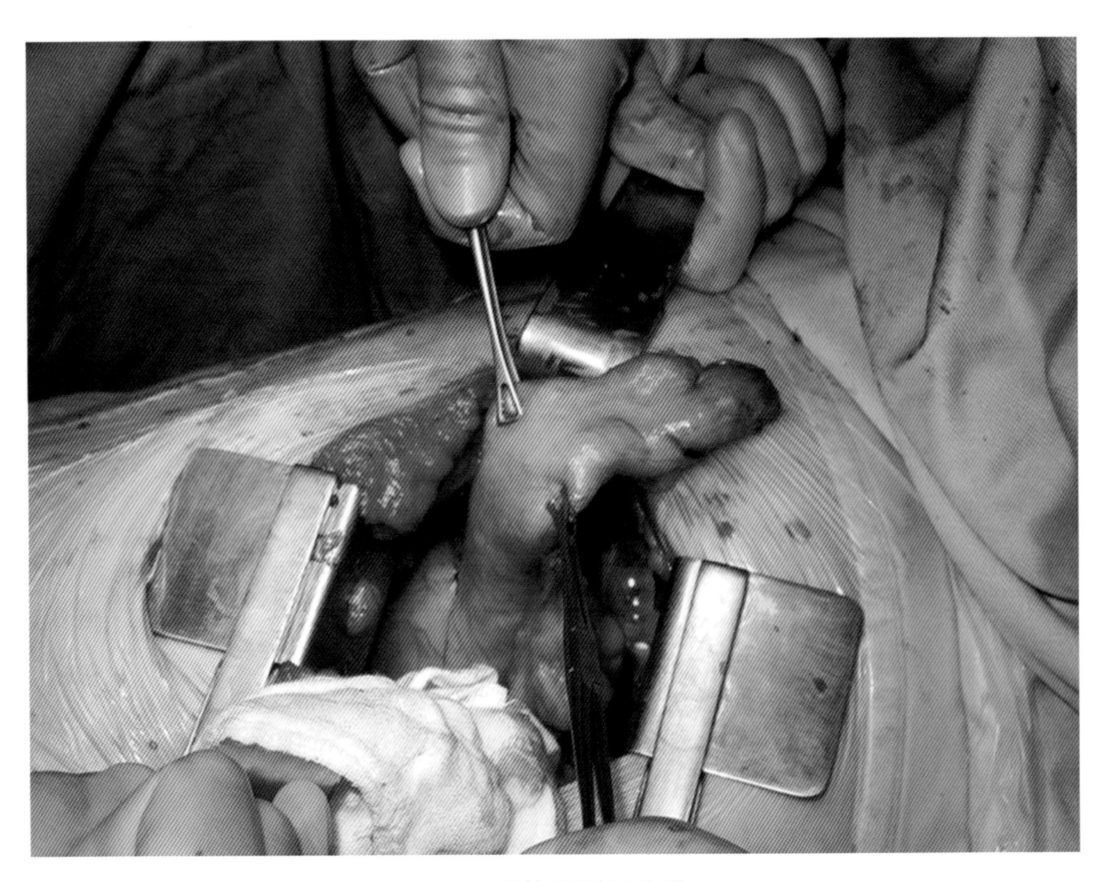

图6-49　将管状胃拉入胸腔。

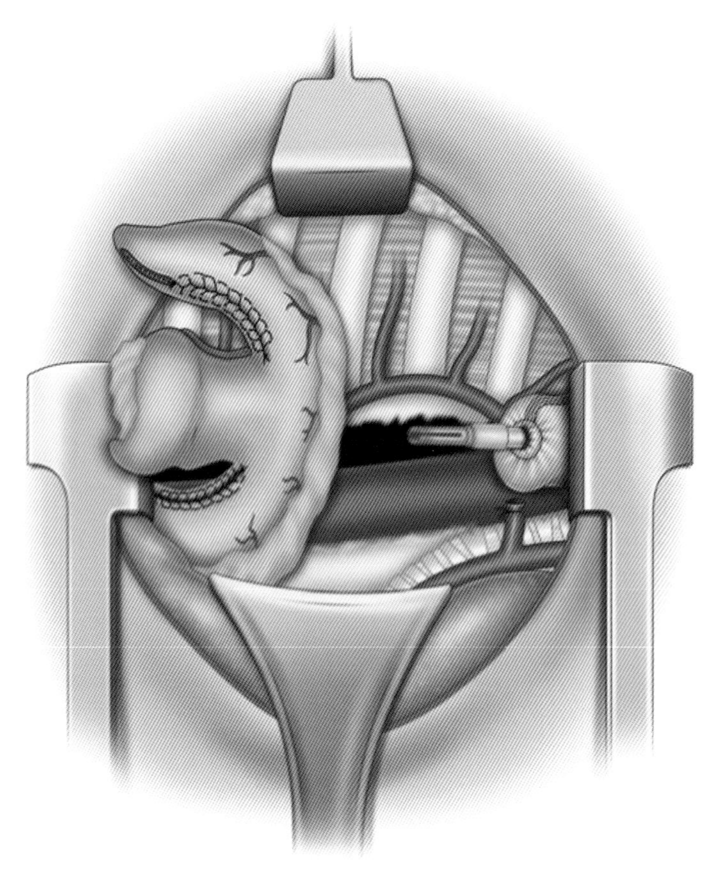

图6-50 图6-49示意图。

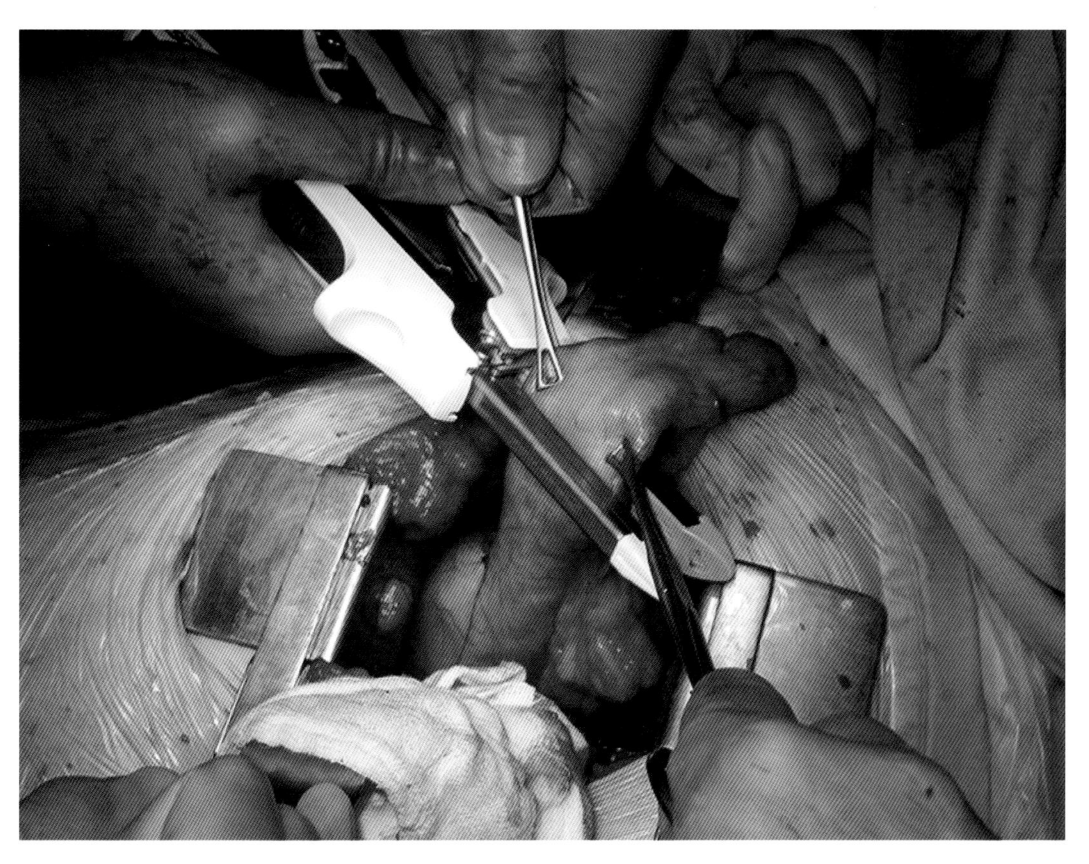

图6-51 在管状胃食管可无张力吻合前提下，用直线型GIA 60切除多余管状胃。

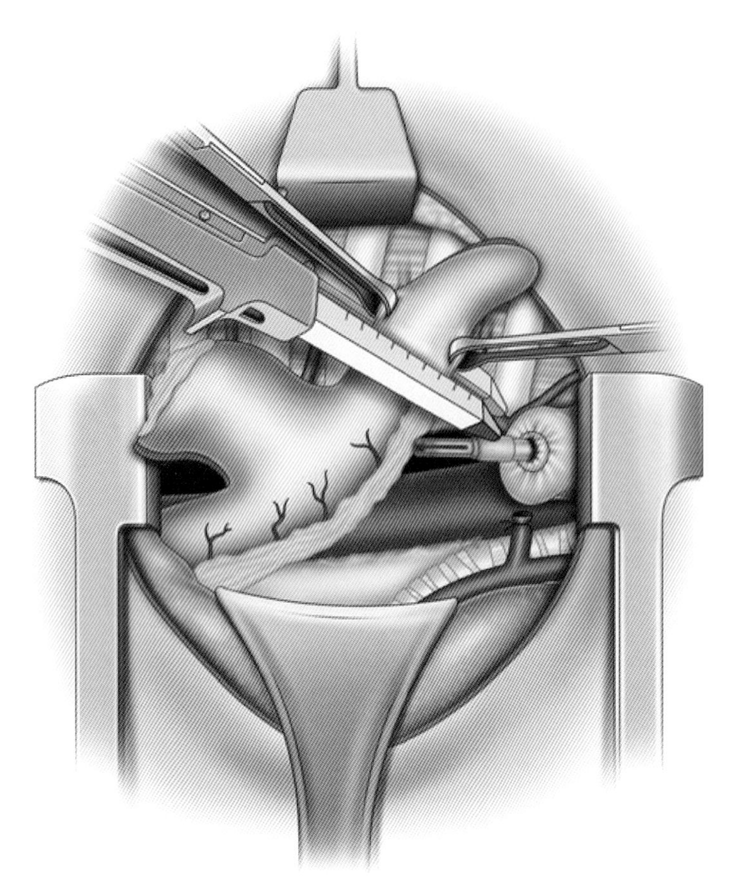

图6-52 图6-51示意图。

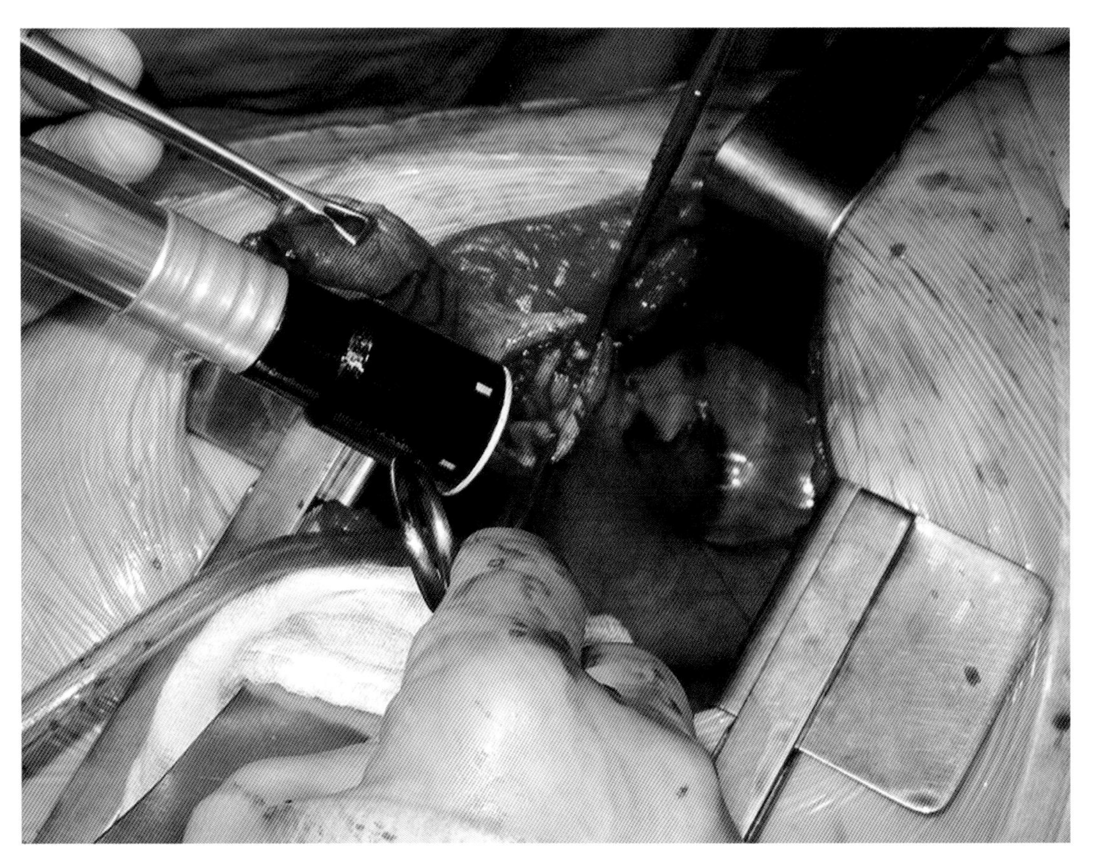

图6-53 切开胃小弯侧贮袋，置入端端吻合器。

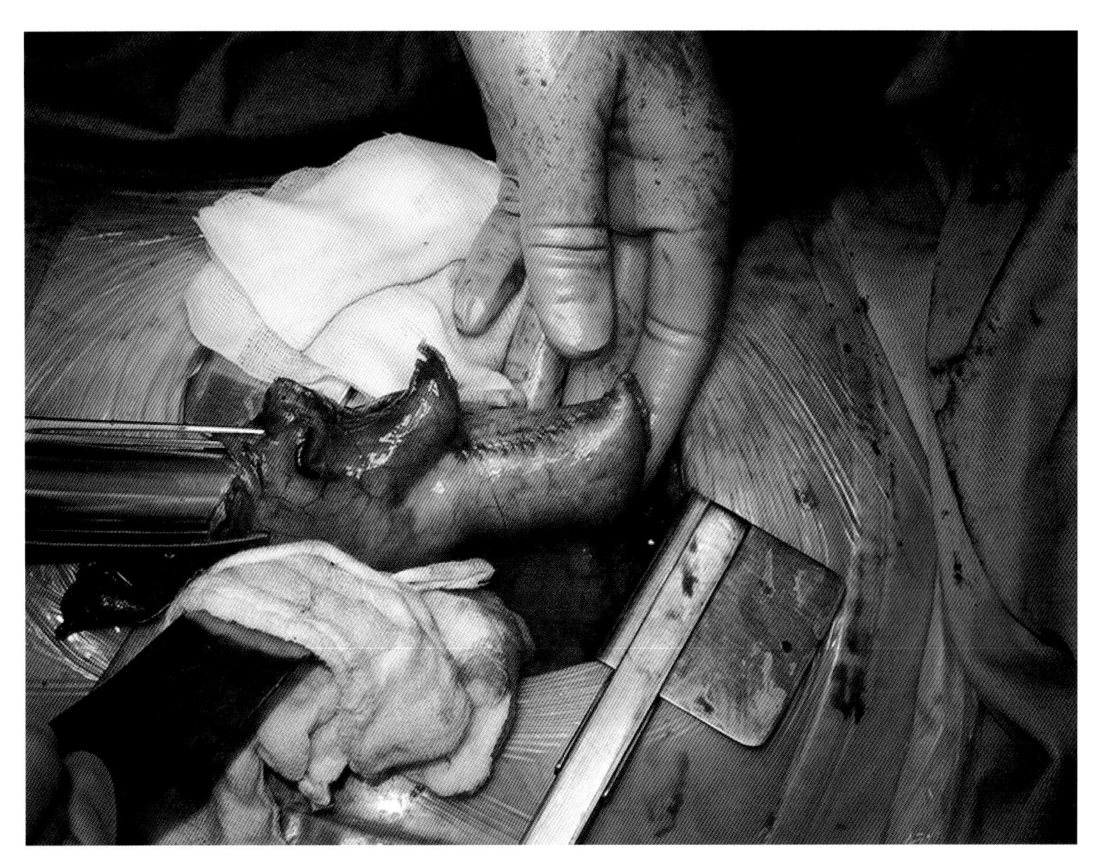

图6-54　吻合器达管状胃顶端，旋出穿刺锥。

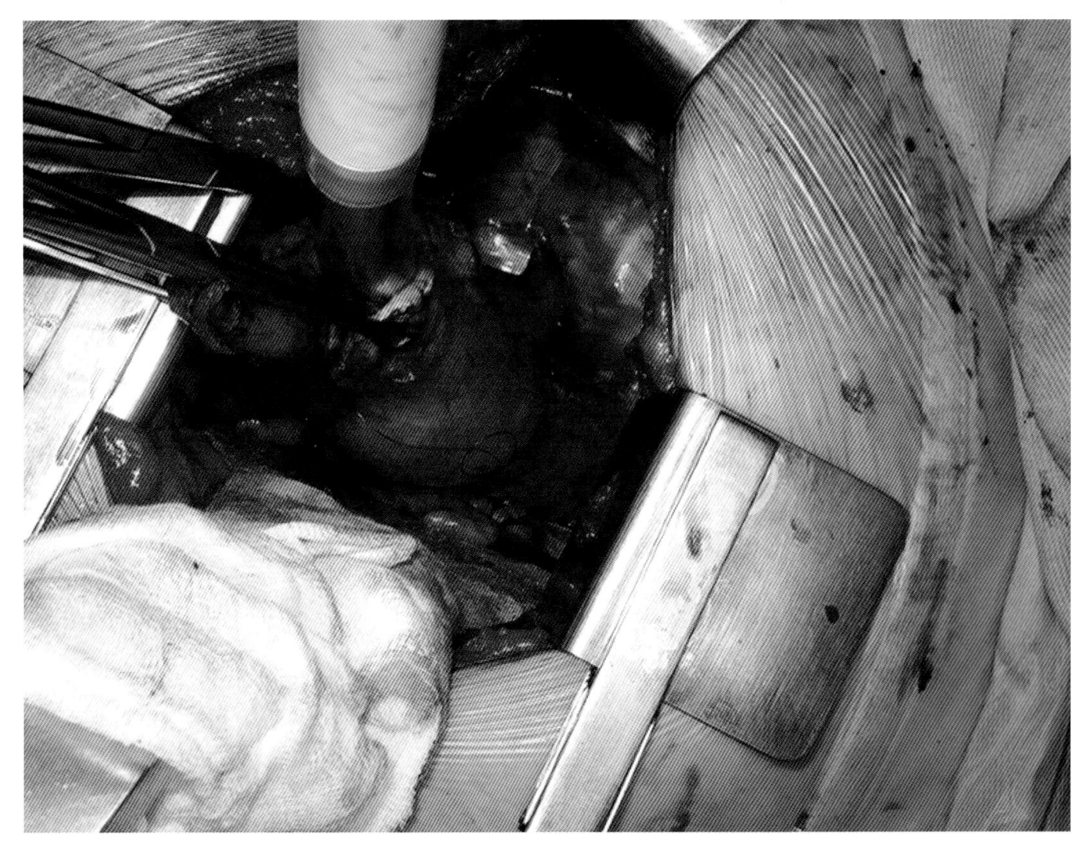

图6-55　拔除穿刺锥，对合中心杆，收紧吻合器，完成食管胃端端吻合。

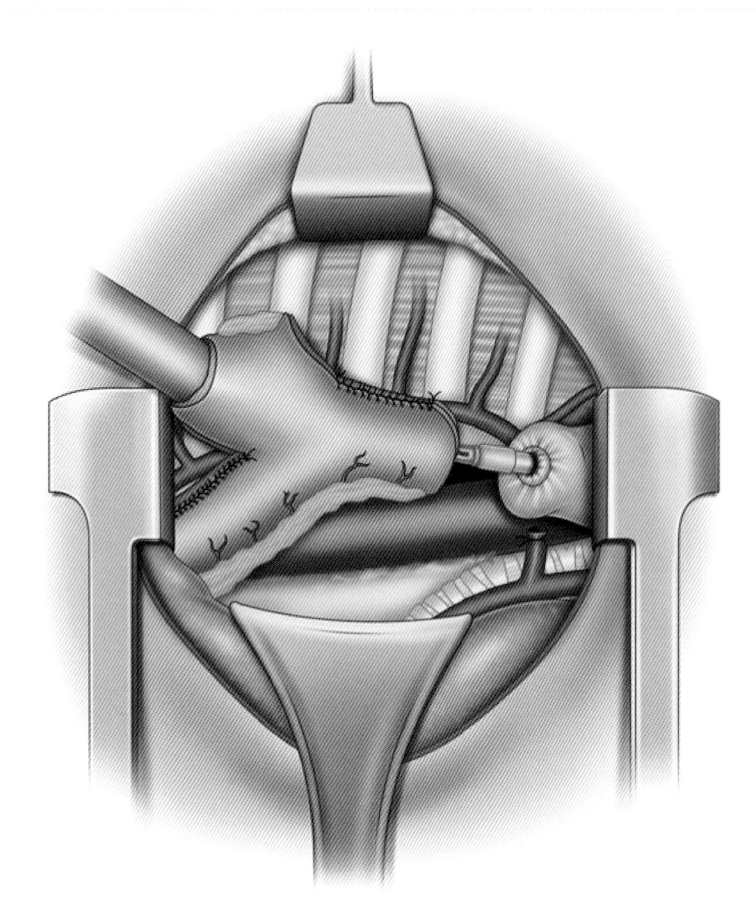

图6-56　图6-55示意图。

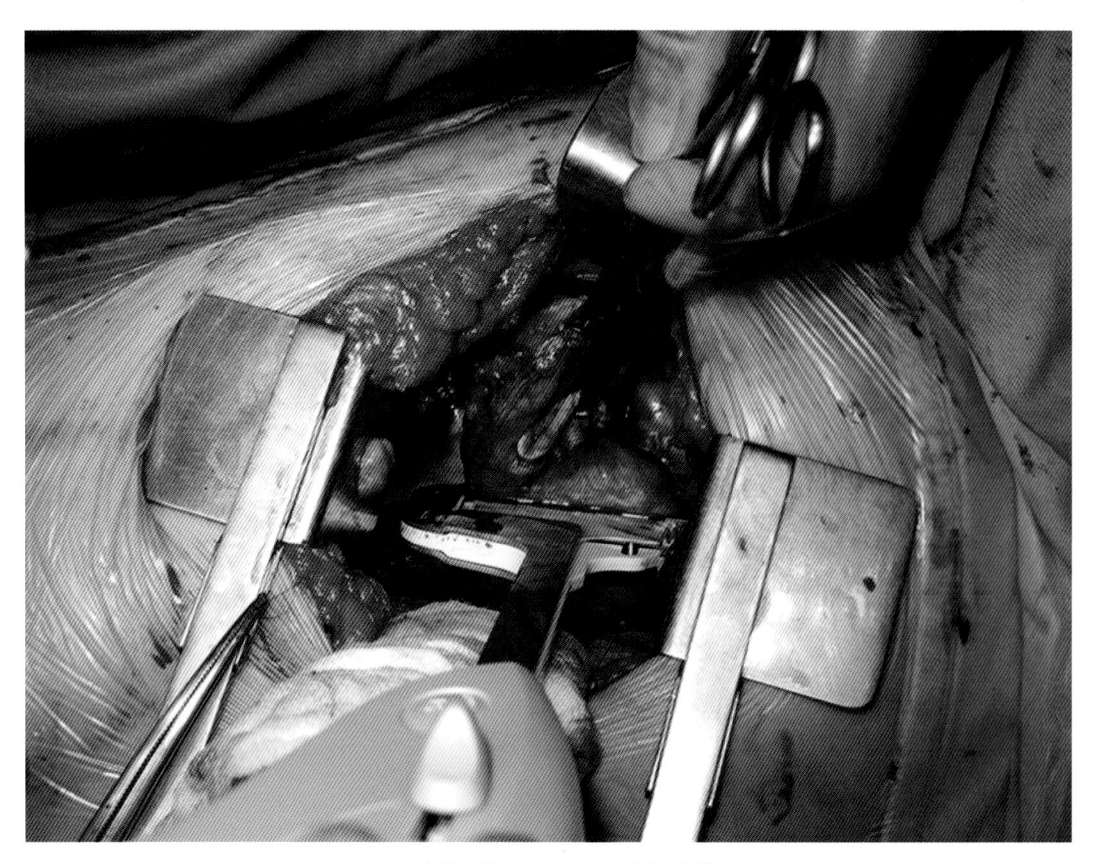

图6-57　直线型闭合器TA 60夹闭贮袋根部。

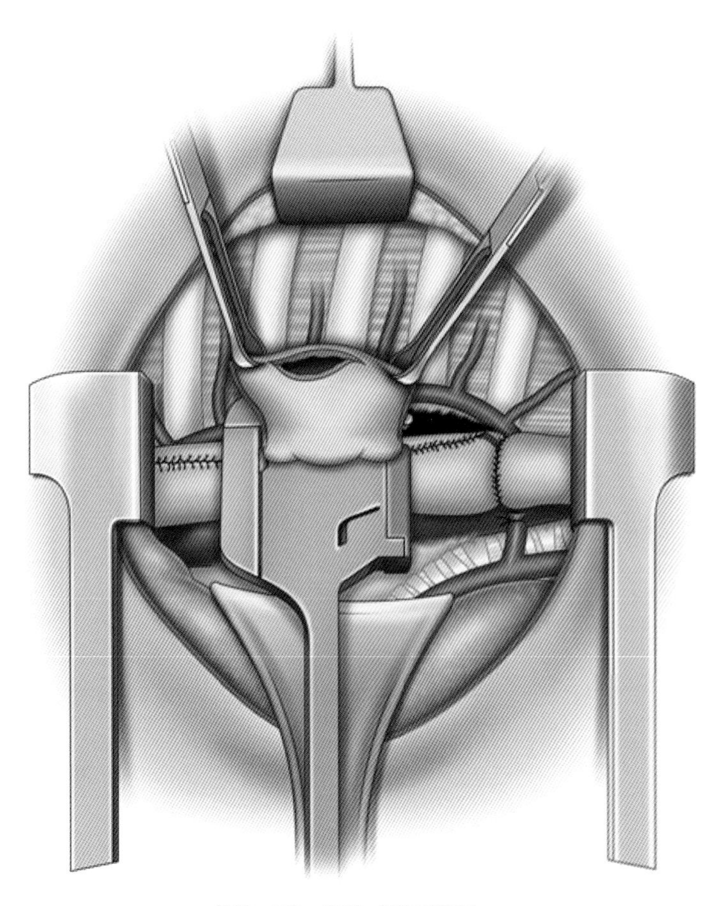

图6-58　图6-57示意图。

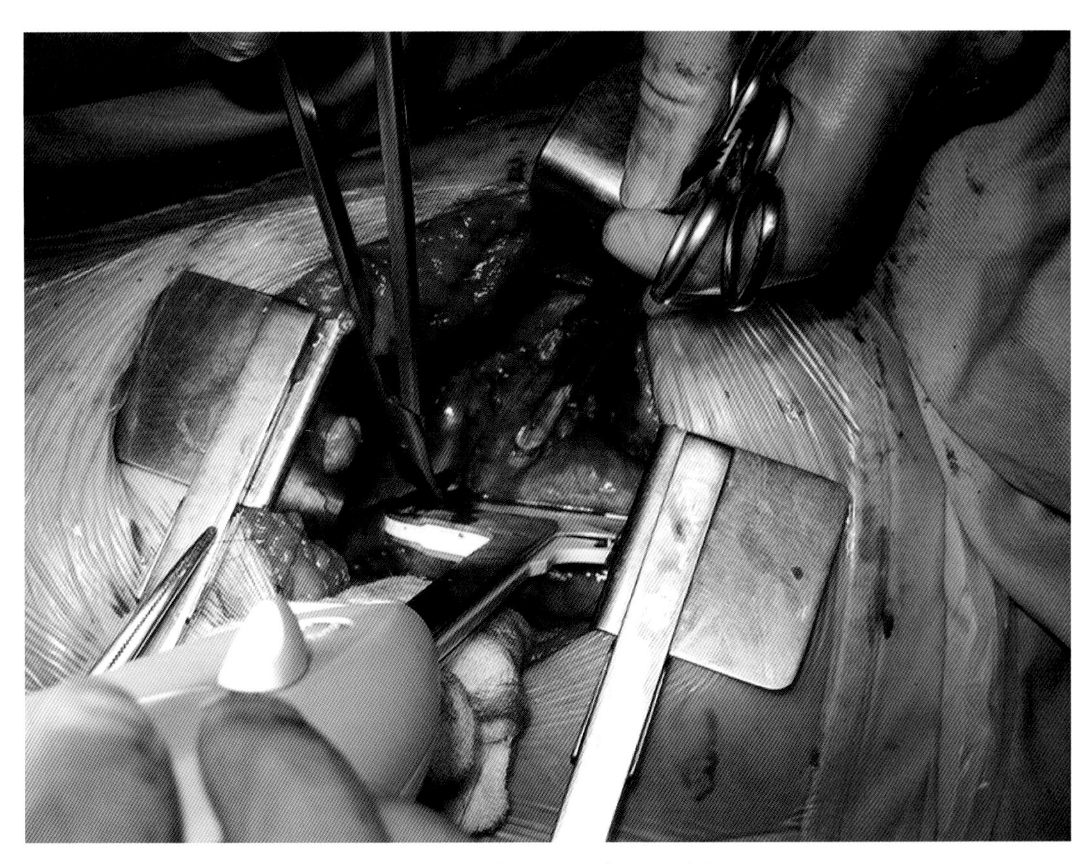

图6-59　击发TA 60，切除胃贮袋。

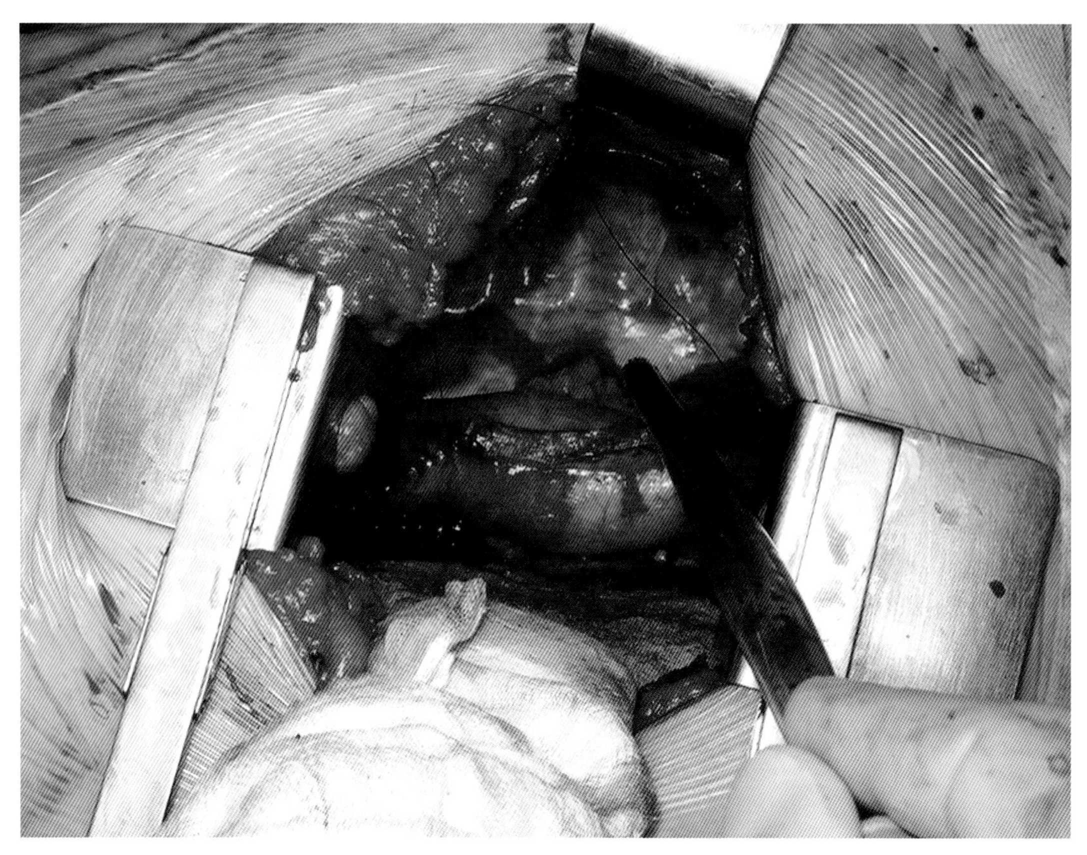

图6-60 胃贮袋切除完毕。

图6-61 器械法管状胃食管端端吻合完毕。

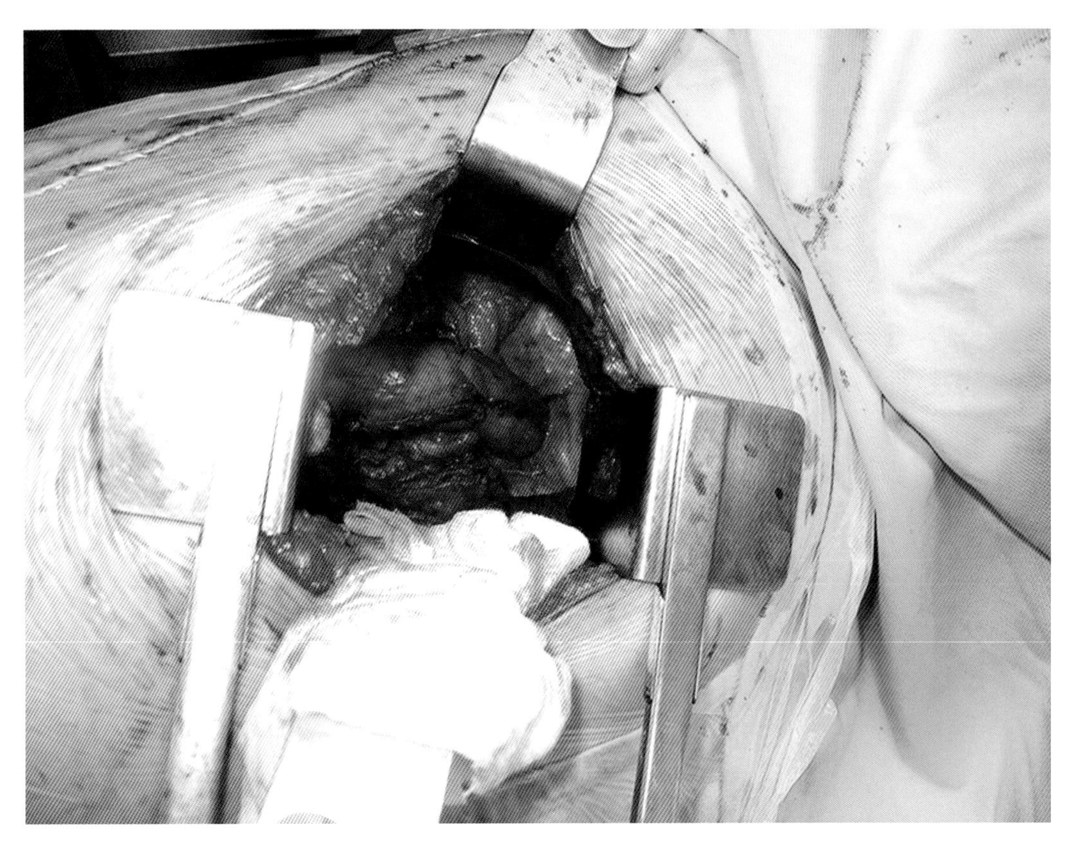

图6-62　用4-0 PDS线浆肌层连续缝合包埋吻合口，操作务必轻柔，以降低其张力，并加强吻合口。

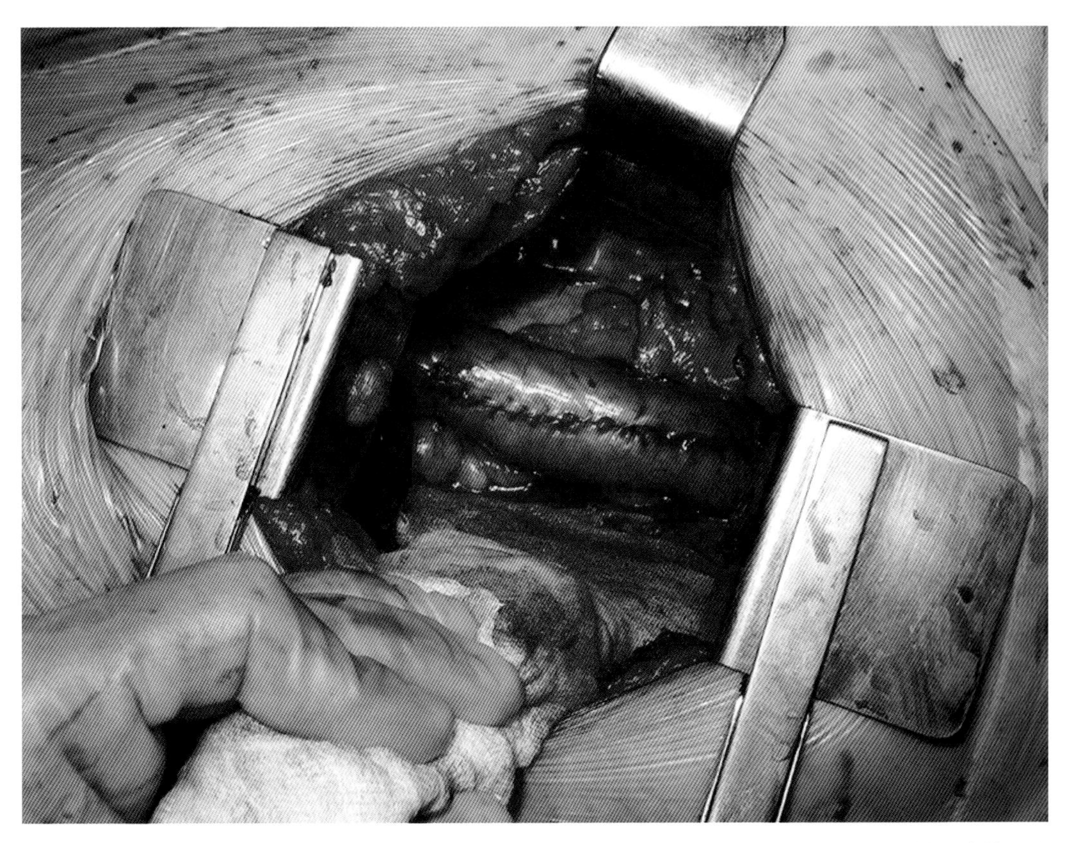

图6-63　胃贮袋切除闭合线同样予以4-0 PDS线浆肌层连续缝合包埋，至此，所有器械闭合线及吻合口均已加强缝合。

图6-64 距吻合口10cm处用无损伤钳夹闭管状胃，轻柔地将胃管插入约5cm，跨过吻合口，注入40～60mL含亚甲蓝的生理盐水，检测吻合口及管状胃有无缺损。吸除亚甲蓝溶液，将胃管进一步插入管状胃。

图6-65 于后纵隔调整管状胃的位置，吻合口及管状胃附近放置胸腔引流管。

第七章 腹腔镜全胃切除术及胃次全切除术（D2淋巴结清扫术）

Giorgio Cutini, Francesco Falsetti, Valerio Caracino, Pietro Coletta

一、简介

目前胃癌手术包括胃切除及区域淋巴结清扫，尽管淋巴结清扫范围存在争议，在日本及欧洲，扩大淋巴结清扫术（D2）是局限性胃癌和高淋巴结转移风险的早期胃癌的标准术式。D2淋巴结清扫提高分期准确性，改善患者预后。

1991年，Kitano报道第1例良性胃溃疡行腹腔镜远端胃切除Billroth Ⅰ式胃肠吻合术；1992年，Goh完成Billroth Ⅱ式胃肠吻合术；Azagra于1993年首次完成胃癌腹腔镜远端胃切除Billroth Ⅱ式胃肠吻合术，而且也是Azagra首次完成腹腔镜全胃切除术。

腹腔镜远端胃切除D2淋巴结清扫术也是最近介绍的远端胃癌手术方式之一。几个回顾性研究及随机对照研究证实，与常规开腹手术相比，胃癌腹腔镜部分胃切除术后恢复过程明显改善。然而，D2淋巴结清扫术的复杂性限制了腹腔镜胃癌手术的广泛开展。

G. Cutini · P. Coletta
Division of General Surgery, "Villa Igea" Private Hospital, Via Maggini, Ancona 60100, Italy
e-mail: giorgiocutini@virgilio.it; pietro_col@hotmail.com

F. Falsetti（通讯作者）
Division of General Surgery, Jesi Hospital, Jesi, Italy
e-mail: francesco.falsetti@libero.it

V. Caracino
Division of General Surgery, Pescara Hospital, Via Fonte Romana, Pescara 65124, Italy
e-mail: valerio. caracino@gmail. com

W. Siquini (ed.), *Total, Subtotal and Proximal Gastrectomy in Cancer A Color Atlas*,
DOI 10.1007/978-88-470-5749-4_7, © Springer-Verlag Italia 2015

近端胃癌需全胃切除并广泛清除脾门、腹腔干及贲门周围淋巴结。腹腔镜胃癌全胃切除术颇受争议，主要因为淋巴结清扫和食管空肠吻合等技术困难，另外尚缺乏肿瘤学获益的有力证据。

二、患者体位

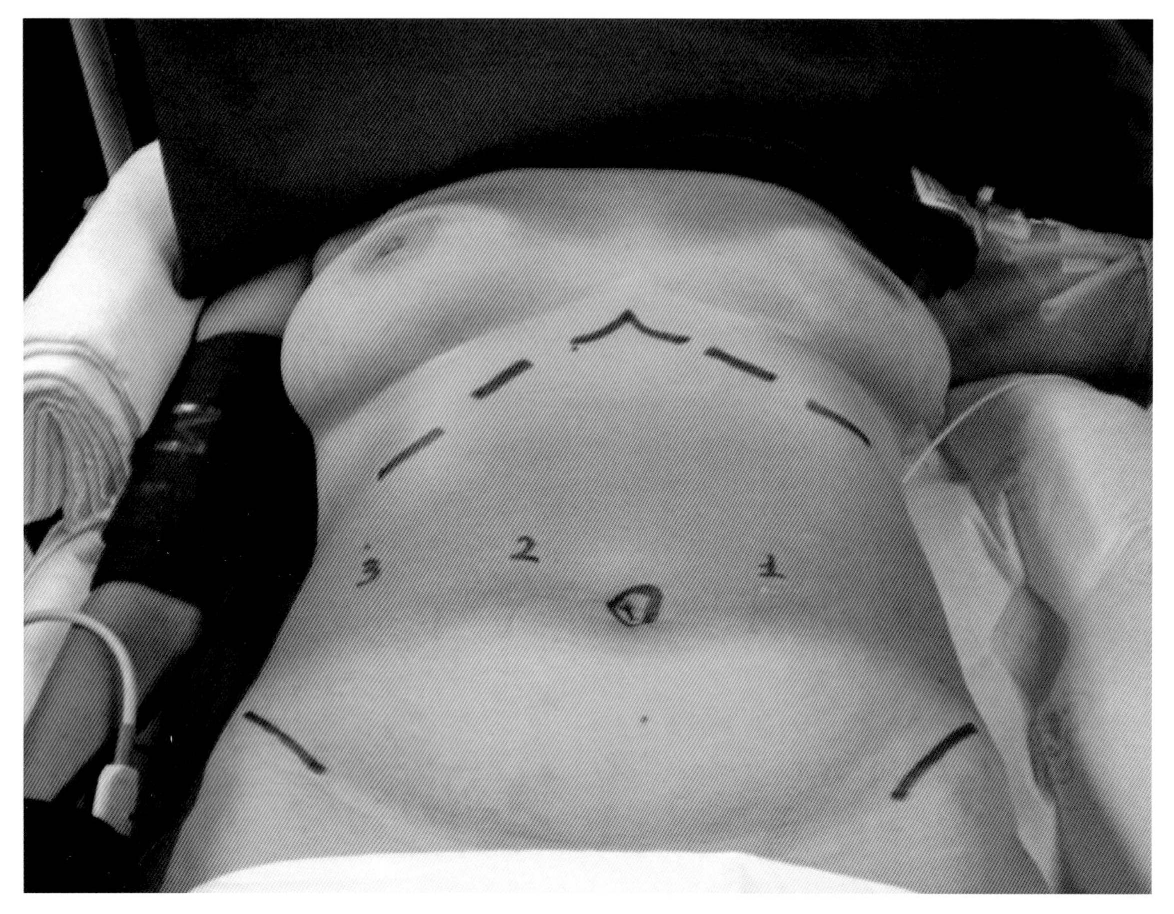

图7-1 患者躺于可调节手术台，取Lloyd-Davies体位，左臂外展，头及上身抬高20°（反Trendelenburg体位）。麻醉后留置胃管和导尿管。术者站于患者两腿之间，扶镜手位于患者右侧，另一助手有时也需站在患者右侧，器械护士及器械台位于患者左侧。电刀及双极脉管封闭系统（LigaSure™）放置在器械台附近。腹腔镜器械架及主要监视器位于患者的右肩部。0点、1点、2点及3点处为套管穿刺器（Trocar）位置。

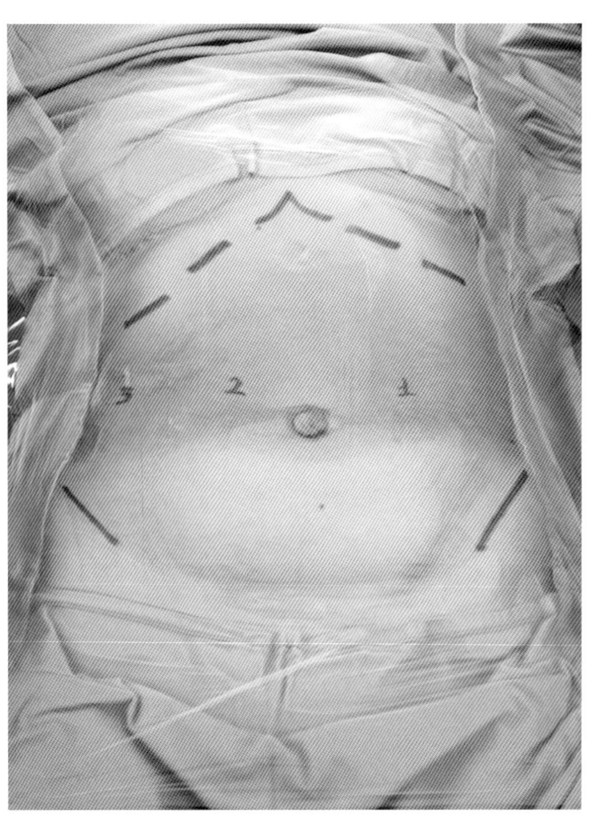

图7-2　术野聚乙烯酮碘消毒，并用碘浸湿的中单保护。

图7-3　手术分离及血管封闭使用超声刀（Ultracision harmonic scalpel, Ethicon Endo-surgery Inc., Cincinnati, OH）。双极钳及钛夹止血。食管横断及吻合使用45mm腹腔镜直线型切割闭合器（三排钉）。腹腔镜肠管抓钳（Johann and Croce-Olmi type）用于抓持及牵拉肠管。弯头分离钳（J-hook type）用于分离组织。扇状5叶推开器可很好地显露肝门和食管胃结合部。腹腔镜持针器用于腹腔内缝合。灌洗吸引系统和腹腔镜标本袋用于保持术野清洁和取出标本。摄影系统连接30° 腹腔镜和宽屏高分辨率监视器。

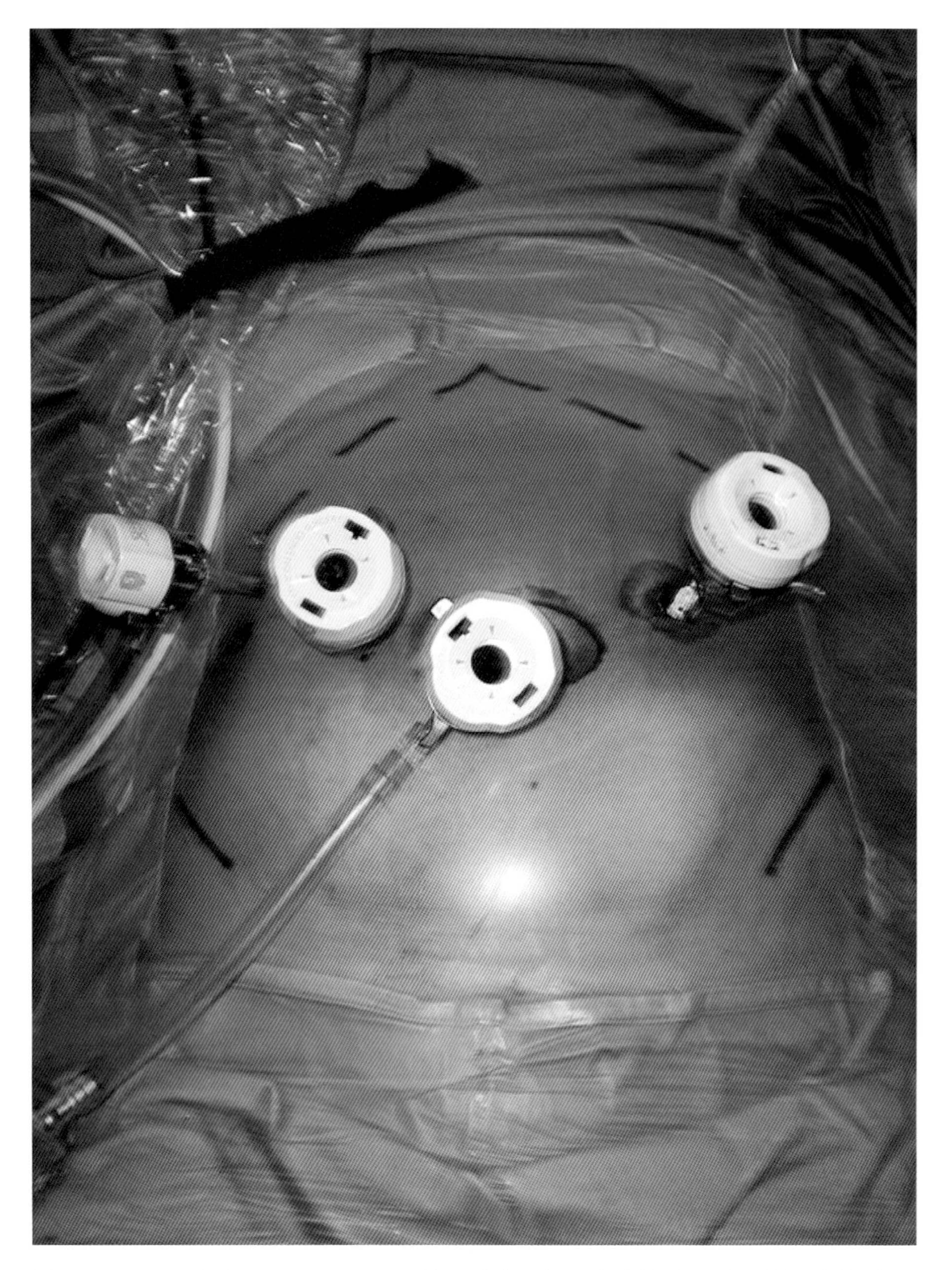

图7-4 采用4孔法，12mm Trocar位于肚脐，插入腹腔镜（T0）；锁骨中线脐上2cm放置2个12mm Trocar，左侧为T1，右侧为T2；第4个5mm或12mm Trocar位于右侧肋缘下2cm（T3）。

三、腹腔镜全胃切除术

（一）探查

仔细探查肝脏、膈肌、内脏浆膜层、大网膜、小肠系膜及盆腔脏器。可疑病灶予以活检并送术中快速冰冻病理检查。行术中灌洗细胞学检查。术中超声检查以评估肝脏有无内部转移。肝脏及腹膜种植转移者应改变处置方式。

（二）自横结肠游离大网膜及清扫No.4sb组淋巴结

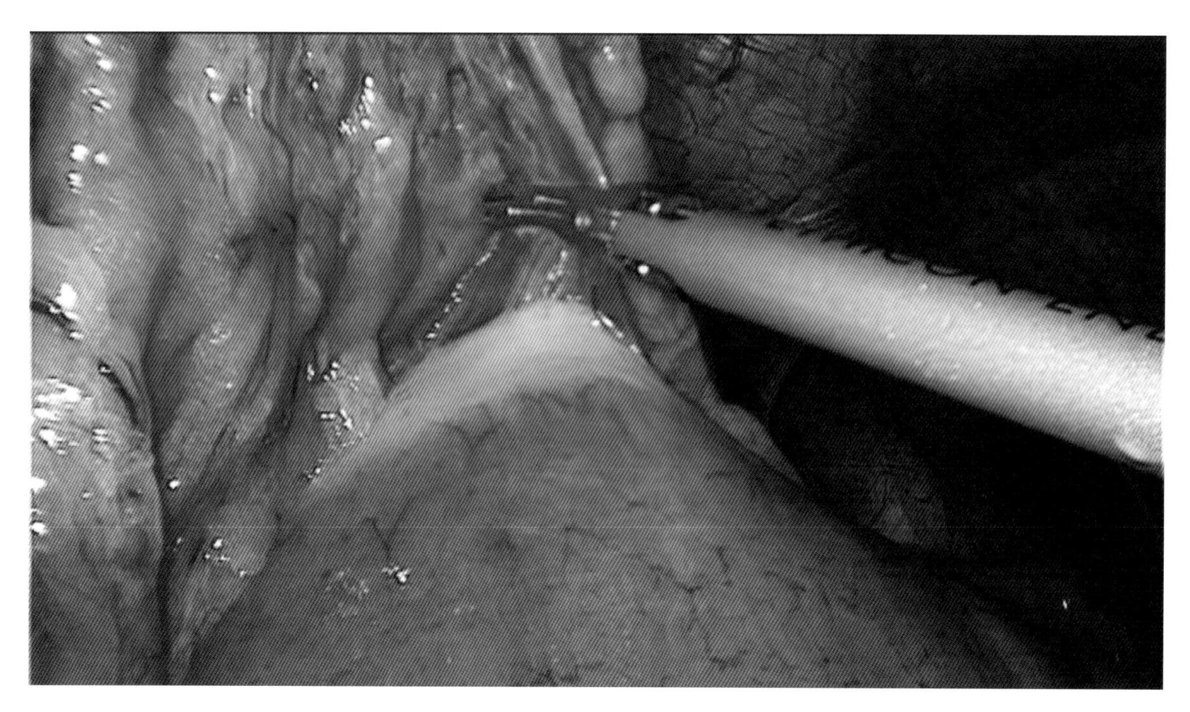

图7-5 自横结肠游离大网膜，向脾下极延伸，结扎胃网膜左血管及胃短血管。

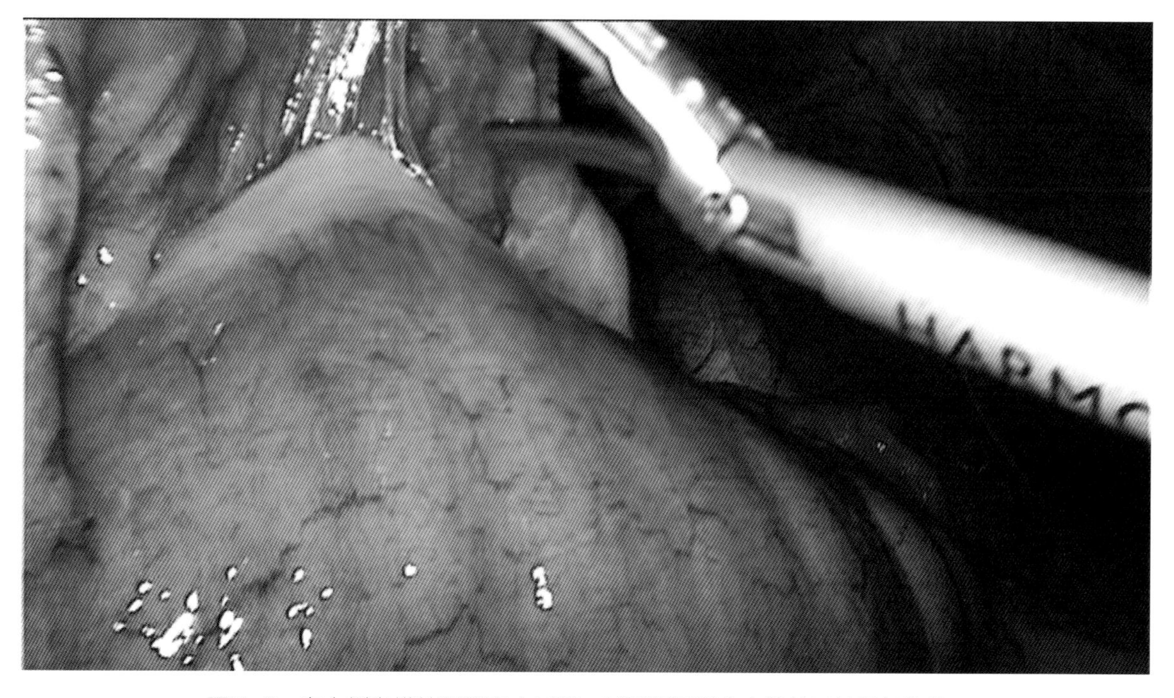

图7-6 向右侧自横结肠解离大网膜，显露胃网膜右血管并于其根部结扎。

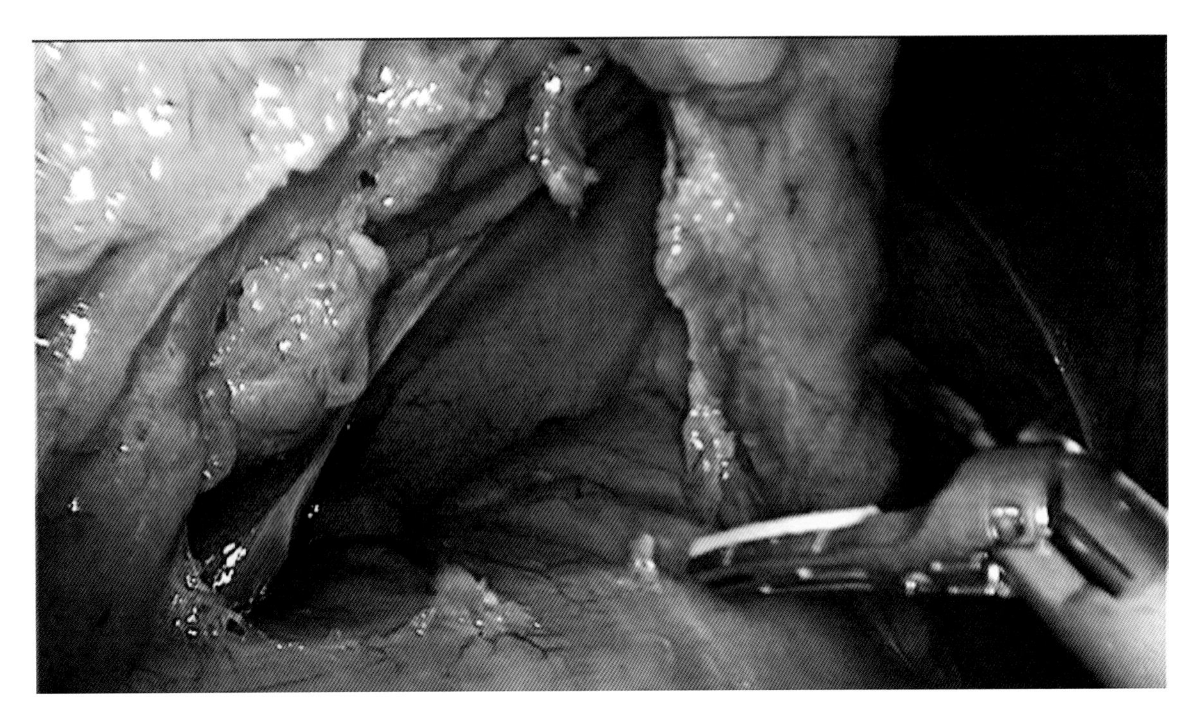

图7-7　助手自T3置入腹腔镜肠管抓钳（Johann），提起大网膜，显露无血管平面，利于解离横结肠和大网膜。

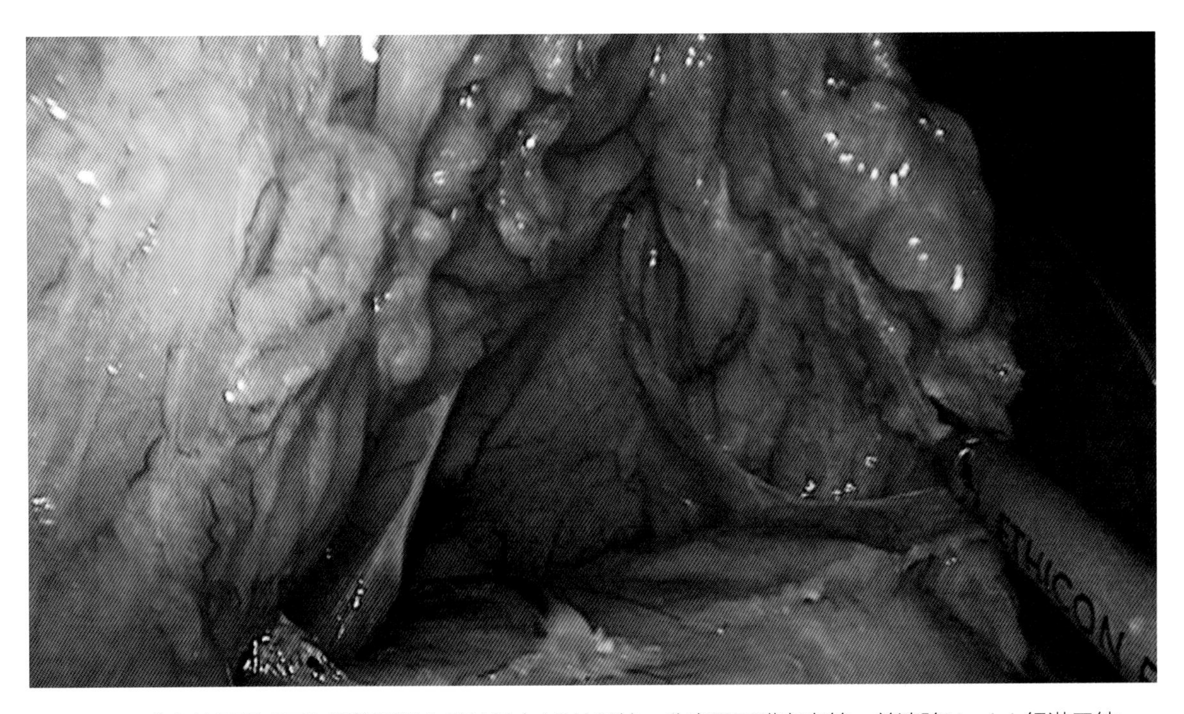

图7-8　术者使用超声刀和肠管抓钳在横结肠中1/3处开始，分离胃网膜左血管，并清除No.4sb组淋巴结。

（三）清扫No.4sa组淋巴结

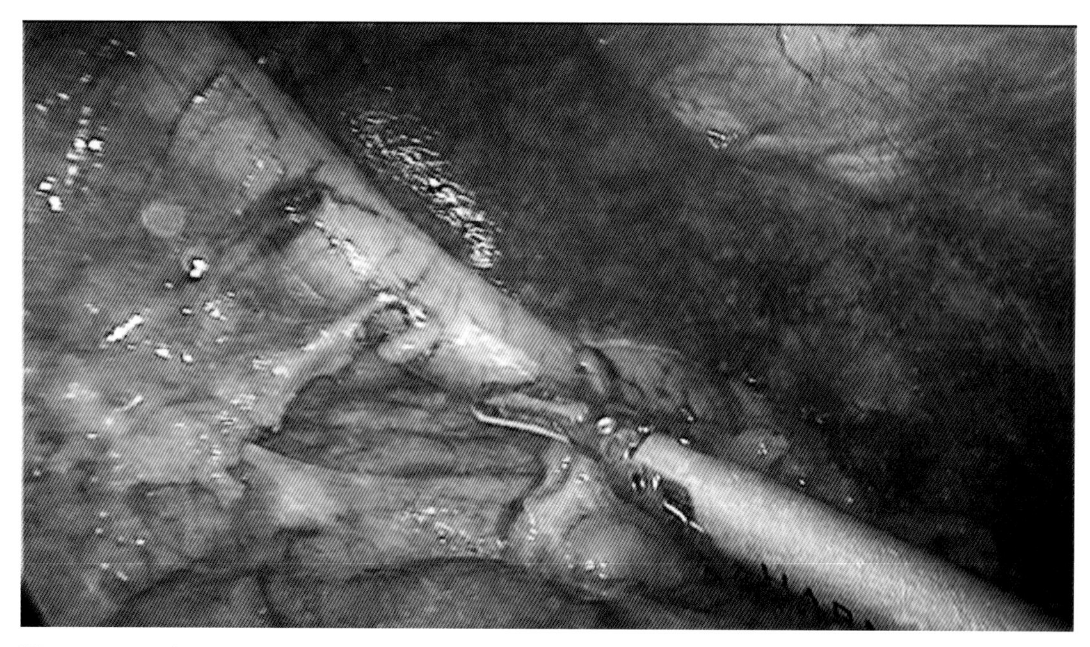

图7-9　胃网膜左血管用超声刀离断或于2把钛夹之间切断。为更好显露此区域，可打开小网膜囊，分离胃后壁和胰腺间粘连。稍微游离胰尾，显露脾血管，可更好地显露胃网膜左血管根部。应用同样方法，术者游离切断胃短血管。助手将胃底轻轻地拉向下方，术者轻推脾脏的同时，用超声刀尽量靠近脾脏离断胃脾韧带，清除No.4sa组淋巴结。

（四）清扫No.2组淋巴结

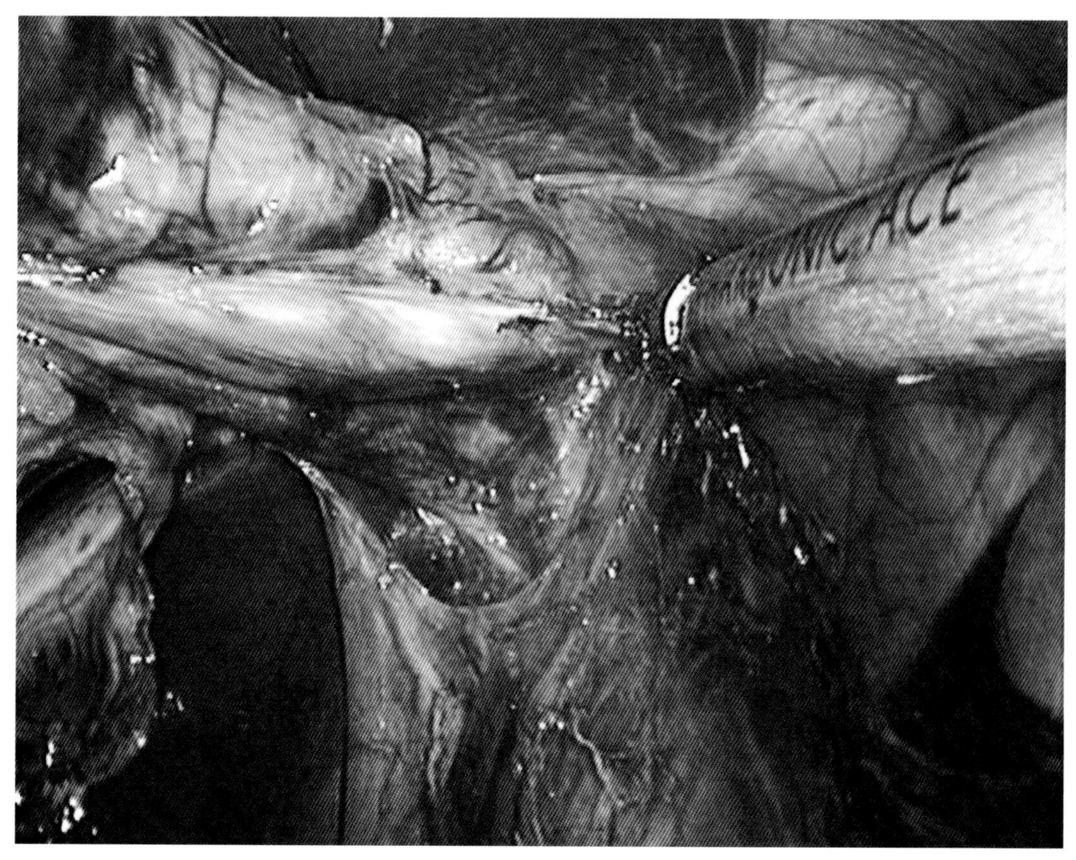

图7-10　此时胃底已经游离，显露左侧膈肌脚，将胃牵向下方，解剖左膈肌脚表面腹膜，清扫贲门左侧No.2组淋巴结。

（五）清扫No.11p组及No.7组淋巴结

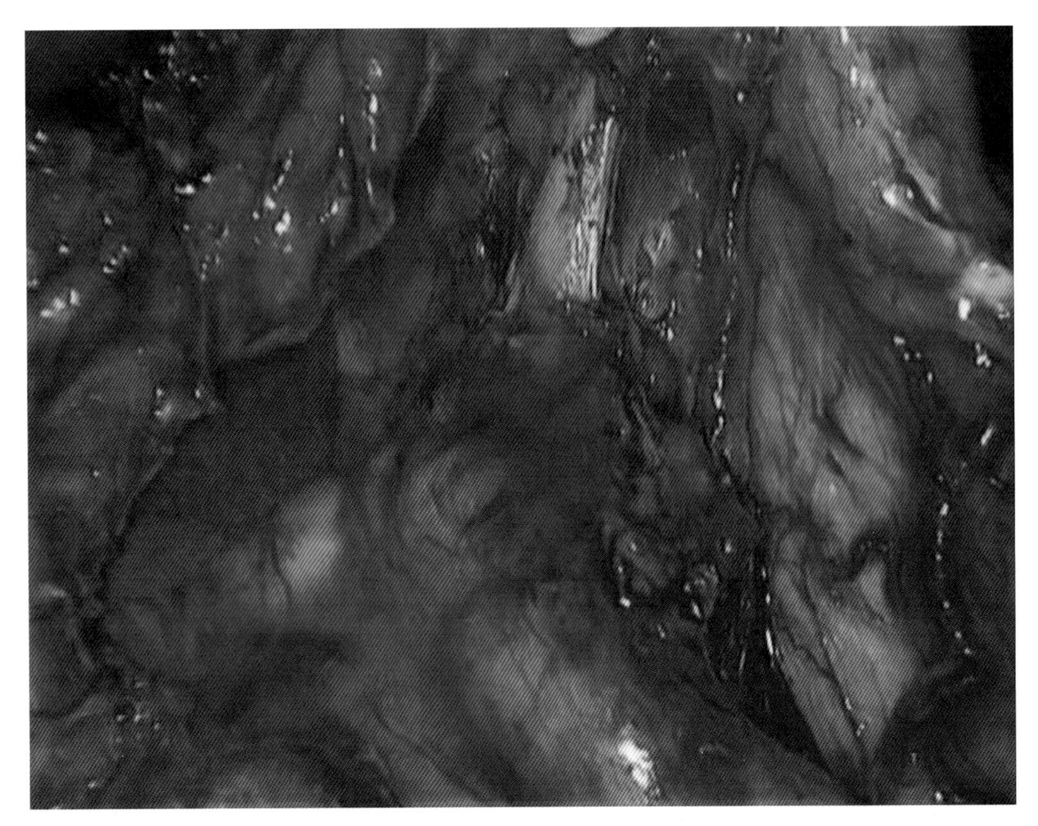

图7-11 助手将胃牵向头侧，显露脾动脉，钝性分离，清除No.11p组淋巴结，用双极电凝钳止血。

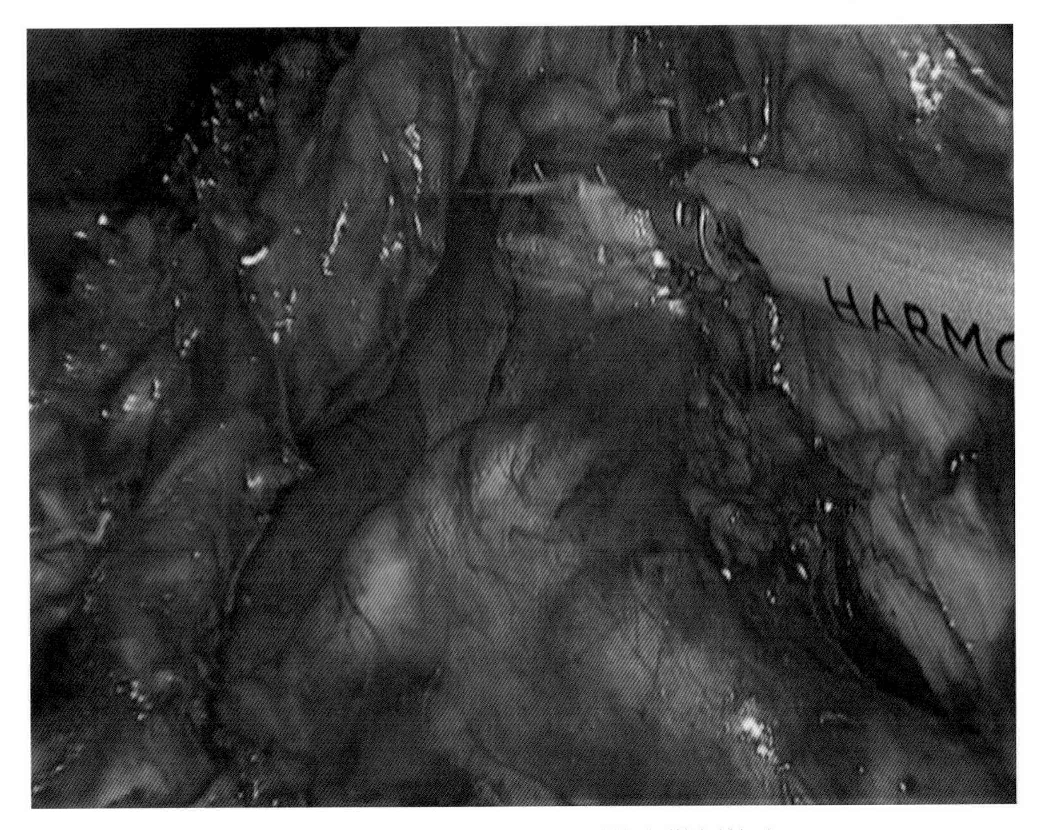

图7-12 如果存在胃后动脉，可于其根部钳夹并切断。

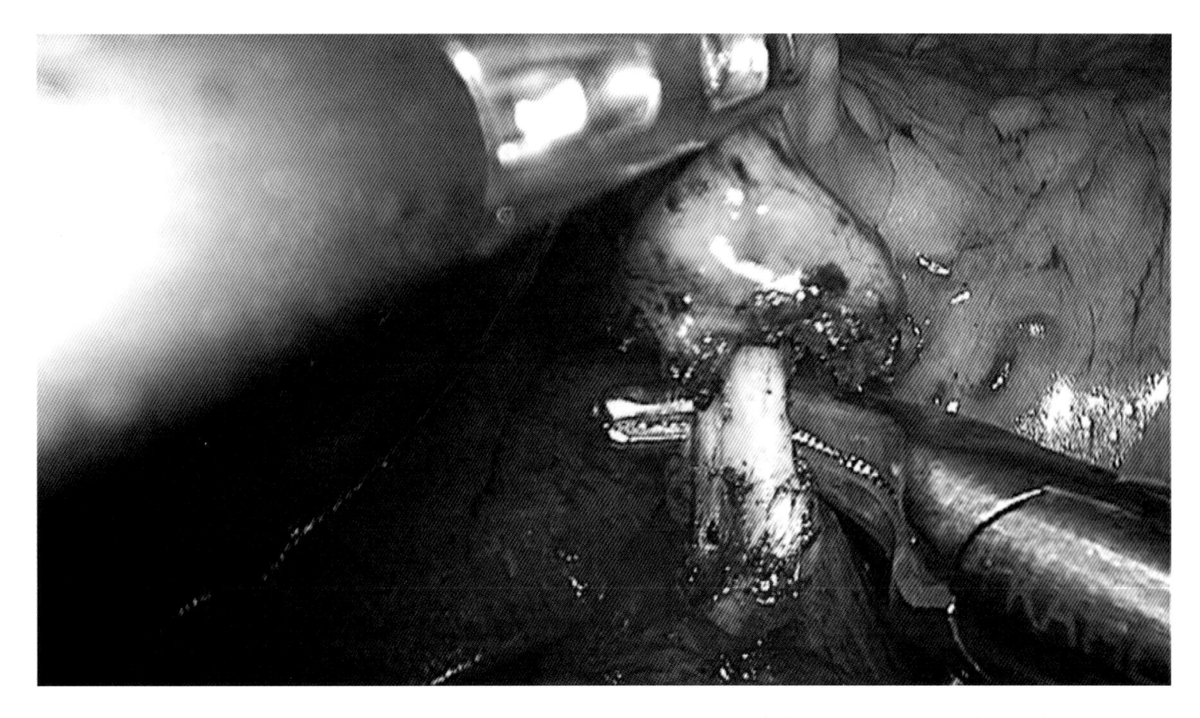

图7-13　向胃左血管方向游离，助手将大网膜置于胃前方，然后将胃牵向头侧，显露胃后壁。如此可适度紧张胃左血管，用超声刀及弯头分离钳游离胃左动脉。

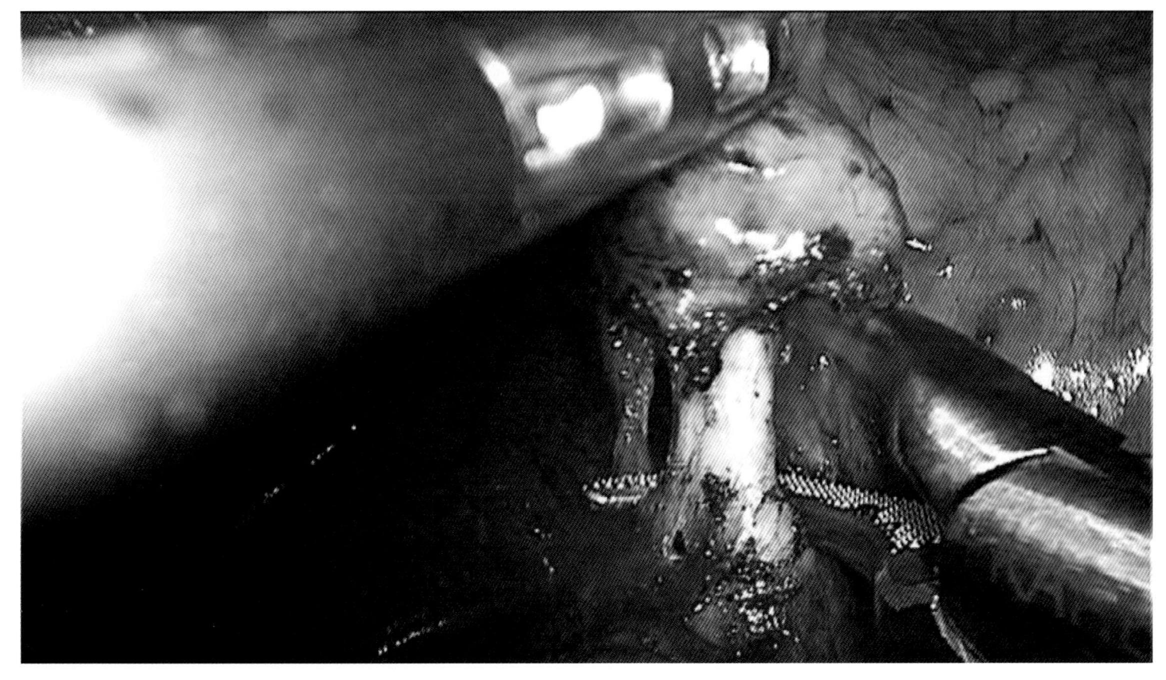

图7-14　清扫No.7组淋巴结。

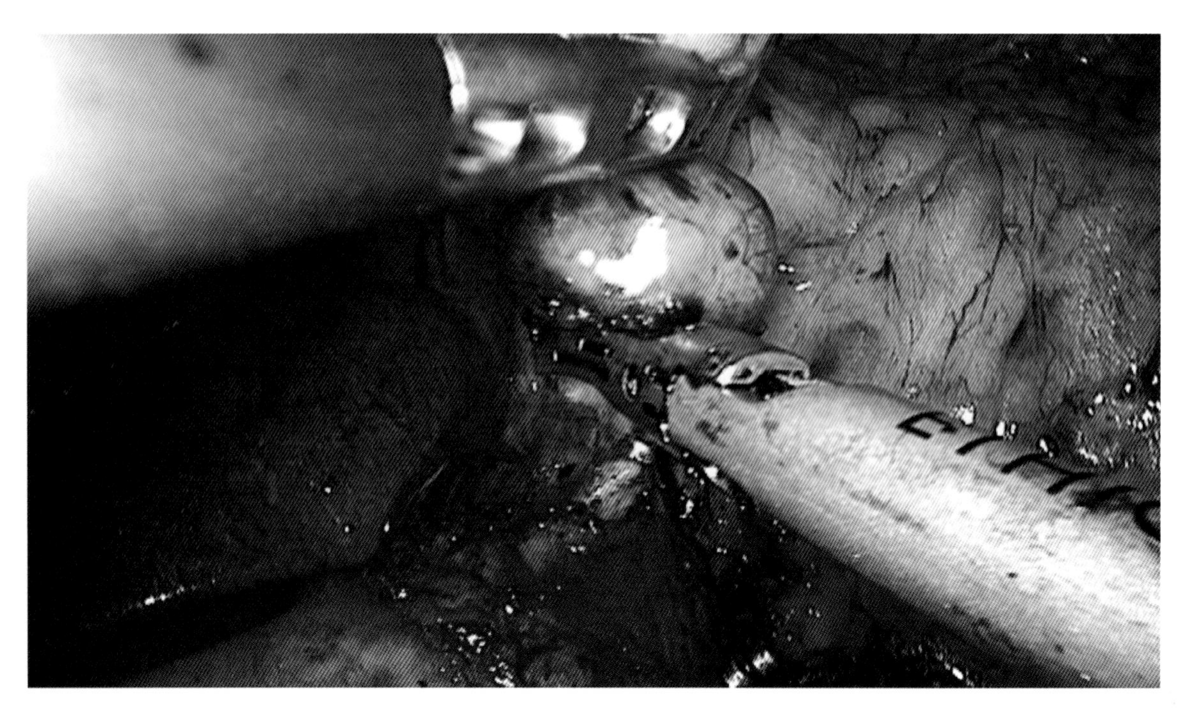

图7-15 于胃左动脉根部上置钛夹，两钛夹之间予以离断。

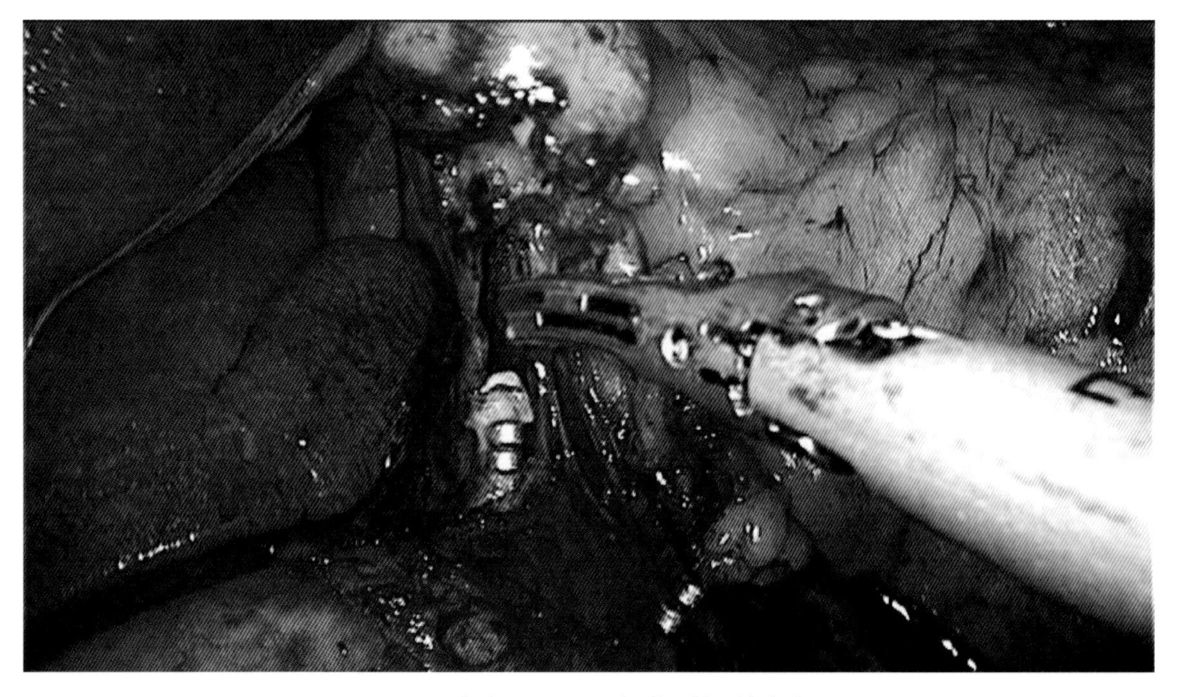

图7-16 腹腔干周围No.9组淋巴结一并清除。

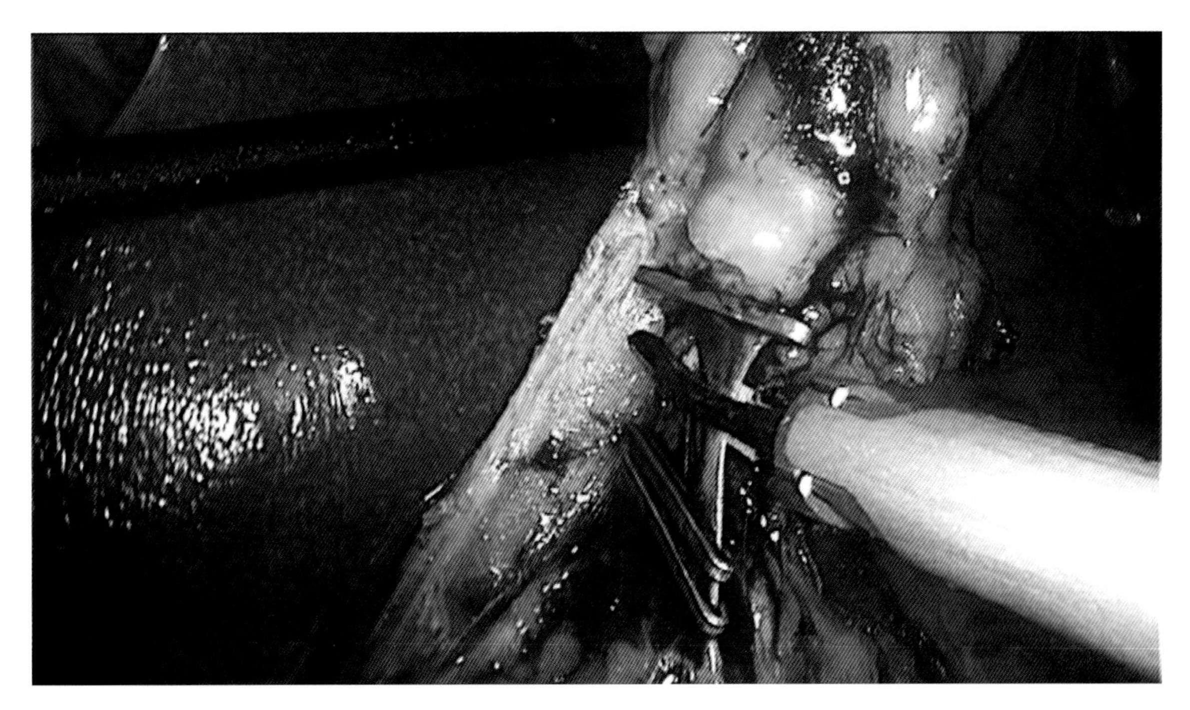

图7-17 用同样的方法，术者向幽门方向自横结肠游离大网膜，清扫No.4d组淋巴结。此时，助手将幽门胃窦部大弯侧拉向头侧，解剖胰头Fredet区域，显露肠系膜上静脉。继续解剖显露副右结肠静脉、胃网膜右静脉及Henle干，钳夹切断胃网膜右静脉，再清扫No.14v组淋巴结。（译者注：Fredet区域指胚胎发育过程中，十二指肠胰腺前方筋膜和横结肠系膜后叶发生融合后形成的筋膜，相当于结肠后方的Toldt间隙，见：Ruotolo F. Surgical significance of Fredet's area. G Chir, 2012, 33: 205-208.）

（六）清扫No.6组淋巴结

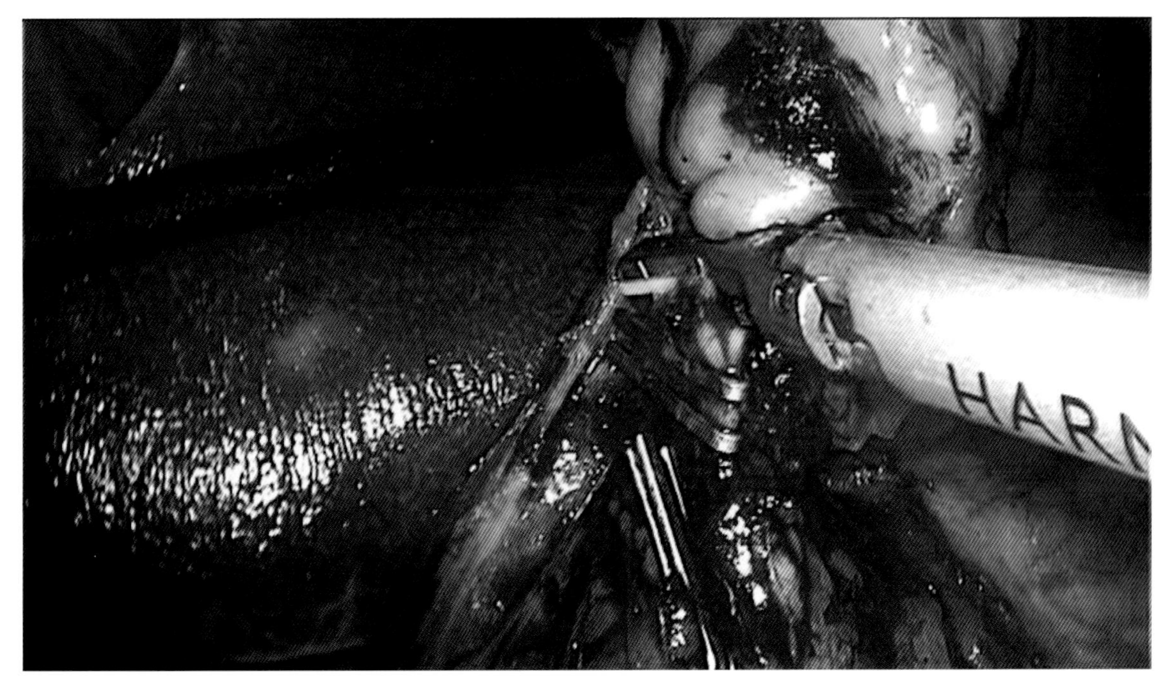

图7-18 使用双极电凝钳和超声刀清扫No.6组淋巴结，显露胃网膜右动脉于胃十二指肠动脉的起始部，靠近幽门，沿胰腺上缘，上置钛夹，离断此动脉。显露十二指肠，双极电凝钳电凝渗血部位，用小纱布蘸血，便于保持术野清洁。

（七）十二指肠游离

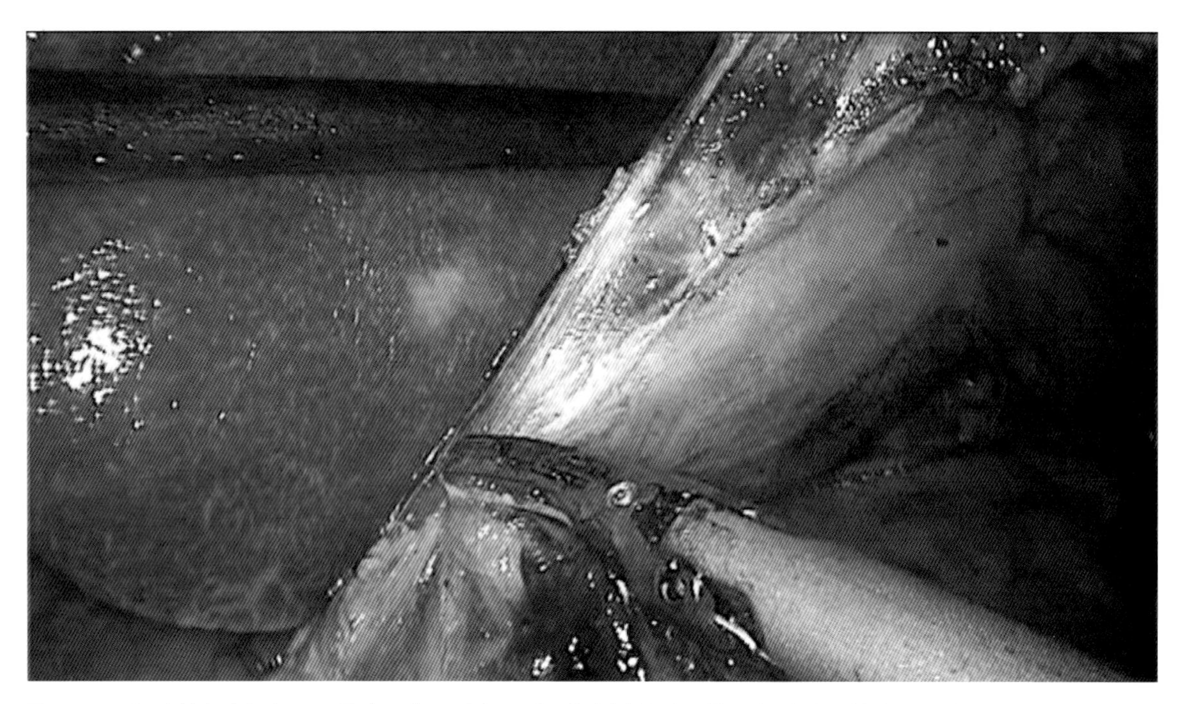

图7-19　适度抬起幽门部，显露十二指肠球部后壁，解剖离断十二指肠与胰头间粘连，分离十二指肠上缘腹膜。

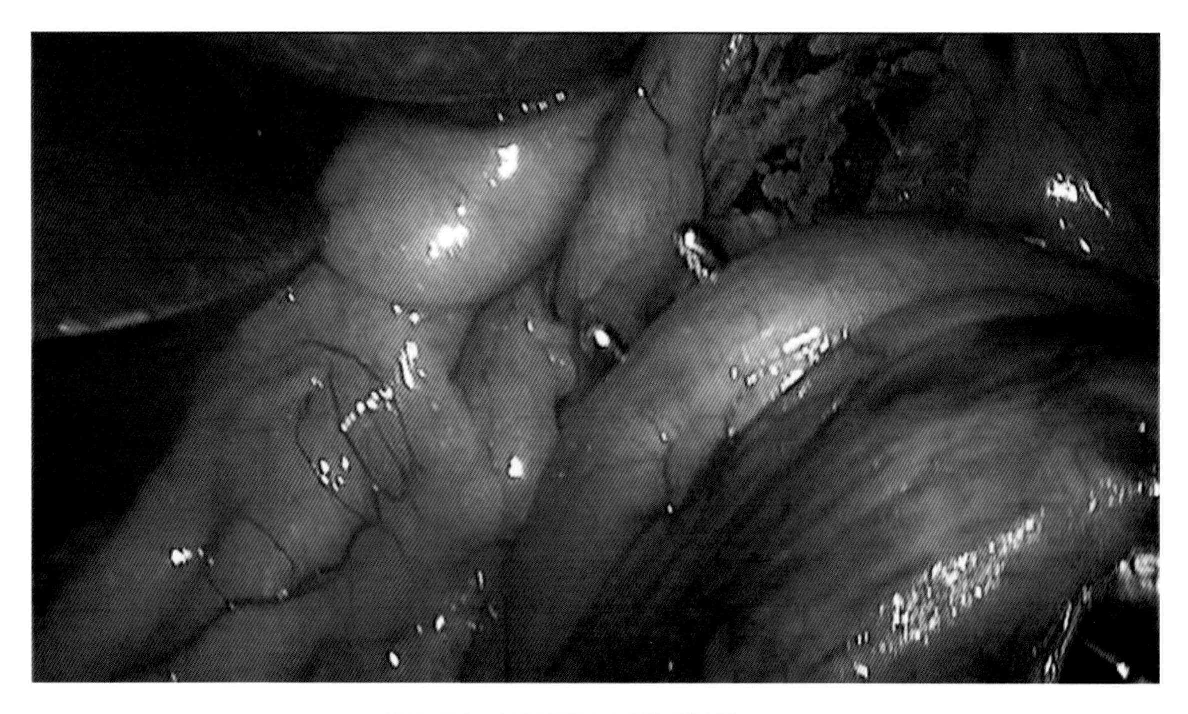

图7-20　完全游离十二指肠第1段。

（八）横断十二指肠

图7-21　于幽门下方2cm处置腹腔镜直线型切割闭合器。

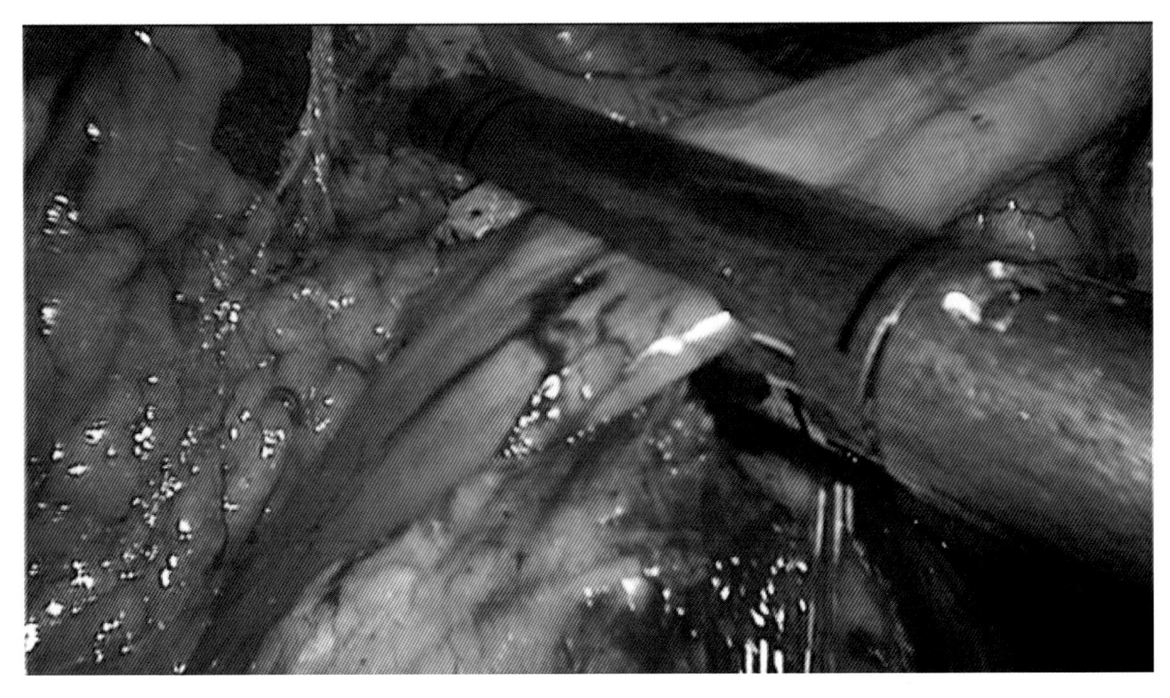

图7-22　确认无误后，关闭钳口。

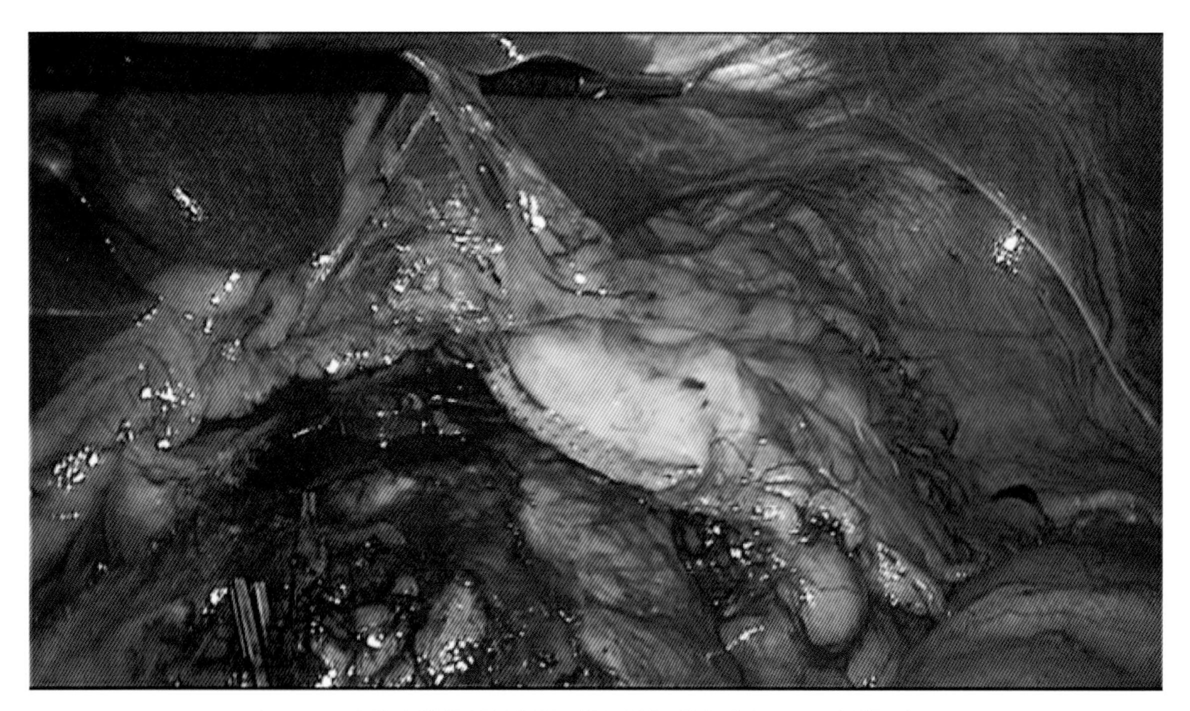

图7-23　击发直线切割闭合器，进而清扫胰腺后方No.13组淋巴结。

（九）解剖肝门

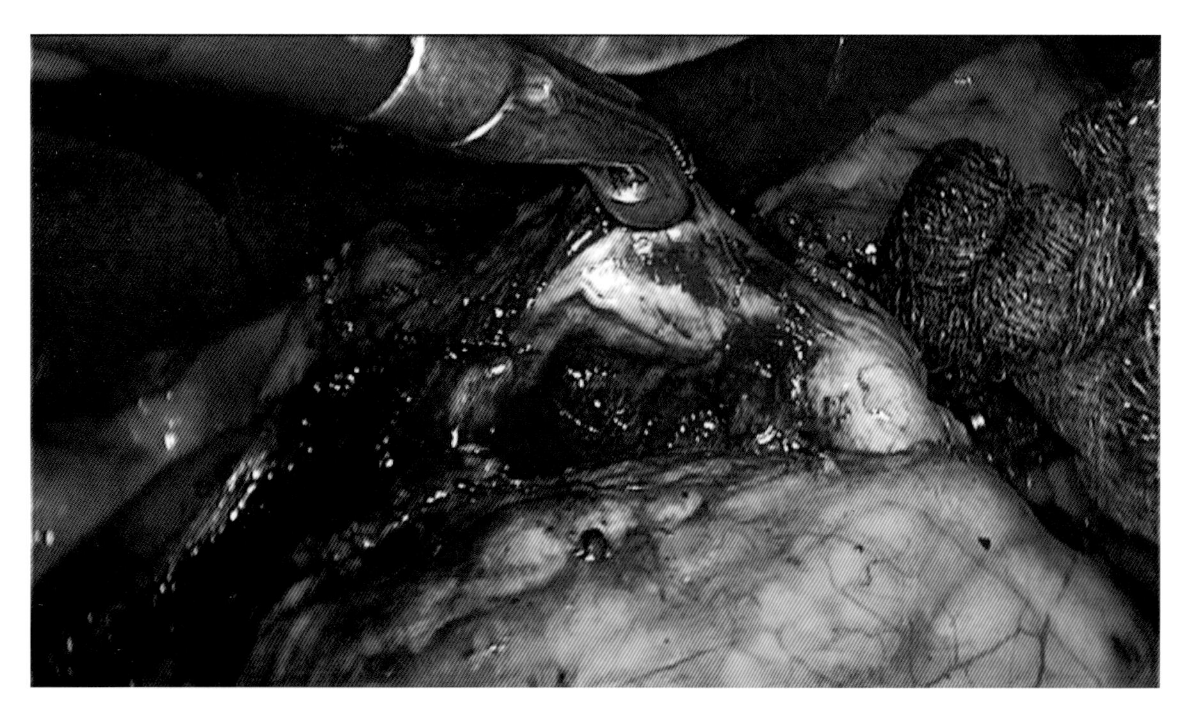

图7-24　经T3用扇状5叶推开器显露肝门，用超声刀离断小网膜，显露肝总动脉及胃右动脉根部，予以钛夹夹闭后离断胃右动脉，清扫No.5组淋巴结，继续沿肝总动脉向腹腔干方向清扫No.8组淋巴结。

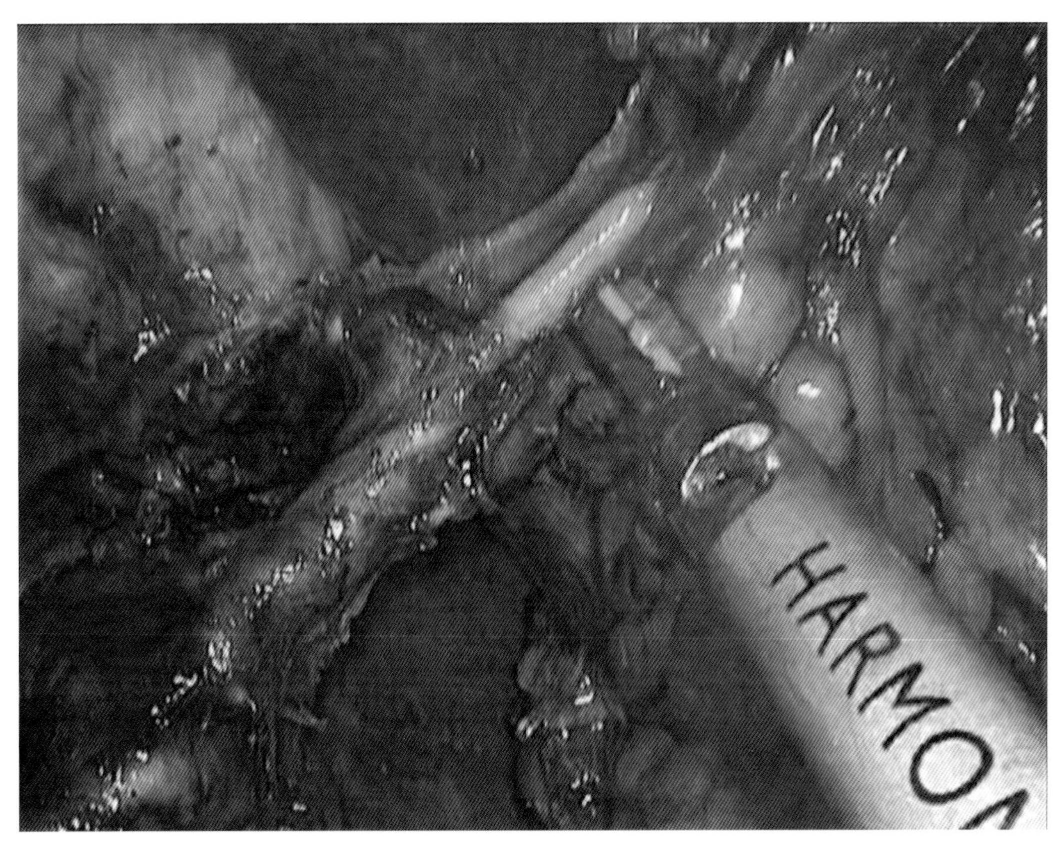

图7-25 向肝门方向清扫肝固有动脉及其左、右分支表面的淋巴脂肪组织，清扫No.12a组淋巴结。此处血管解剖变异率高达40%，特别是存在较大的胃后动脉时更是如此。需要仔细游离肝蒂内重要结构，如肝固有动脉及其分支，予以吊带悬吊。图中所示胃左动脉发自肝左动脉。

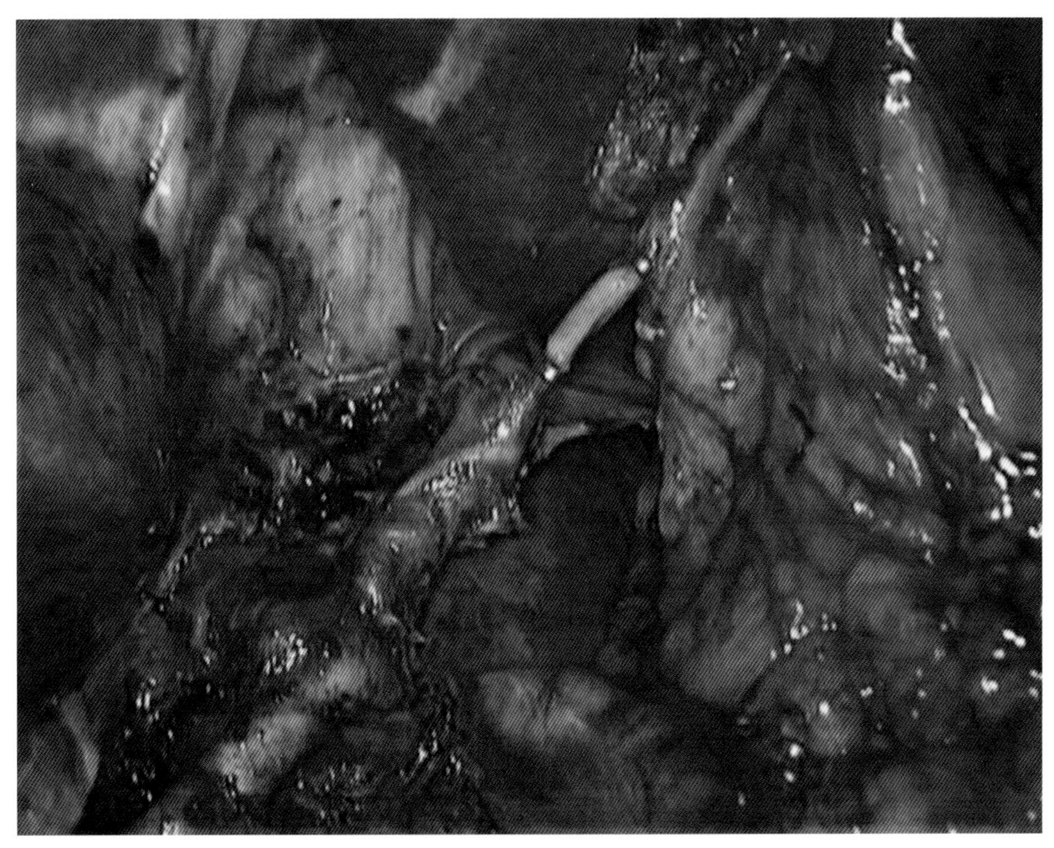

图7-26 钳夹切断变异的胃左动脉。

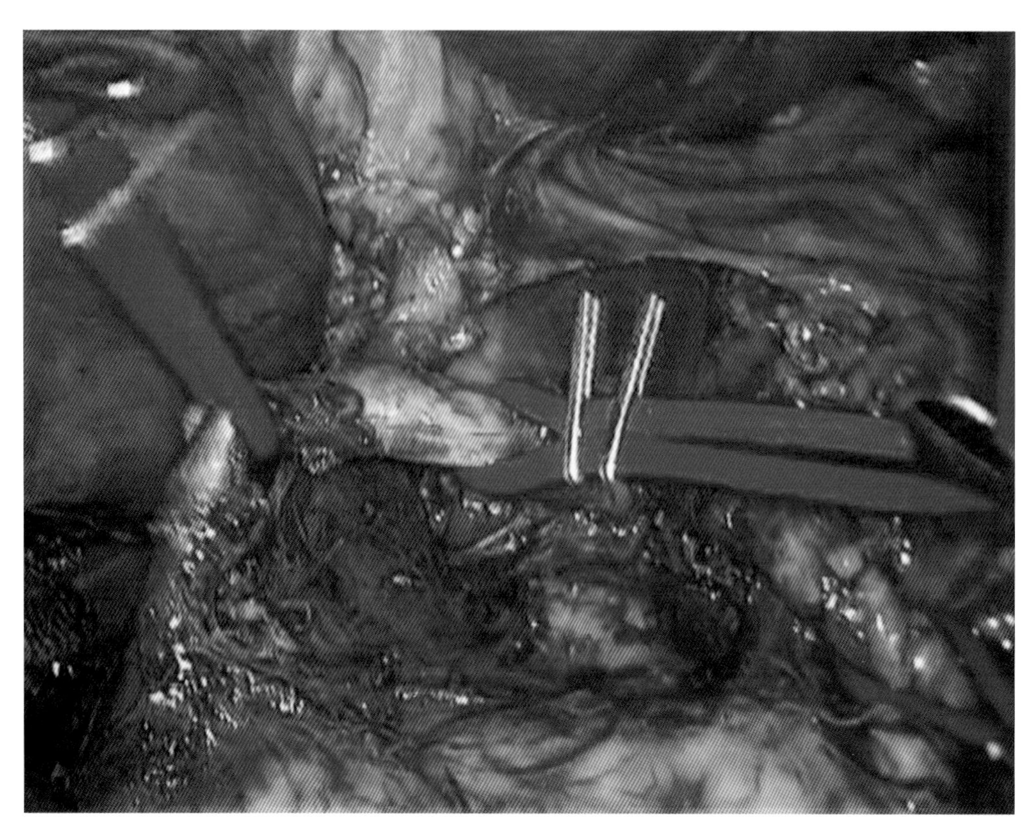

图7-27 术中适度牵拉血管吊带，利于淋巴结清扫，避免血管损伤。创面渗血可用双极电凝止血。

（十）清扫No.1组及No.3组淋巴结

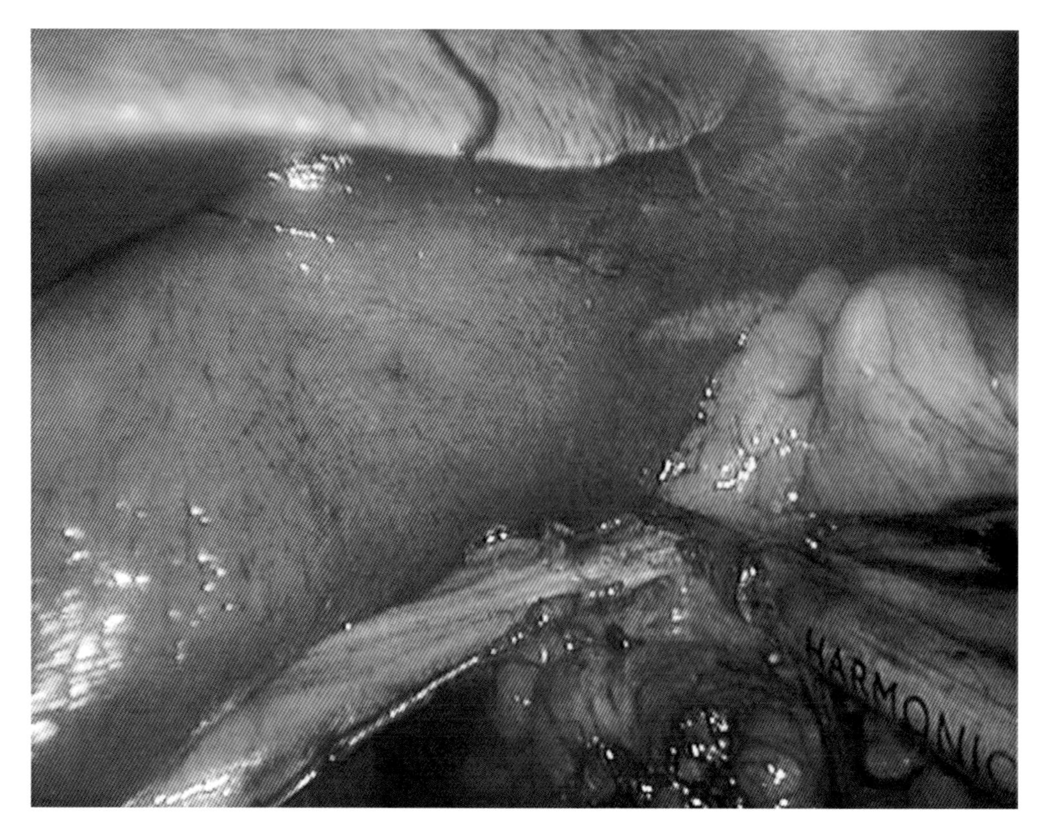

图7-28 术者用超声刀沿肝脏离断小网膜，直至食管右侧，显露右侧膈肌脚，清扫No.1组淋巴结。

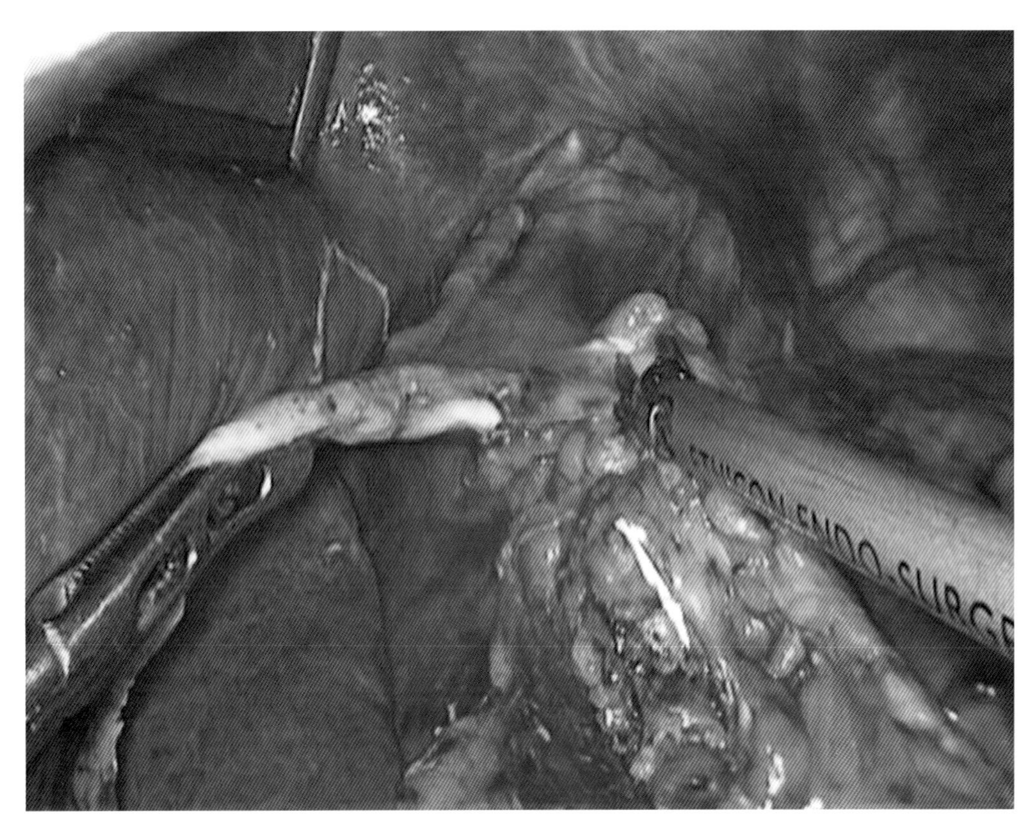

图7-29　清洁贲门周围淋巴脂肪组织，No.3组淋巴结一并切除。

（十一）解剖食管裂孔

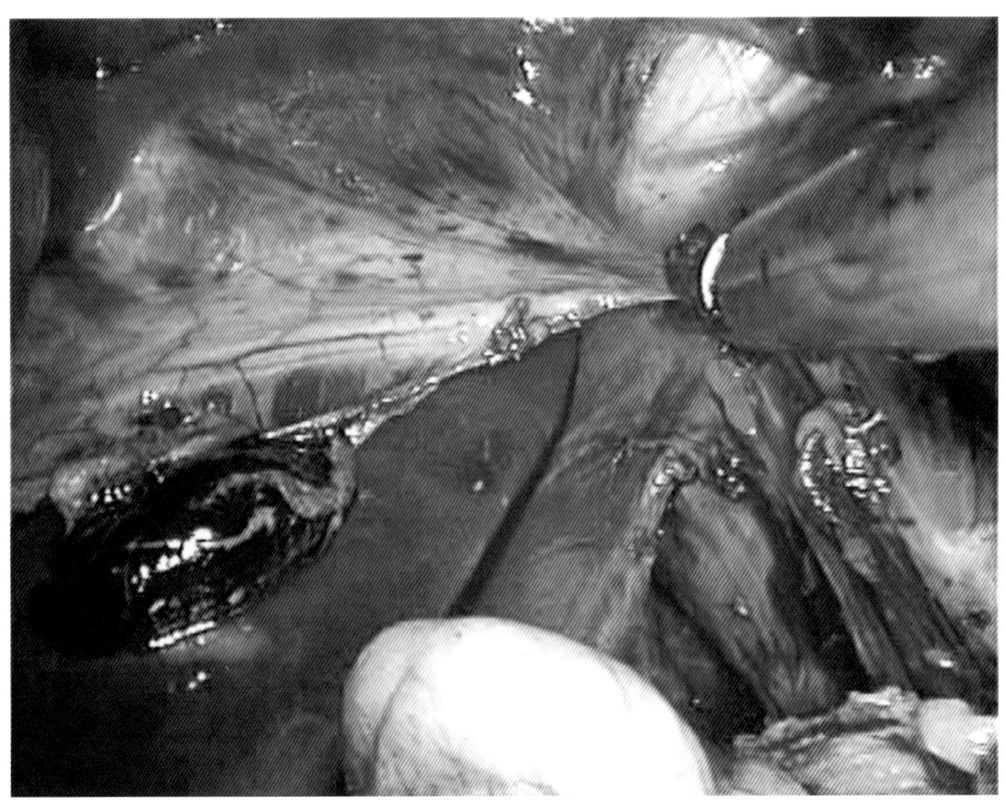

图7-30　用超声刀打开胃膈腹膜反折及胃食管结合部左、右侧与横膈结合处，解剖、切断迷走神经前、后干，将纵隔段食管牵入腹腔，此时整个胃完全游离。

（十二）食管空肠吻合

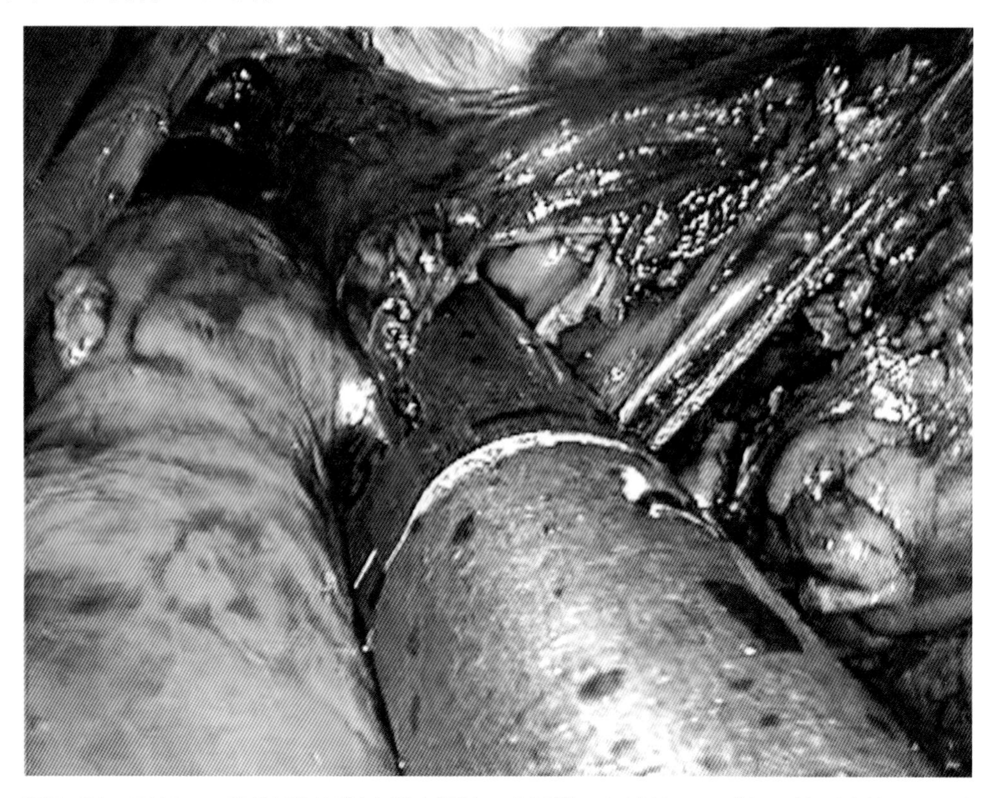

图7-31 用45mm直线型切割闭合器离断第二空肠襻，经横结肠系膜切开的裂孔将Roux臂上提，与食管右侧靠拢。为便于移动空肠与食管，不要缝置食管空肠悬吊线。在距离Roux臂断端5～6cm的对系膜缘及距离食管贲门交界处近侧4～5cm食管后壁，用超声刀或电凝钩切开少许。经T1置入45mm直线型切割闭合器（蓝色钉匣），两钳口分别置入空肠和食管，牵拉并旋转胃壁，关闭钳口。

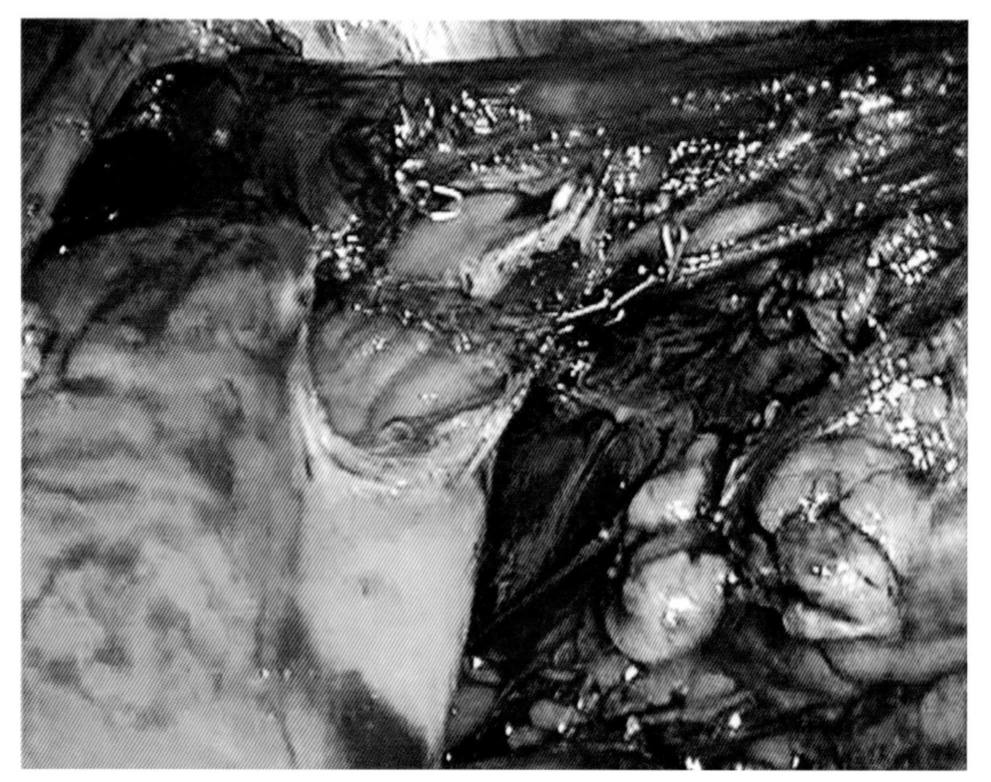

图7-32 确认无误后，击发，完成食管空肠侧侧吻合。

（十三）食管横断

图7-33　45mm直线型切割闭合器（蓝色钉仓）横断食管。

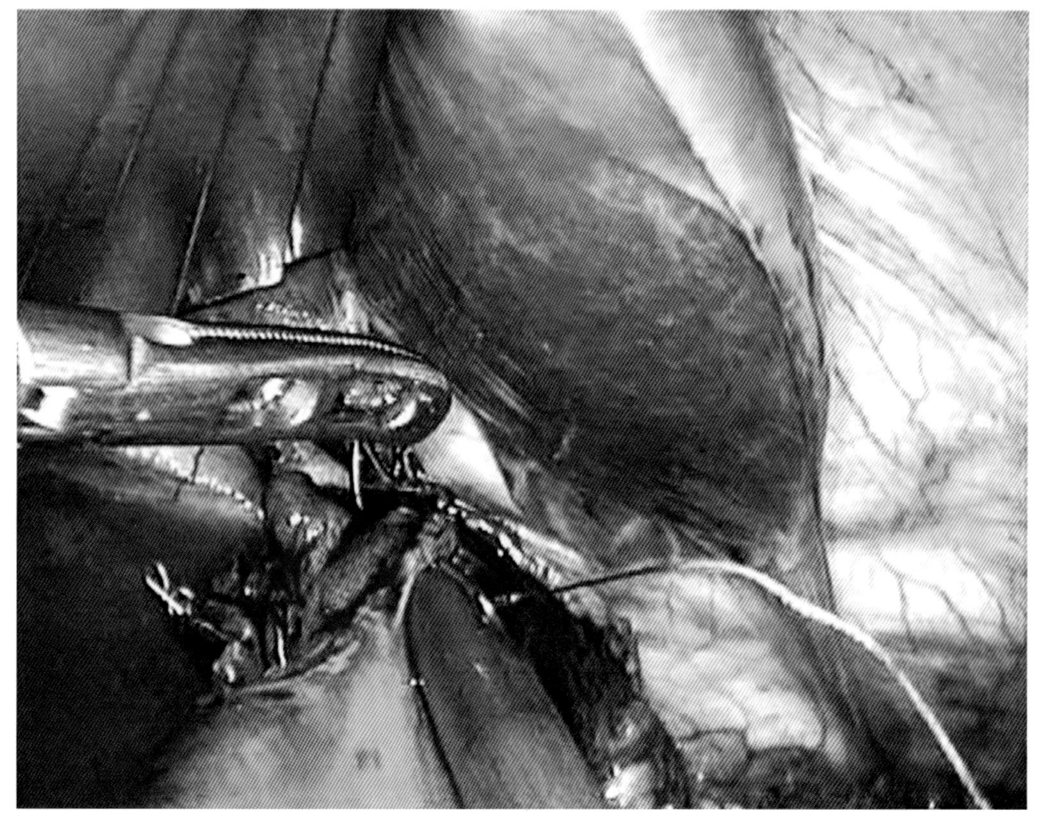

图7-34　用3-0可吸收线间断缝合食管空肠切口，标本置入标本袋，置于右侧膈下。

（十四）空肠空肠吻合

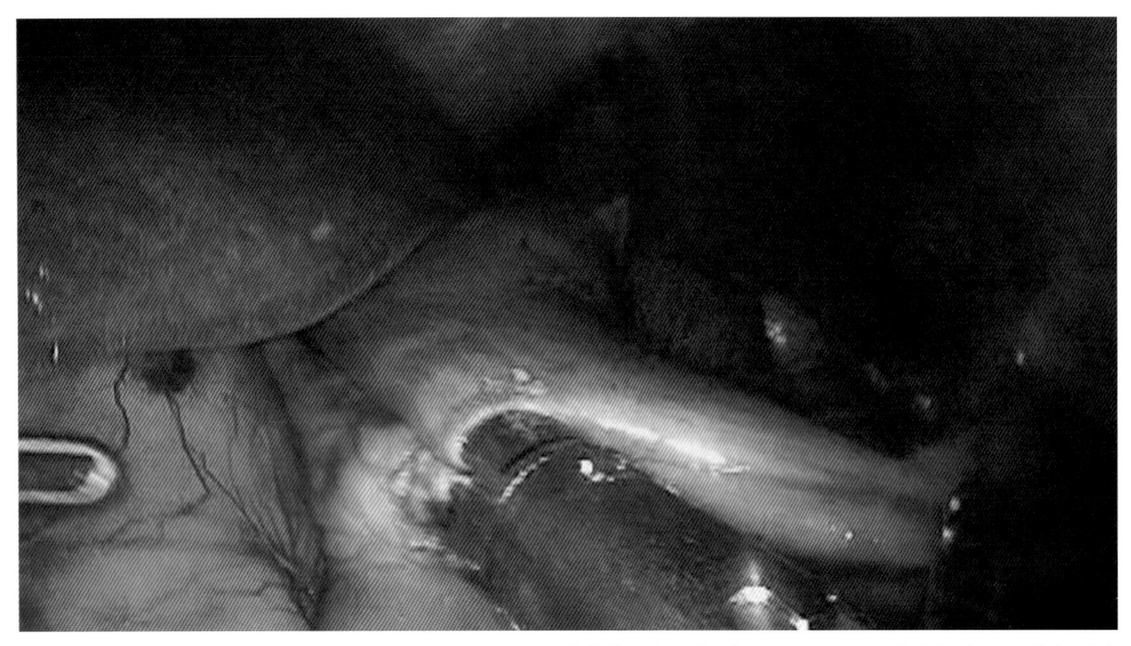

图7-35 距离食管空肠吻合口50～60cm，使用腹腔镜直线型切割闭合器（45mm，蓝色钉仓，可换钉仓）行输入襻与Roux臂侧侧吻合。基于人体结构改造学，为便于操作，可先在横结肠系膜上方完成吻合，然后再经系膜裂孔将其置入横结肠系膜下方。空肠对系膜缘切开，置入直线型切割闭合器，关闭钳口，确保无误后击发，完成吻合。剩余空肠切口用3-0可吸收线手工间断缝合。亚甲蓝溶液检测吻合口是否完整。关闭横结肠系膜裂隙。放置引流管，右侧靠近十二指肠残端，达Morrison窝（译者注：右肝下区），左侧位于左膈下靠近食管空肠吻合口。扩大脐部切口至3～4cm，取出标本。

四、腹腔镜胃次全切除术

（一）胃体横断

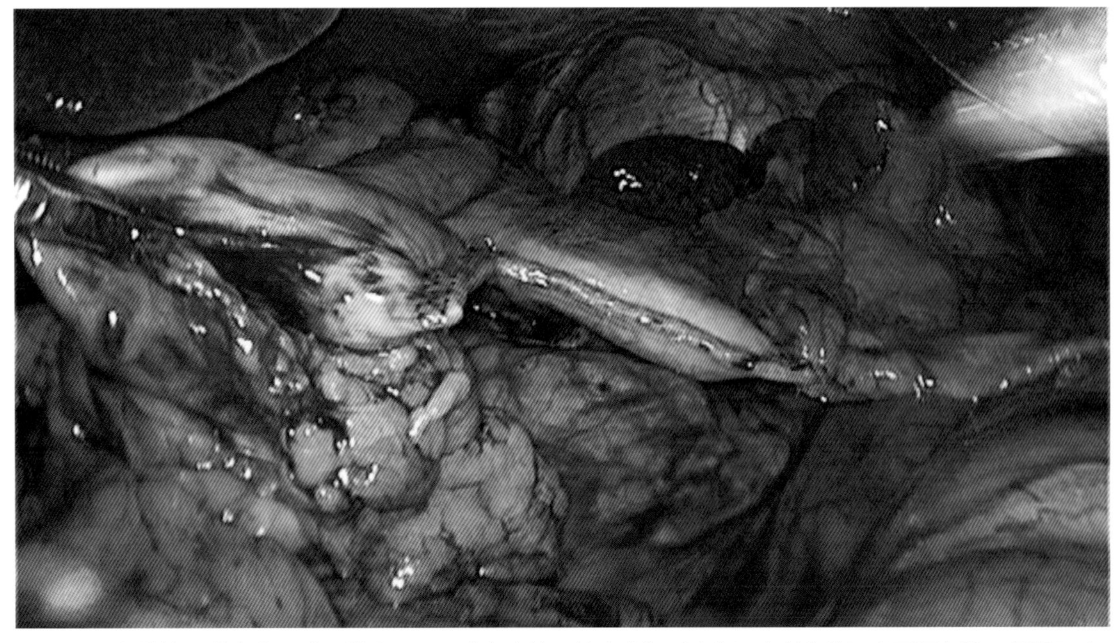

图7-36 自横结肠游离大网膜同前述，胃网膜左血管用钛夹夹闭后离断，仅能切断2支胃短血管，保留不少于2支的胃短血管和胃后动脉可确保残胃良好血运。清除No.1组淋巴结后，D2淋巴结清扫完毕。用腹腔镜直线型切割闭合器（45mm，蓝色钉仓）自第2支胃短血管下方的胃大弯向胃小弯离断胃体。

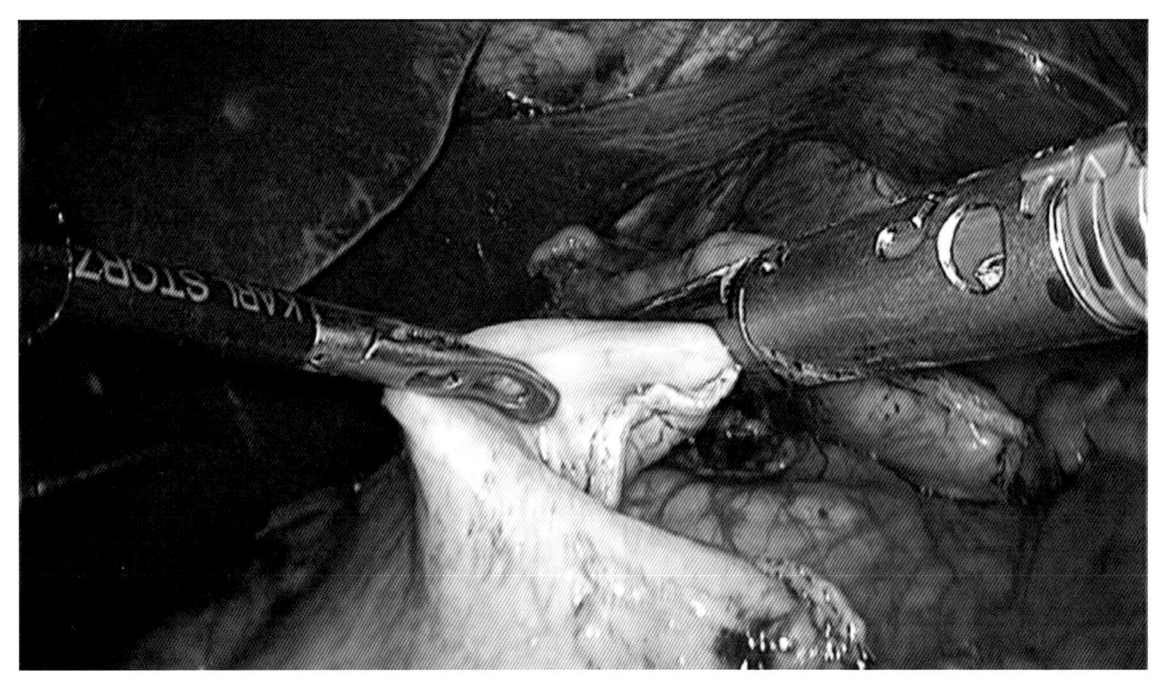

图7-37　腹腔镜直线型切割闭合器继续切断胃体，小弯侧切断点距离食管胃结合部3～4cm。

（二）纵向胃空肠侧侧吻合

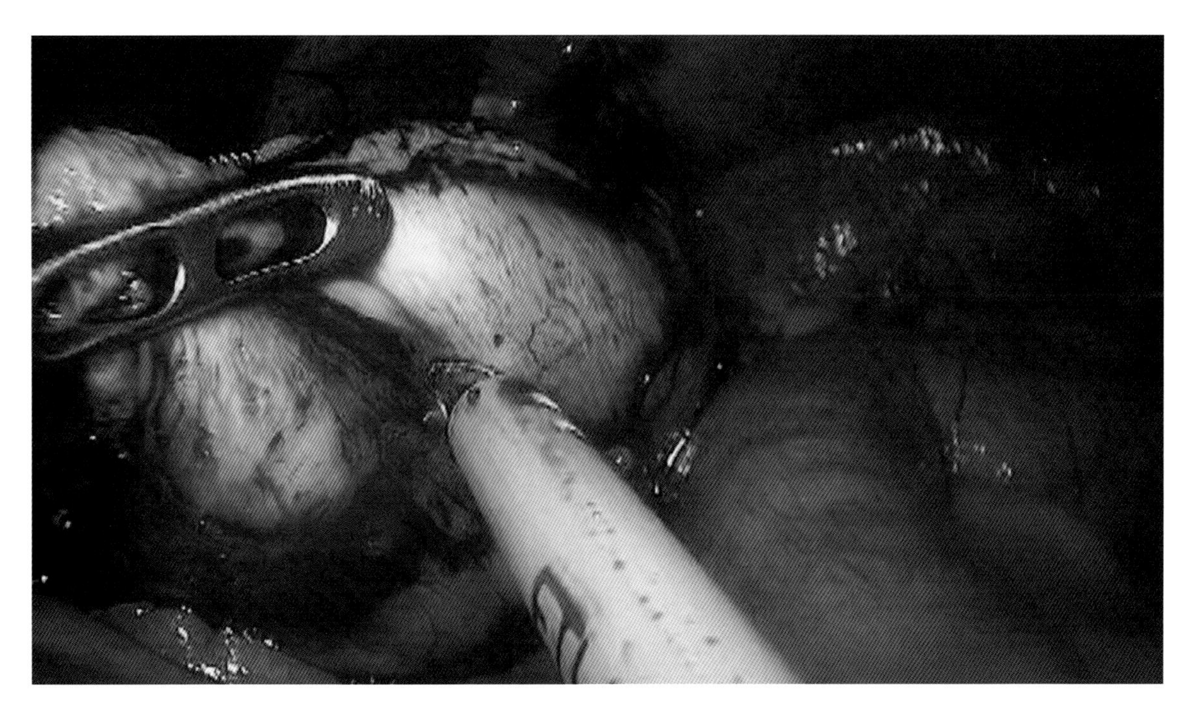

图7-38　于胃后壁行胃空肠侧侧吻合。

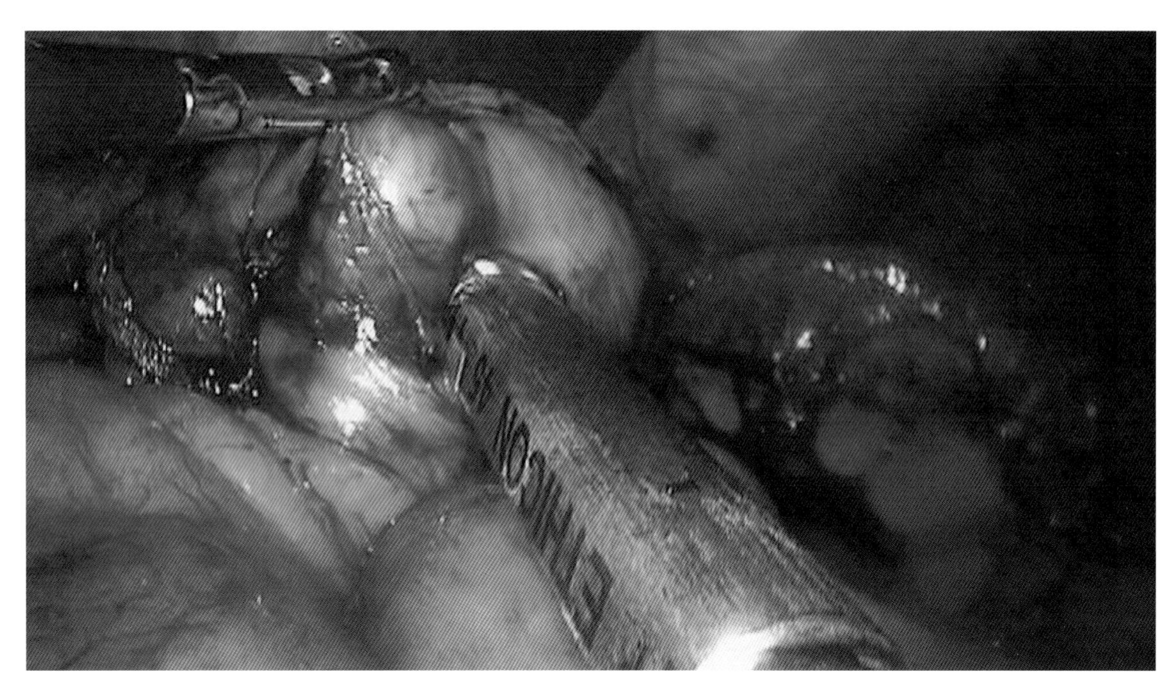

图7-39　超声刀切开胃后壁少许。

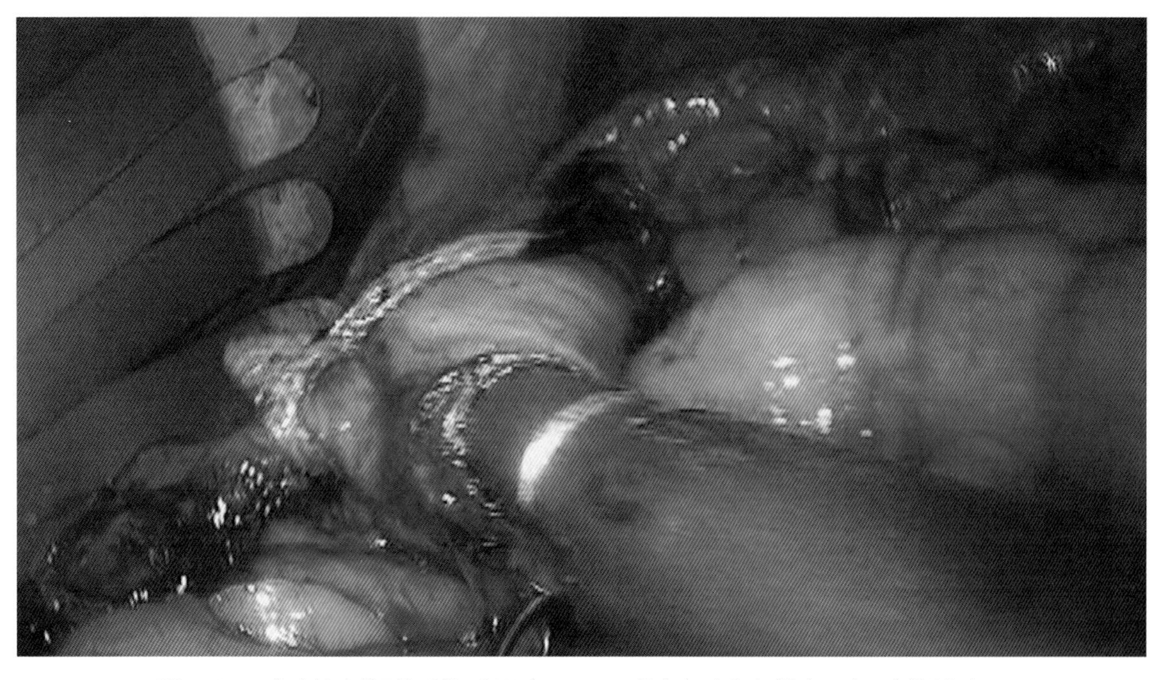

图7-40　腹腔镜直线型切割闭合器（45mm，蓝色钉仓）行纵向胃空肠侧侧吻合。

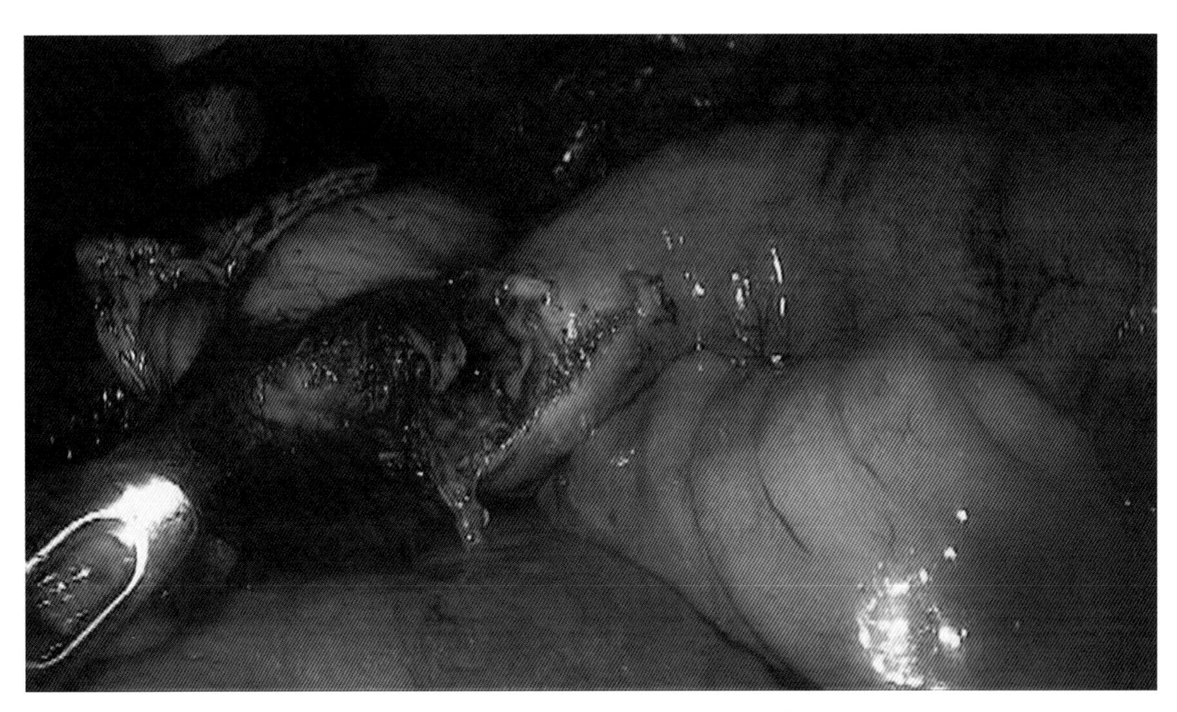

图7-41　确保无误后，击发直线型切割闭合器。

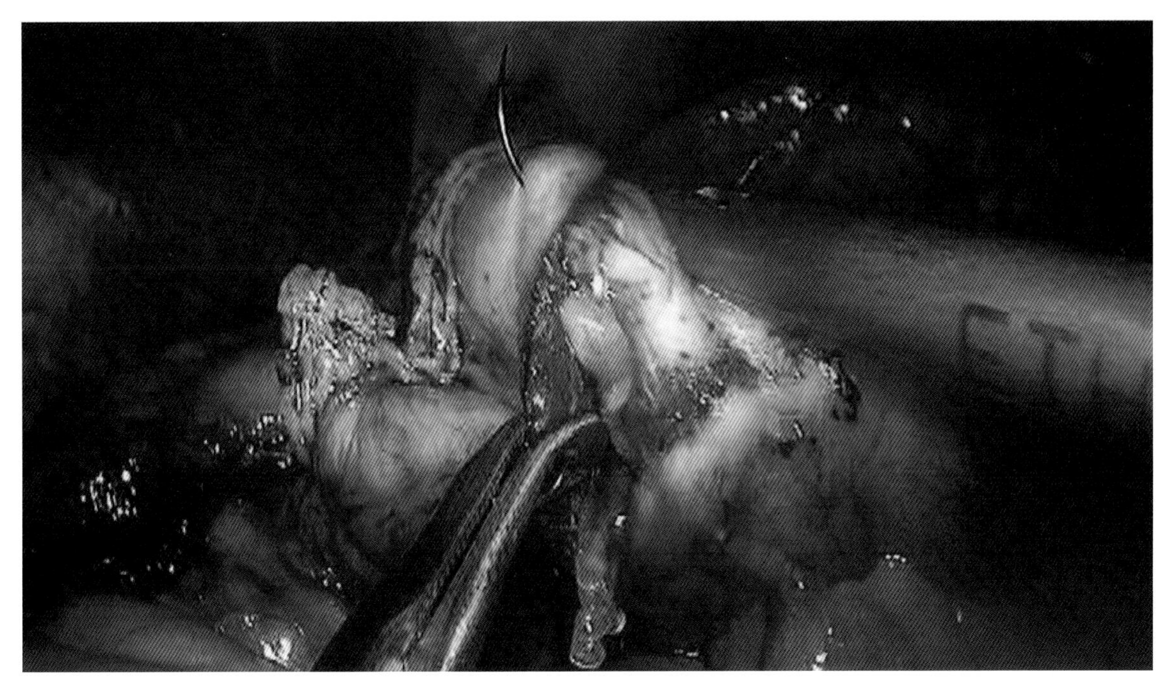

图7-42　胃肠剩余切口用3-0可吸收线手工间断缝合。鼻胃管跨过吻合口。距离胃空肠吻合口50～60cm，完成空肠空肠侧侧吻合，操作同全胃切除术。

第八章

淋巴结清扫术

Emilio Feliciotti, Pierpaolo Stortoni, Raffaella Ridolfo, Walter Siquini

根治性全胃切除术或胃次全切除术并淋巴结清扫术是胃癌患者获得治愈效果的唯一方法，通过扩大清扫术以清除区域转移淋巴结最为重要。日本胃癌学会（JGCA）制定的胃癌淋巴结分组及分站颇为实用。JGCA将胃周淋巴结分为20组（表8-1、图8-1）；基于肿瘤位置，再进而将上述各组淋巴结分为三站（图8-2至图8-4）。这种分站系统是基于不同部位胃癌的淋巴流向和数据分析，并结合各组淋巴结转移相关的生存率而建立的。这种分站系统涵盖了绝大多数的胃周淋巴结，No.1组至No.6组淋巴结为第一站；No.7组、 No.8组、No.9组、No.11组及No.12组淋巴结为第二站；No.13组、No.14组及No.16组淋巴结为第三站。依据上述淋巴结分站，淋巴结清扫术分为D1、D2及D3。D0指第一站淋巴结未完全清除，D1指彻底清除第一站淋巴结，D2指彻底清除第一站及第二站淋巴结，D3指彻底清除第一、二、三站淋巴结。

2010年5月与10月，与UICC TNM相匹配，Japanese Gastric Cancer Society发布新的《日本胃癌分类系统》和《胃癌诊治指南》。该指南将淋巴结清扫术进一步简化，不管肿瘤部位，将全胃

E. Feliciotti（通讯作者）
Department of Surgery, “Ospedali Riuniti”
University Hospital, Ancona, Italy
e-mail: feliciotti@live. it

R. Ridolfo
Division of General Surgery, Senigallia
General Hospital, Senigallia, Italy
e-mail: raffaella. ridolfo@email. it

P. Stortoni
Division of General Surgery, “A. Murri”
Hospital, Fermo, Italy
e-mail: pierpaolostortoni@libero. it

W. Siquini
Division of General Surgery,
“Madonna del Soccorso” Hospital,
San Benedetto del Tronto, Italy
e-mail: walter. siquini@sanita. marche. it

W. Siquini (ed.), *Total, Subtotal and Proximal Gastrectomy in Cancer A Color Atlas*,
DOI 10.1007/978-88-470-5749-4_8,

切除术和胃次全切除术淋巴结清扫范围分为D1、D1+及D2（图8-5、图8-6）。值得注意的是既往不论肿瘤部位均将No.7组淋巴结归为第二站，现在均为D1淋巴结清扫所必须清除的淋巴结。由于日本一项随机对照实验JCOG9501研究结果显示D3扩大淋巴结清扫术并不能改善预后，新的《日本胃癌诊治指南》已经不推荐D3淋巴结清扫术。

胃癌胃切除时，淋巴结清扫范围的适宜大小尚存争议。在东亚，特别是日本与韩国，从20世纪60年代开始，D2淋巴结清扫术是胃癌手术的标准术式，目前认为D1淋巴结清扫是不适宜的。在西方，外科医生热衷于D1淋巴结清扫术，因为有两项随机对照实验发现D2淋巴结清扫术不但增加并发症发生率和死亡率，而且也未提高5年生存率。然而，最新的研究显示西方外科医生经过训练足以胜任D2淋巴结清扫术，并发症发生率和死亡率较低。在世界范围内，主要的外科和肿瘤学学会指南均推荐D2淋巴结清扫术为标准的胃癌淋巴结清扫范围。由东方学者发展的D2淋巴结清扫术已为西方外科医生所接受。2015年3月出版的*American National Comprehensive Cancer Network*（NCCN）首次将D2淋巴结清扫术作为胃癌标准手术。

目前西方学者的共识是，患者数量多的专业化中心具有一定的外科经验和术后处理能力，可对适宜的患者行保留脾脏和胰腺的D2淋巴结清扫术。目前第七版UICC/AJCC TNM分类系统要求至少获取15枚淋巴结方可合理分期，但是认为D2淋巴结清扫至少获取25枚淋巴结方可获得最好的疗效。

表8-1 胃区域淋巴结一览表

No.	名称定义	译者注释
1	贲门右侧	沿胃左动脉上行支进入胃壁第1支（贲门支）的淋巴结和其贲门侧的淋巴结
2	贲门左侧	贲门左侧的淋巴结，左膈下动脉食管贲门支存在的病例，沿此血管的淋巴结（含根部）
3a	小弯	沿胃左动脉分支的小弯淋巴结，贲门支下方淋巴结
3b	小弯	沿胃右动脉分支的小弯淋巴结，由胃小弯第1支向左的淋巴结
4sa	大弯左群	沿胃短动脉淋巴结（含根部）
4sb	大弯左群	沿胃网膜左动脉和其大弯第1支右侧的淋巴结（参照No.10组的定义）（沿胃网膜左动脉）
4d	大弯右群	沿胃网膜右动脉和其大弯第1支左侧的淋巴结（沿胃网膜右动脉）
5	幽门上	胃右动脉根部和沿向胃小弯的第1支淋巴结
6	幽门下	胃网膜右动脉根部到胃大弯的第1支淋巴结和胃网膜右静脉与到前上胰十二指肠静脉的合流部淋巴结（含合流部的淋巴结）
7	胃左动脉干	从胃左动脉根部到上行支的分歧部淋巴结
8a	肝总动脉前上部	肝总动脉（从脾动脉的分出部到胃十二指肠动脉的分出部）的前面、上面淋巴结
8p	肝总动脉后部	肝总动脉（同上）后面的淋巴结（与No.12p、No.16a2int*连续）
9	腹腔干周围	腹腔干周围的淋巴结和与之相连的胃左动脉、肝总动脉、脾动脉根部的部分淋巴结
10	脾门	胰尾末端以远的脾动脉周围、脾门部的淋巴结，胃短动脉根部至胃网膜左动脉大弯第1支左侧的淋巴结
11p	脾动脉干近端	脾动脉近端（脾动脉根部至胰尾末端距离2等分位置的近端）淋巴结
11d	脾动脉干远端	脾动脉远端（脾动脉根部至胰尾末端距离2等分位置至胰尾末端）淋巴结
12a	肝十二指肠韧带内	由肝左、右管汇合部到胰腺上缘的胆管的2等分高度向下方，沿肝动脉的淋巴结（胆道癌处理规约No.12a2）（沿肝动脉）
12b	肝十二指肠韧带内	由肝左、右管汇合部到胰腺上缘的胆管的2等分高度向下方，沿胆管的淋巴结（胆道癌处理规约No.12b2）（沿胆管）

续表

12p	肝十二指肠韧带内	由肝左、右管汇合部到胰腺上缘的胆管的2等分高度向下方，沿门静脉的淋巴结（胆道癌处理规约No.12p2）（沿门脉）
13	胰头后部	胰头后部十二指肠乳头部向头侧的淋巴结（在肝十二指肠韧带内的为No.12b）
14v	沿肠系膜上静脉	在肠系膜上静脉的前面，上缘为胰下缘，右缘为胃网膜右静脉和胰十二指肠前上静脉的汇合部，左缘为肠系膜上静脉的左缘，下缘为结肠静脉分歧部淋巴结
14a	沿肠系膜上动脉	沿肠系膜上动脉淋巴结
15	中结肠动脉周围	中结肠动脉周围淋巴结
16a1	腹主动脉周围a1	主动脉裂孔部（膈肌脚包绕的4～5cm范围）的腹主动脉周围淋巴结*
16a2	腹主动脉周围a2	腹腔干根部上缘至左肾静脉下缘高度的腹主动脉周围淋巴结*
16b1	腹主动脉周围b1	左肾静脉下缘至肠系膜下动脉根部上缘的腹主动脉周围淋巴结*
16b2	腹主动脉周围b2	肠系膜下动脉根部上缘至腹主动脉的分歧部高度的腹主动脉周围淋巴结*
17	胰头前部	胰头部前面，附着于胰腺及胰腺被膜下淋巴结
18	胰下缘	胰体下缘淋巴结
19	膈下	膈肌的腹腔面，主要是沿膈动脉淋巴结
20	食管裂孔部	食管裂孔部附着食管的淋巴结
110	胸下部食管旁	与膈肌分离，附着于下部食管的淋巴结
111	膈肌上	膈肌胸腔面，与食管分离存在淋巴结
112	后纵隔	与食管裂孔和食管分离的后纵隔淋巴结

* No.16组淋巴结可进一步分为腹主动脉前（preaortic, pre）、腹主动脉和下腔静脉之间（interaorticocaval, int）以及腹主动脉左侧淋巴结（lateroaortic, lat）

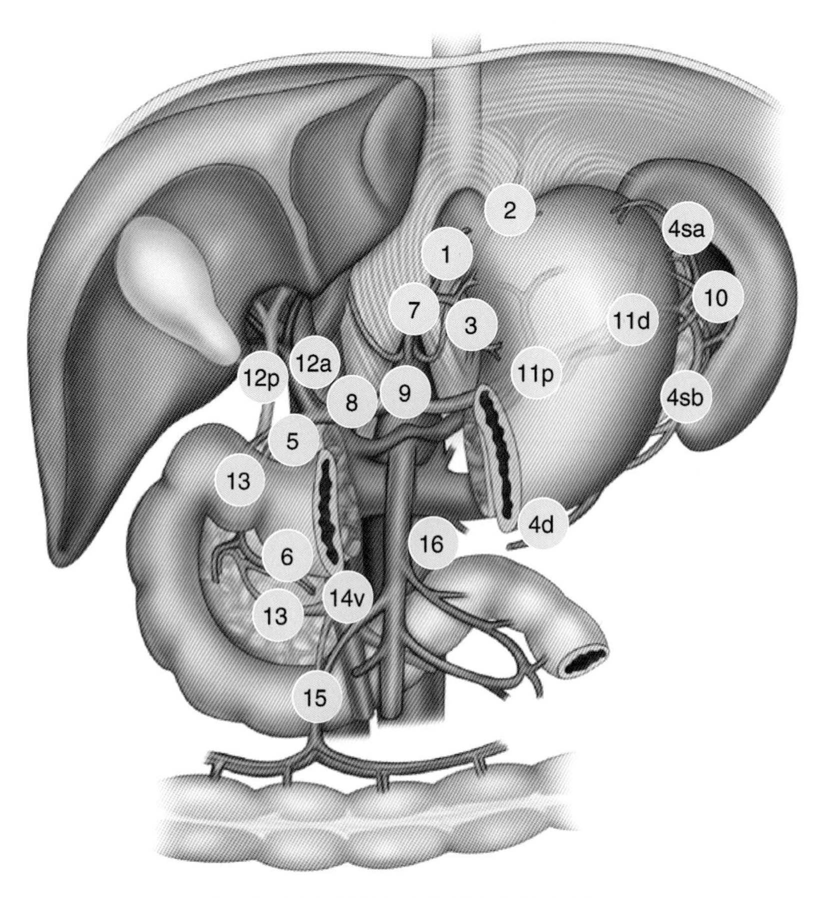

图8-1 日本胃癌学会胃区域淋巴结定位。

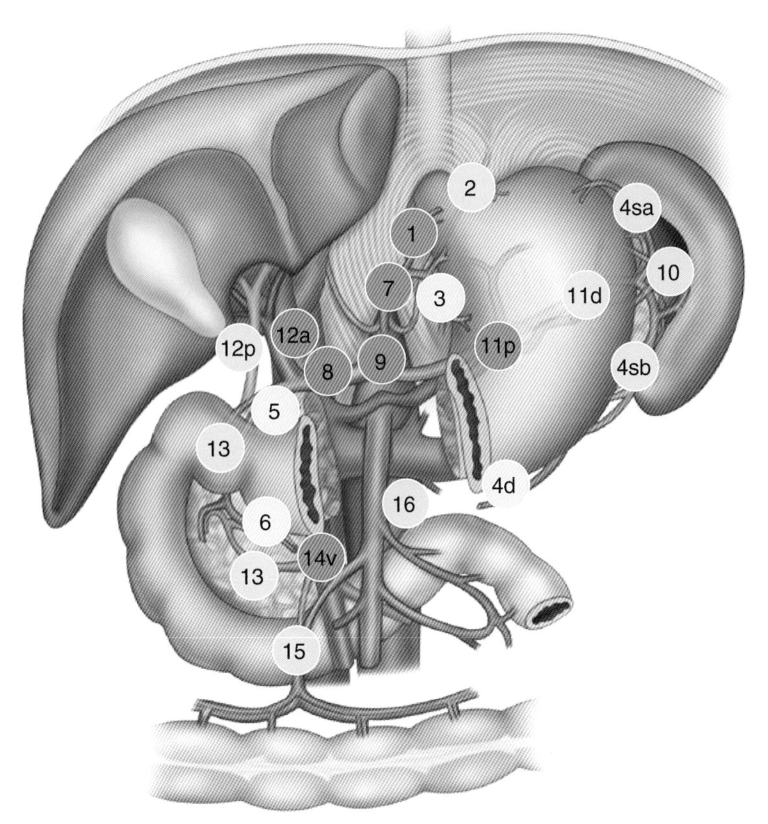

图8-2 《2001年日本胃癌学会治疗指南》提出的胃窦癌淋巴结清扫范围：D1需清除黄色标记淋巴结，D2需清除红色标记淋巴结，D3需清除蓝色标记淋巴结。

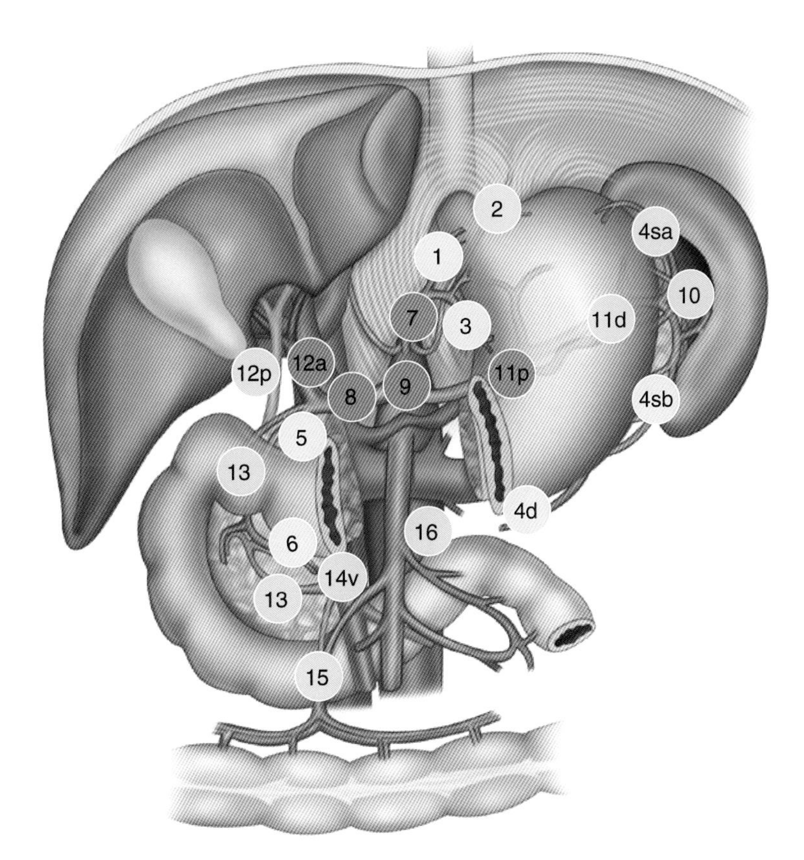

图8-3 《2001年日本胃癌学会治疗指南》提出的胃体癌淋巴结清扫范围：D1需清除黄色标记淋巴结，D2需清除红色标记淋巴结，D3需清除蓝色标记淋巴结。

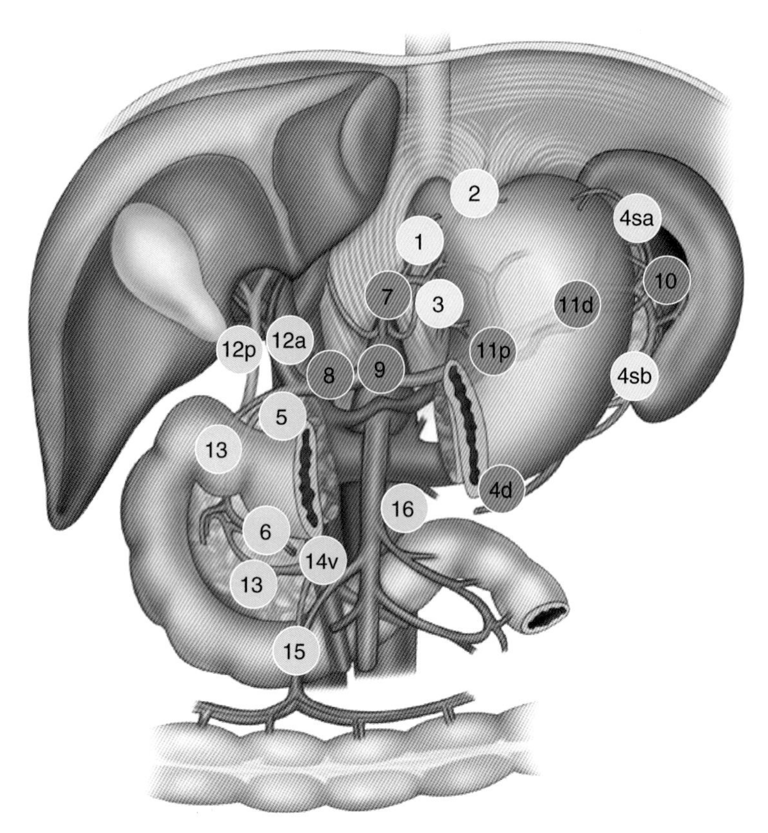

图8-4 《2001年日本胃癌学会治疗指南》提出的胃底癌淋巴结清扫范围：D1需清除黄色标记淋巴结，D2需清除红色标记淋巴结，D3需清除蓝色标记淋巴结。

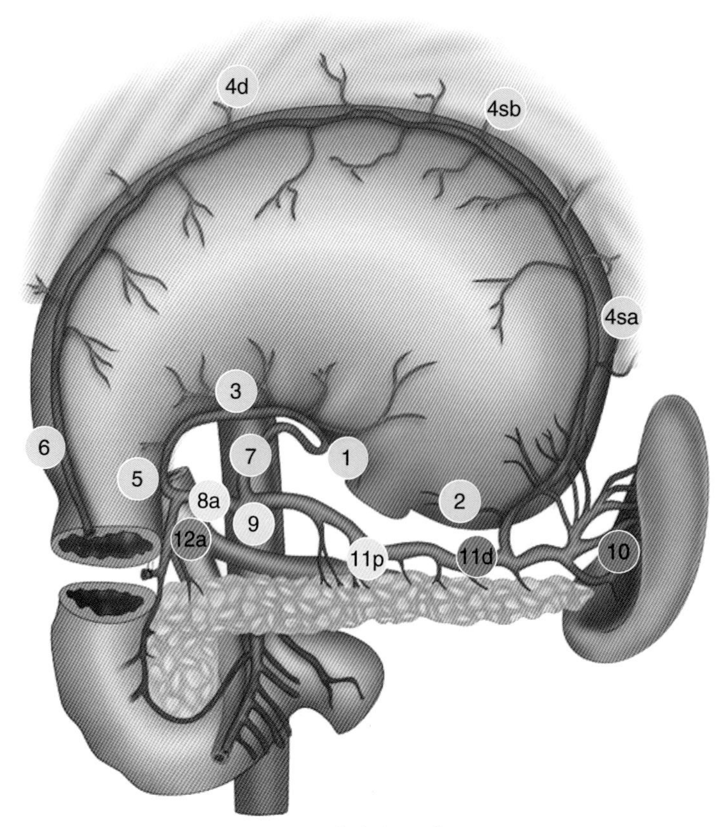

图8-5 2010年Japanese Gastric Cancer Society发布新的《日本胃癌诊治指南》，将淋巴结清扫术进一步简化，不管肿瘤部位，将全胃切除术和胃次全切除术淋巴结清扫范围分为D1、D1+及D2。全胃切除术淋巴结清扫范围：D1需清除蓝色标记淋巴结，D1+需清除黄色标记淋巴结，D2需清除红色标记淋巴结。

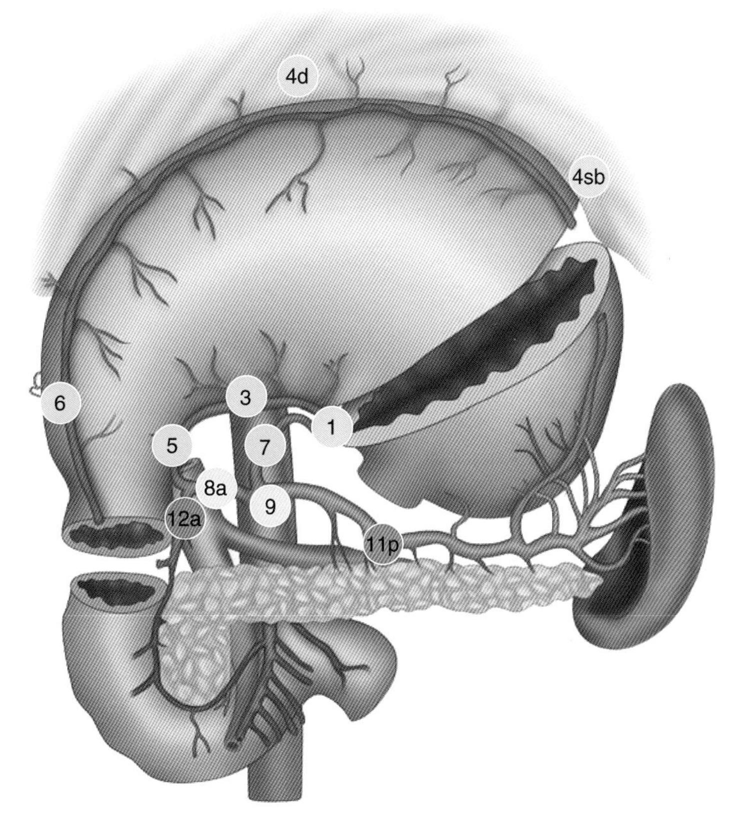

图8-6 与图8-5采用同一标准，胃次全切除术淋巴结清扫范围：D1需清除蓝色标记淋巴结，D1+需清除黄色标记淋巴结，D2需清除红色标记淋巴结。

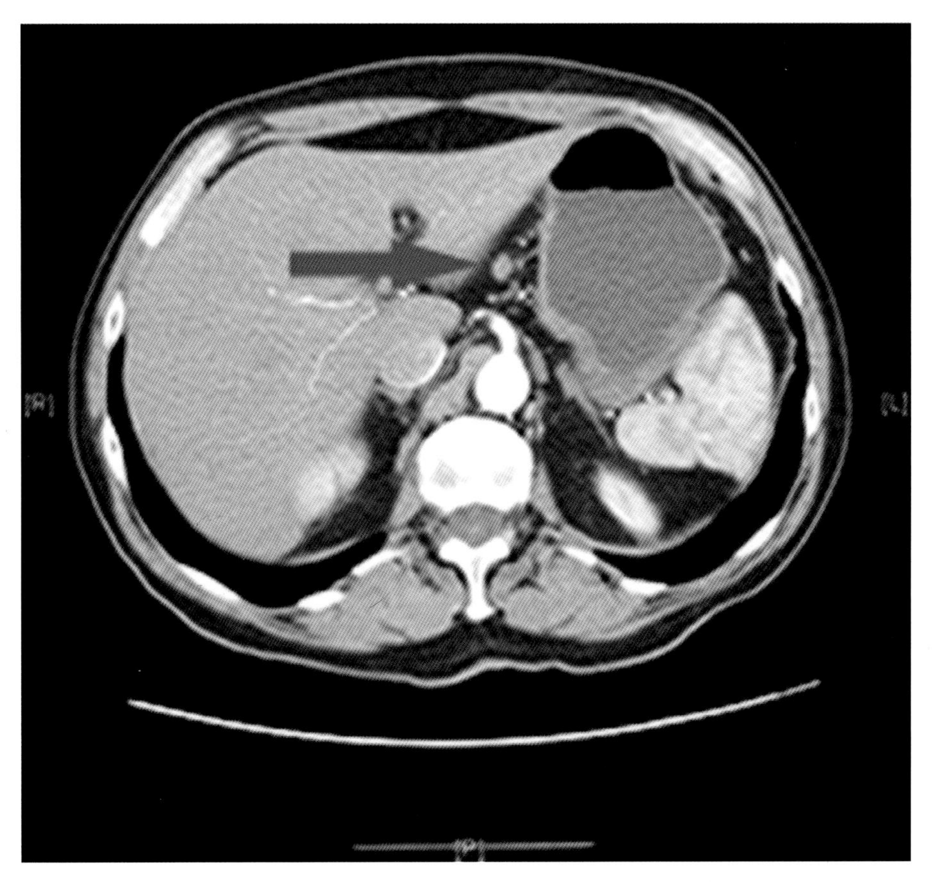

图8-7 术前强化CT扫描可见肿大淋巴结（红色箭头）。

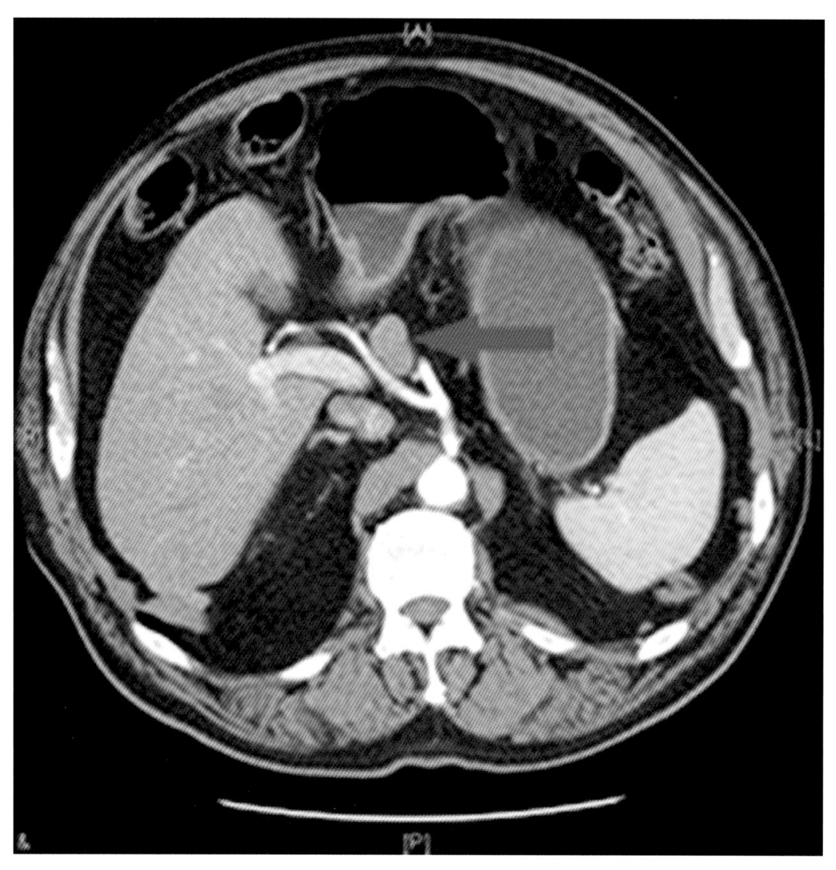

图8-8　尽量避免漏诊任何可能转移的淋巴结，特别是No.16组淋巴结（红色箭头，参见图8-27）。

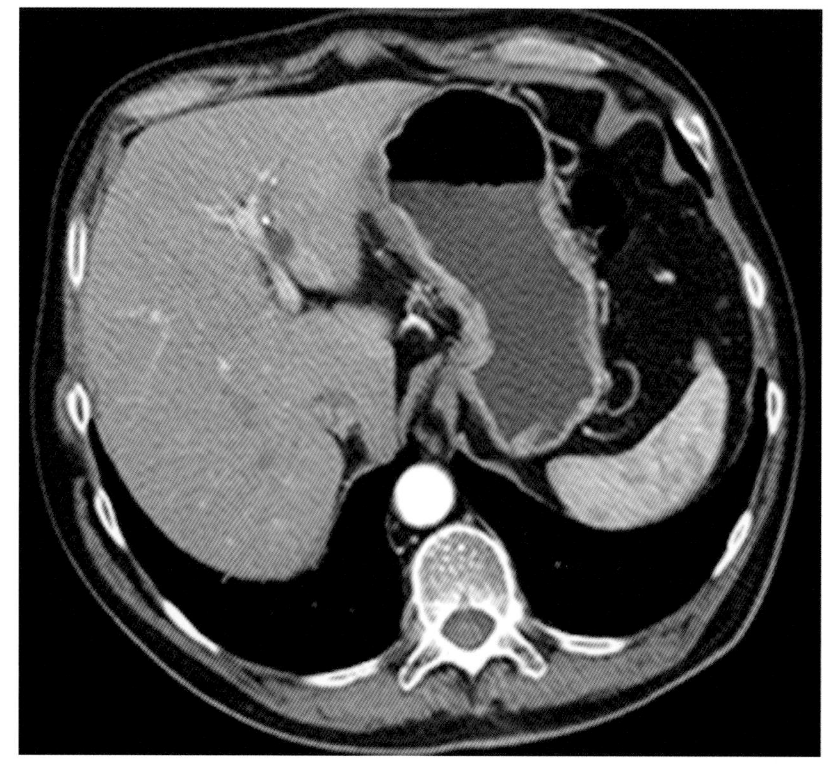

图8-9　术前强化CT扫描动脉期显示动脉走行并可发现解剖异常，确保D2淋巴结清扫的安全性。此例为变异肝左动脉发自腹腔干并发出胃左动脉。

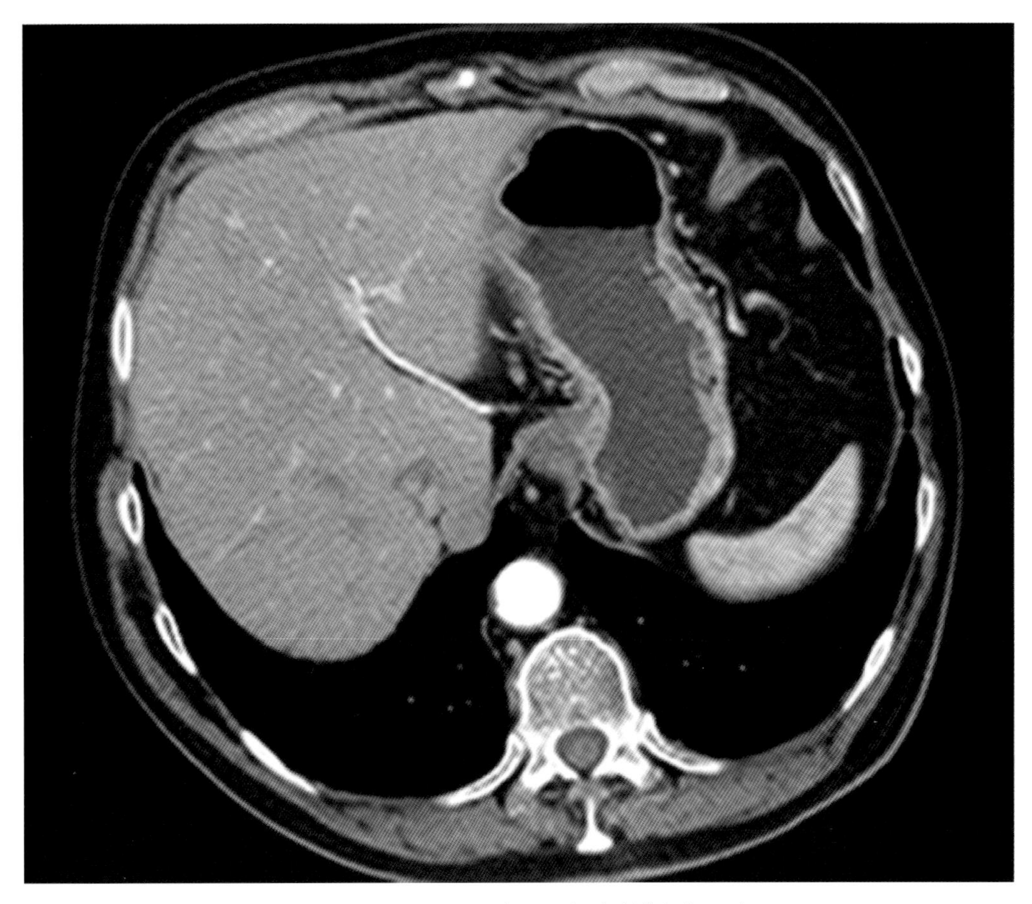

图8-10　图8-9所示变异肝左动脉进入左肝叶。

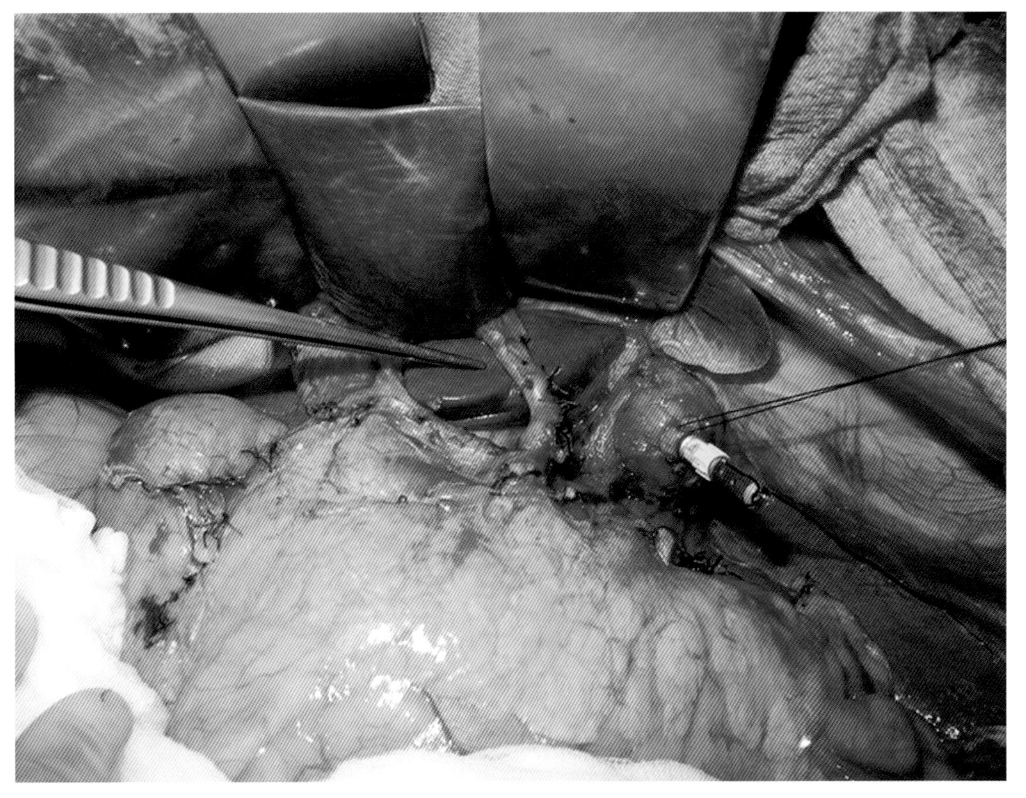

图8-11　患者术中证实图8-9及图8-10CT所见。

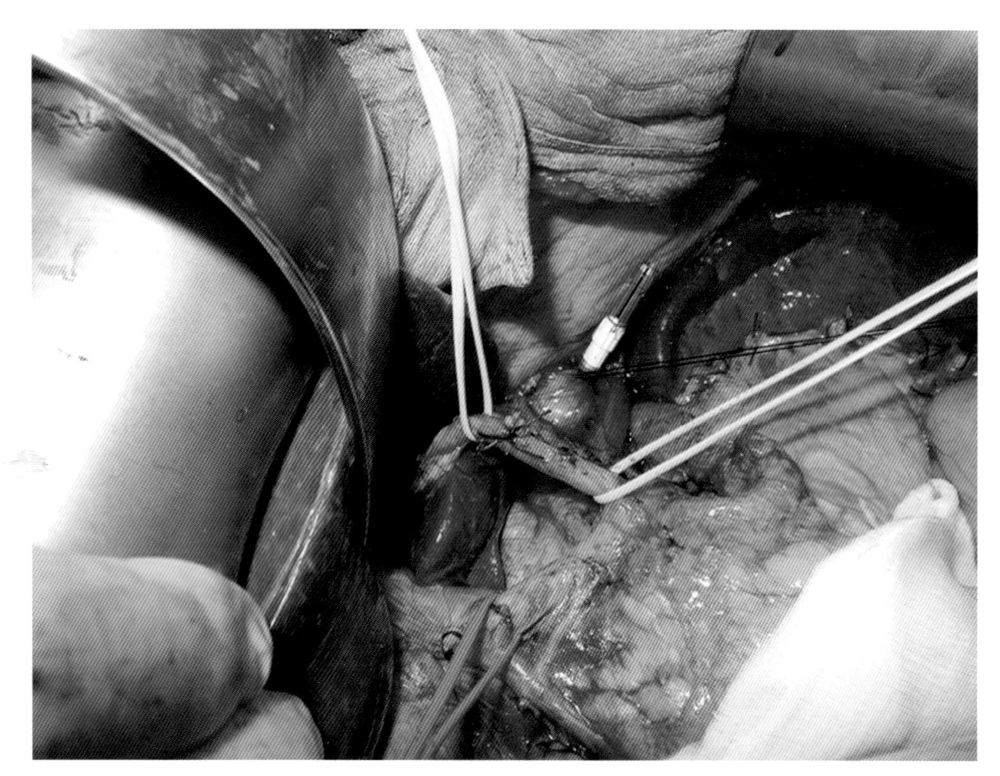

图8-12 保留变异肝左动脉，结扎切断胃左动脉。

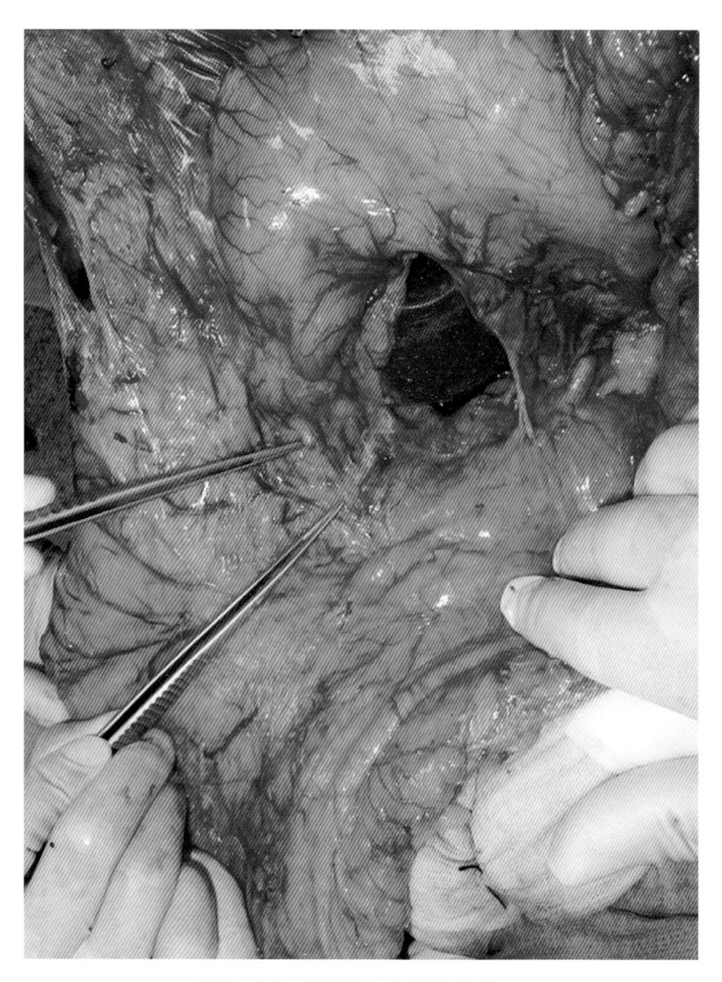

图8-13 清扫No.6组淋巴结。

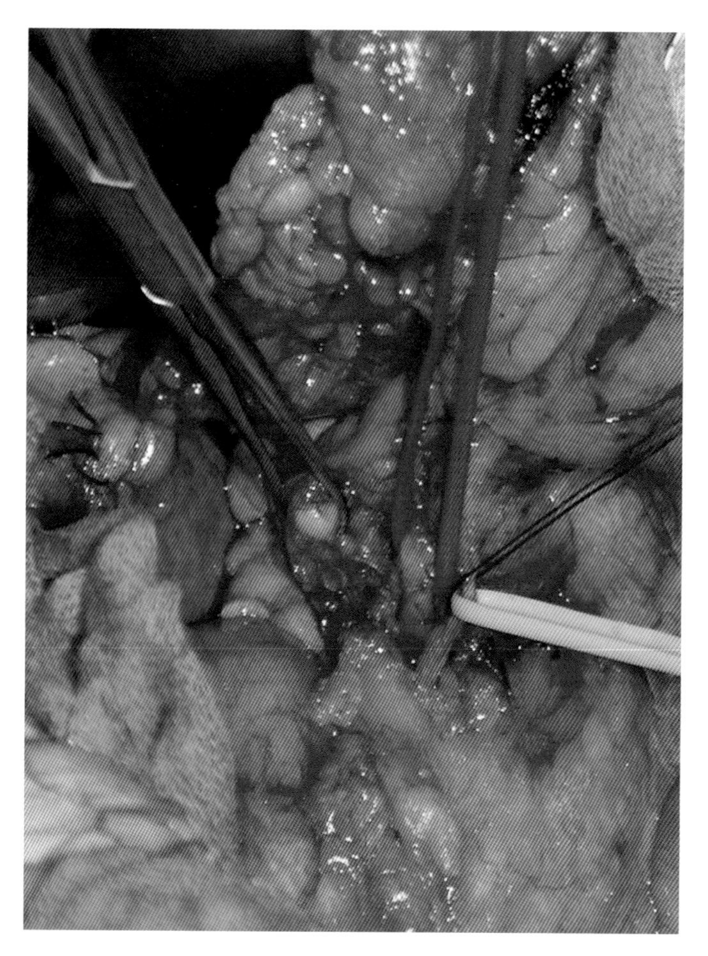

图8-14 清扫No.7组淋巴结。

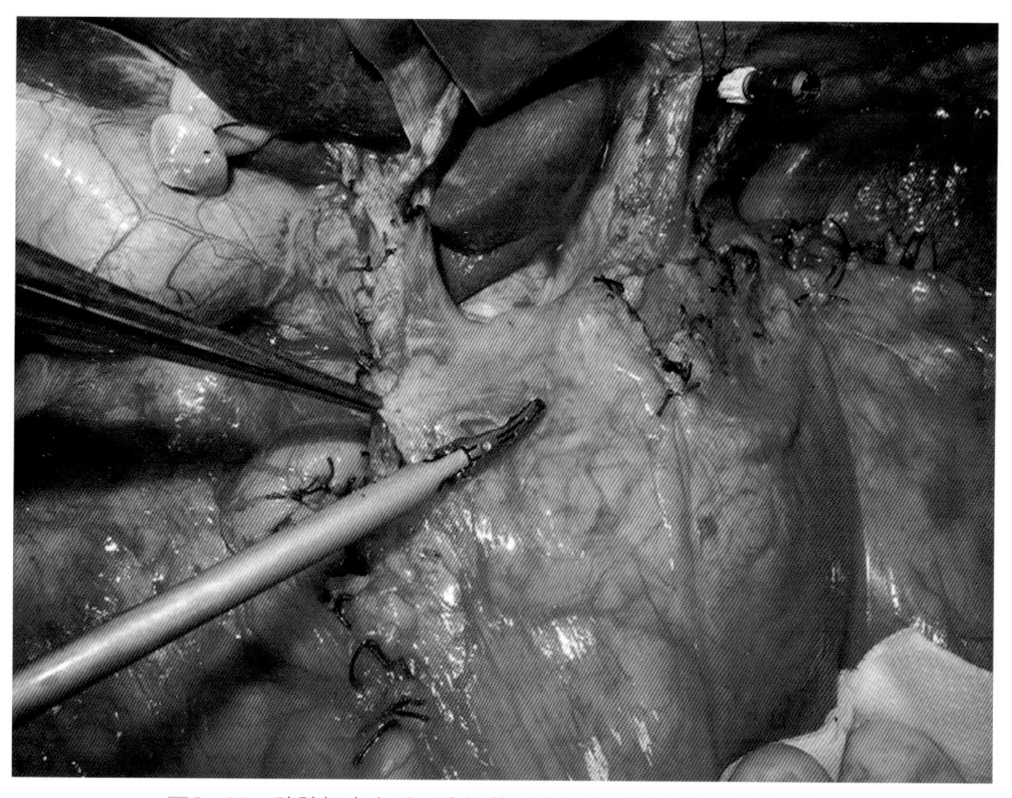

图8-15 移除标本之后，消化道重建之前，行D2淋巴结清扫术。

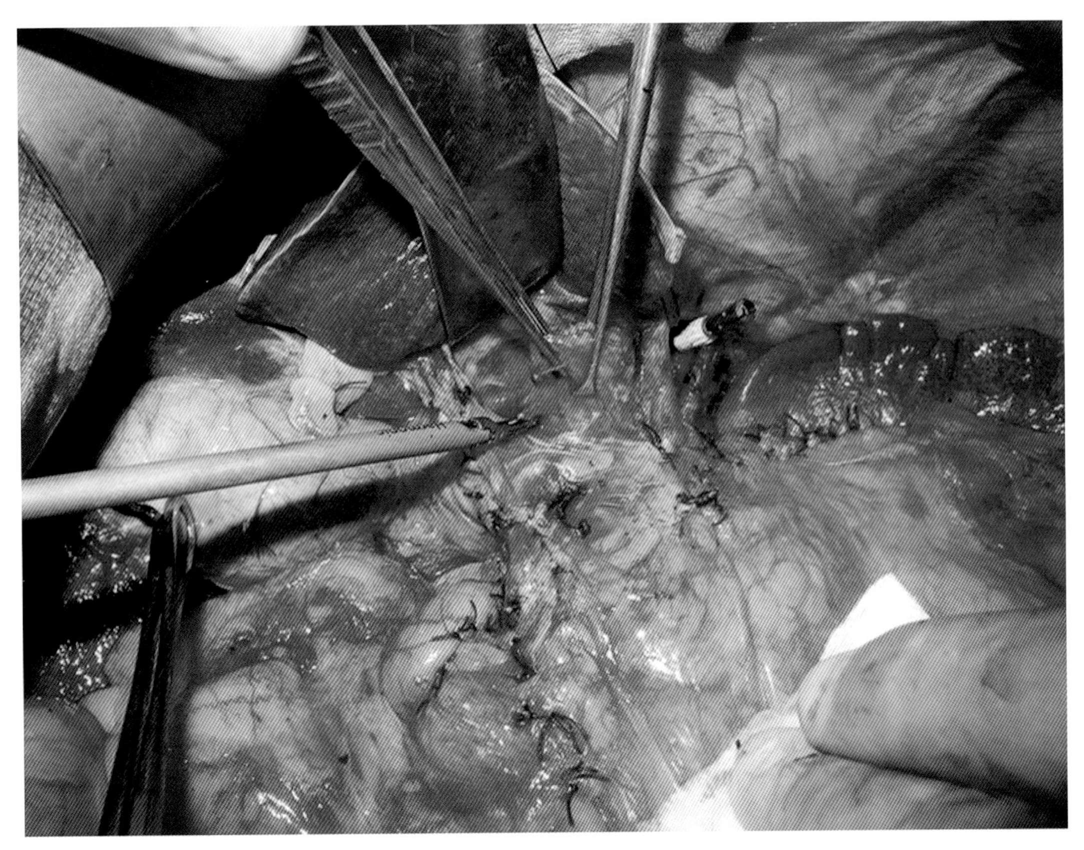

图8-16　笔者多采用于十二指肠残端内侧显露胃十二指肠动脉，顺其根部解剖出肝总动脉。

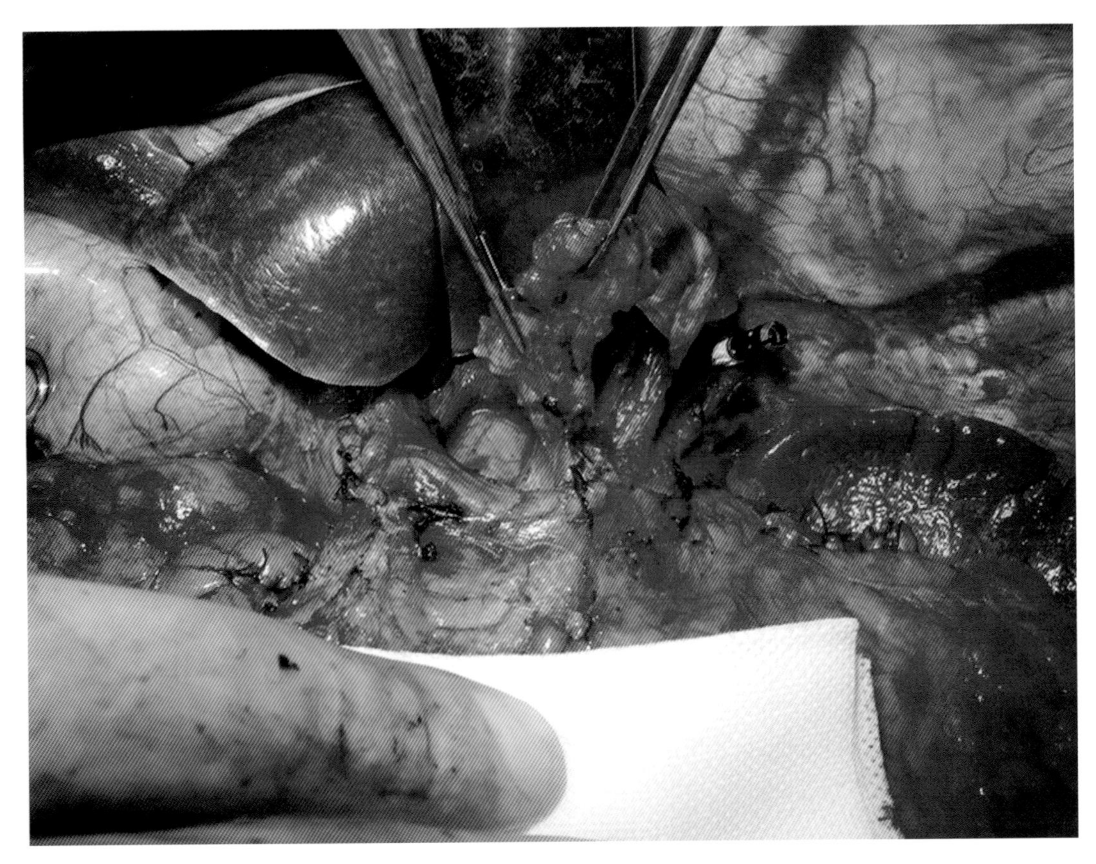

图8-17　清扫No.8a组淋巴结。

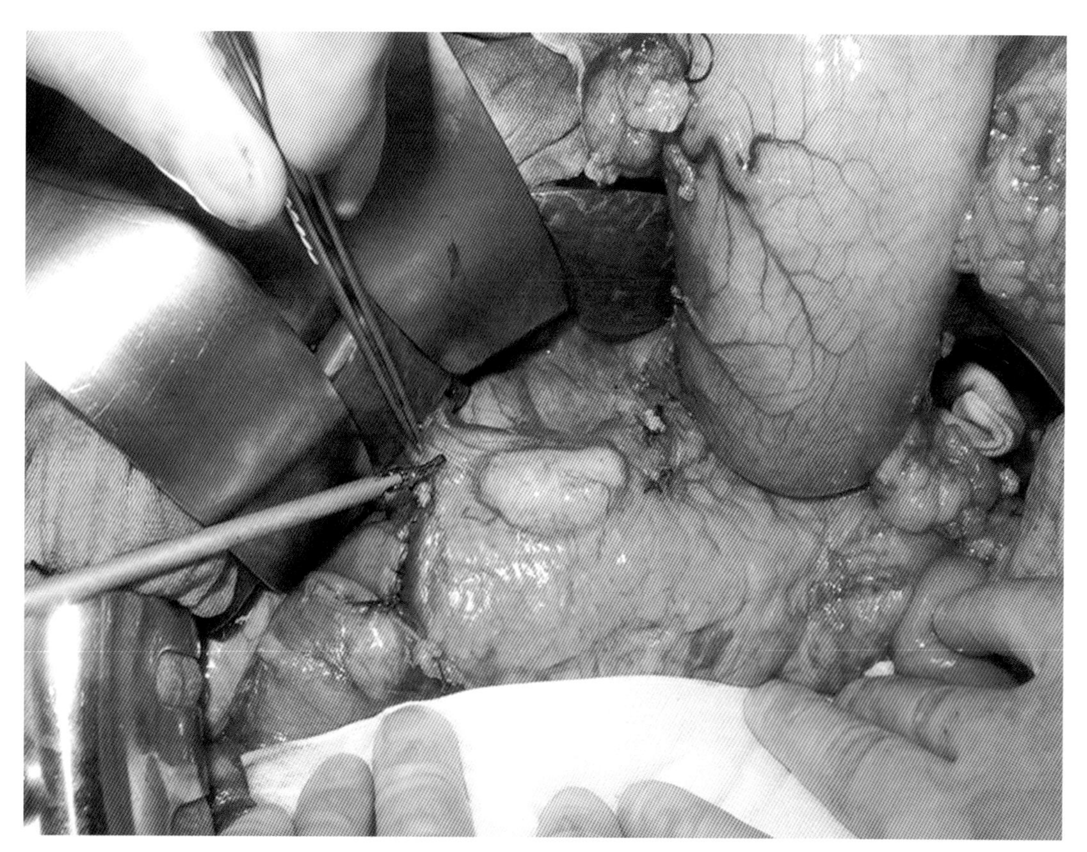

图8-18 肿大转移的No.8组淋巴结与门静脉比邻。

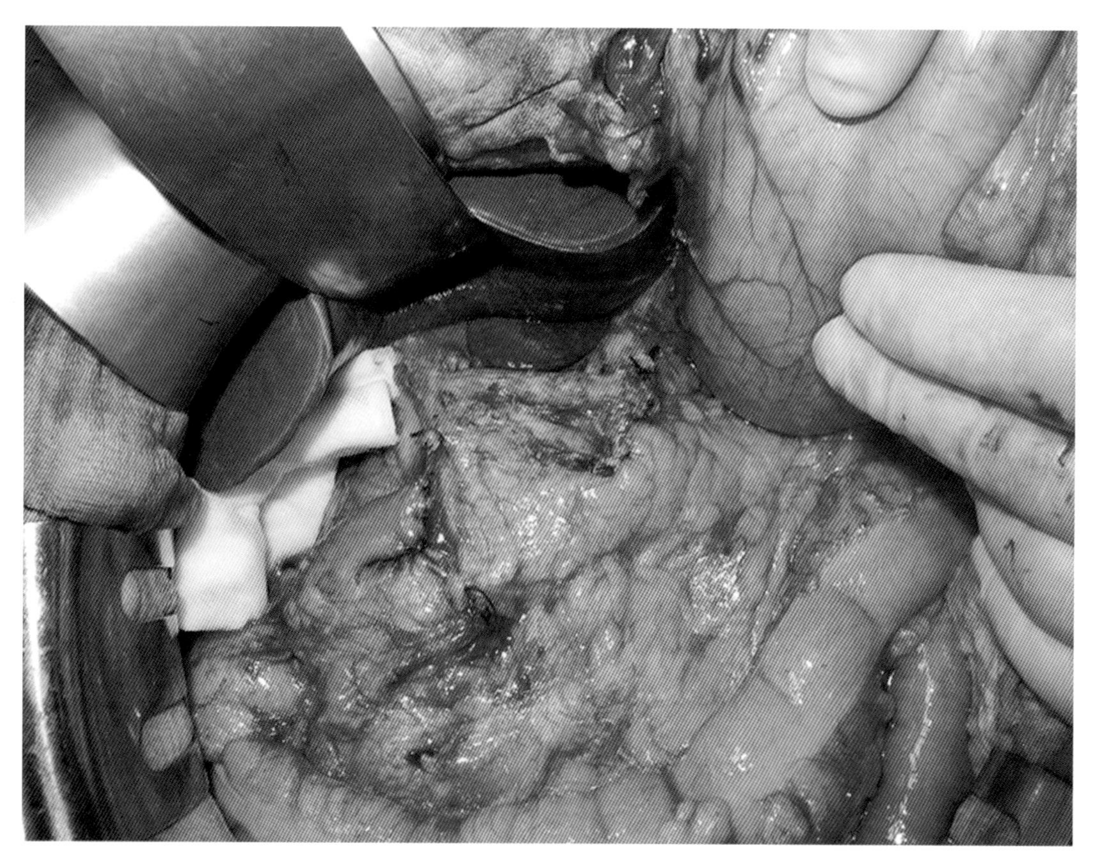

图8-19 切除图8-18所示淋巴结。

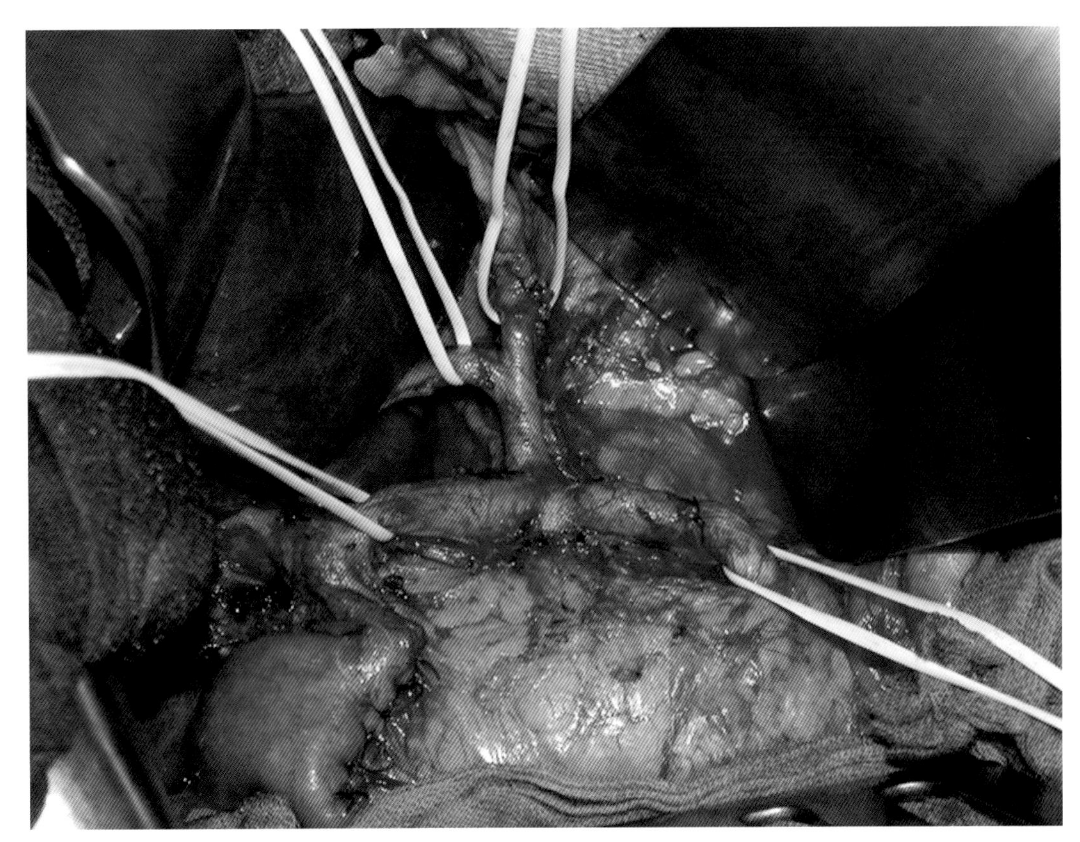

图8-20 解剖出腹腔干发出的三大分支：肝总动脉、脾动脉及胃左动脉，清扫No.7组、No.8组及No.9组淋巴结。

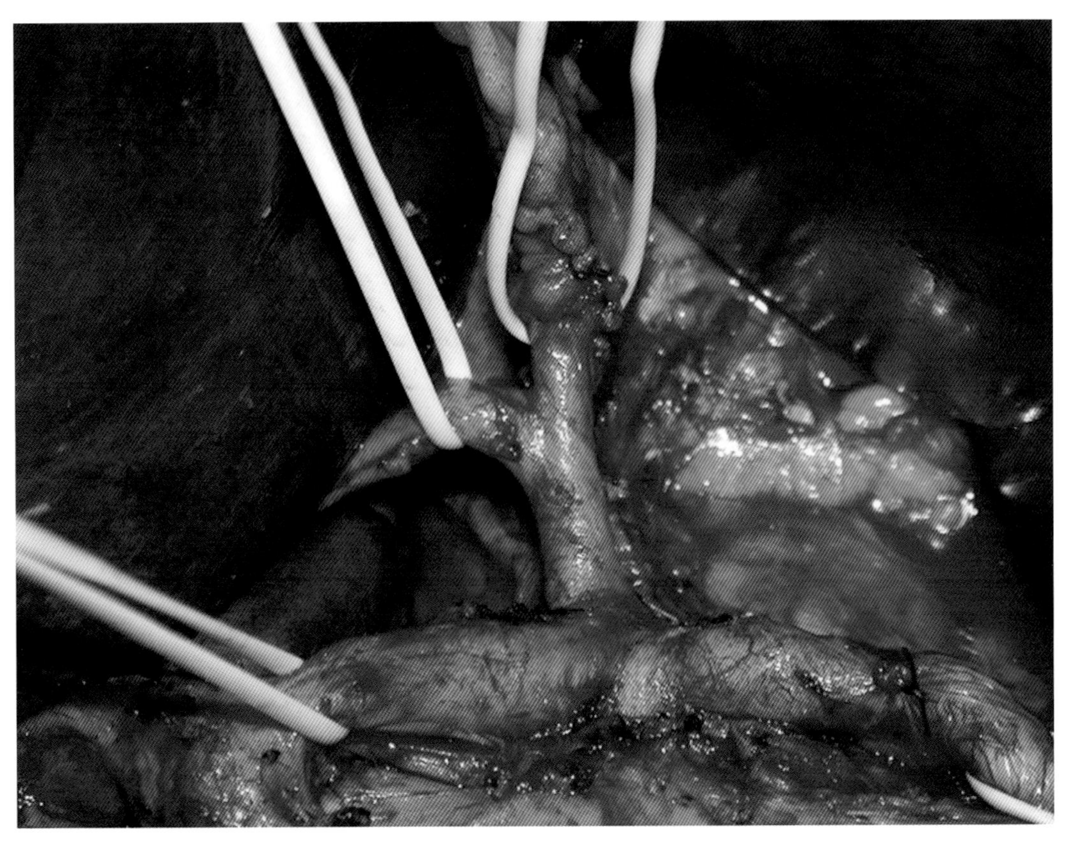

图8-21 此例患者存在血管变异，变异肝左动脉起自胃左动脉。

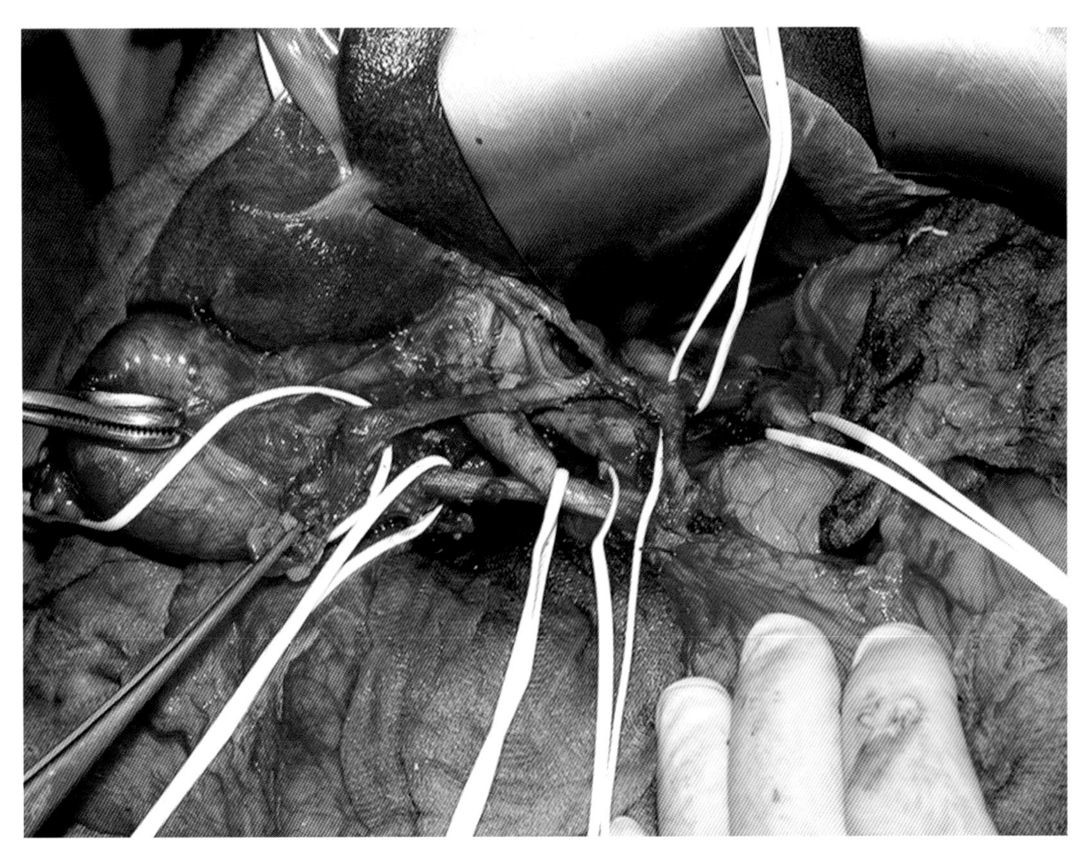

图8-22　清扫No.12a组、No.12b组及No.12p组淋巴结。

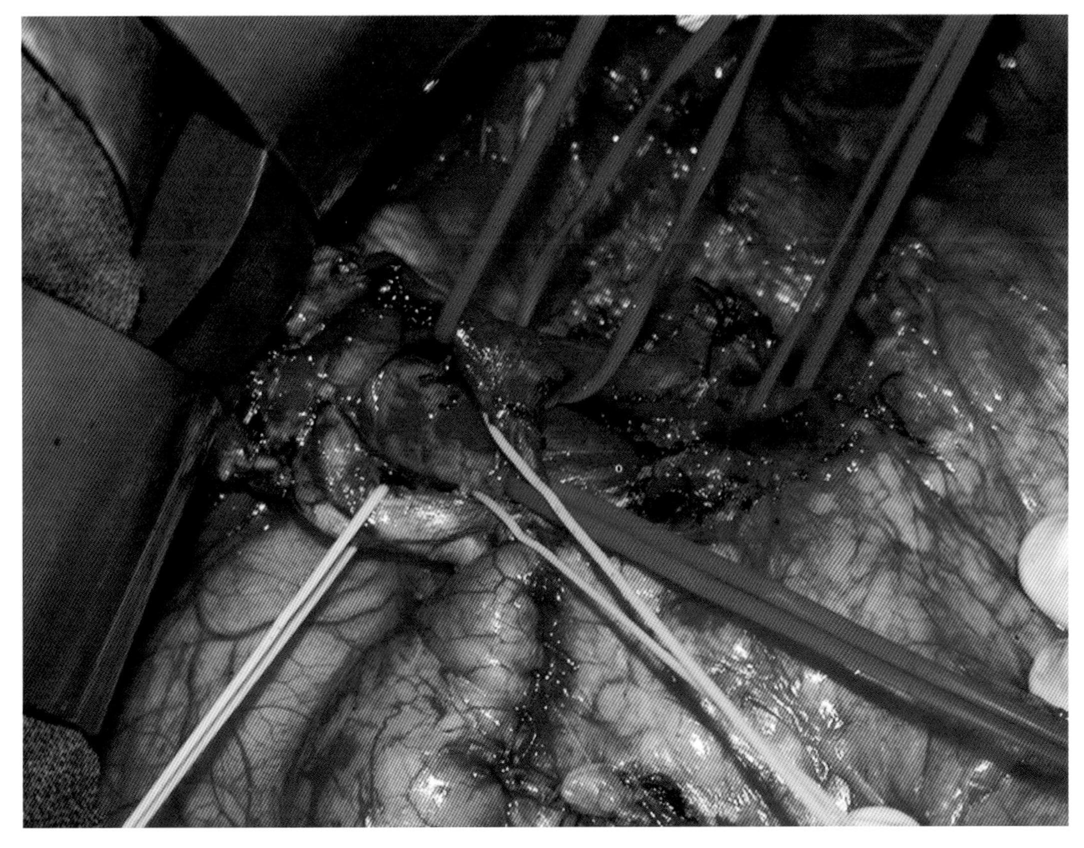

图8-23　血管吊带悬吊胆总管、肝固有动脉、胃十二指肠动脉、肝总动脉及脾动脉。

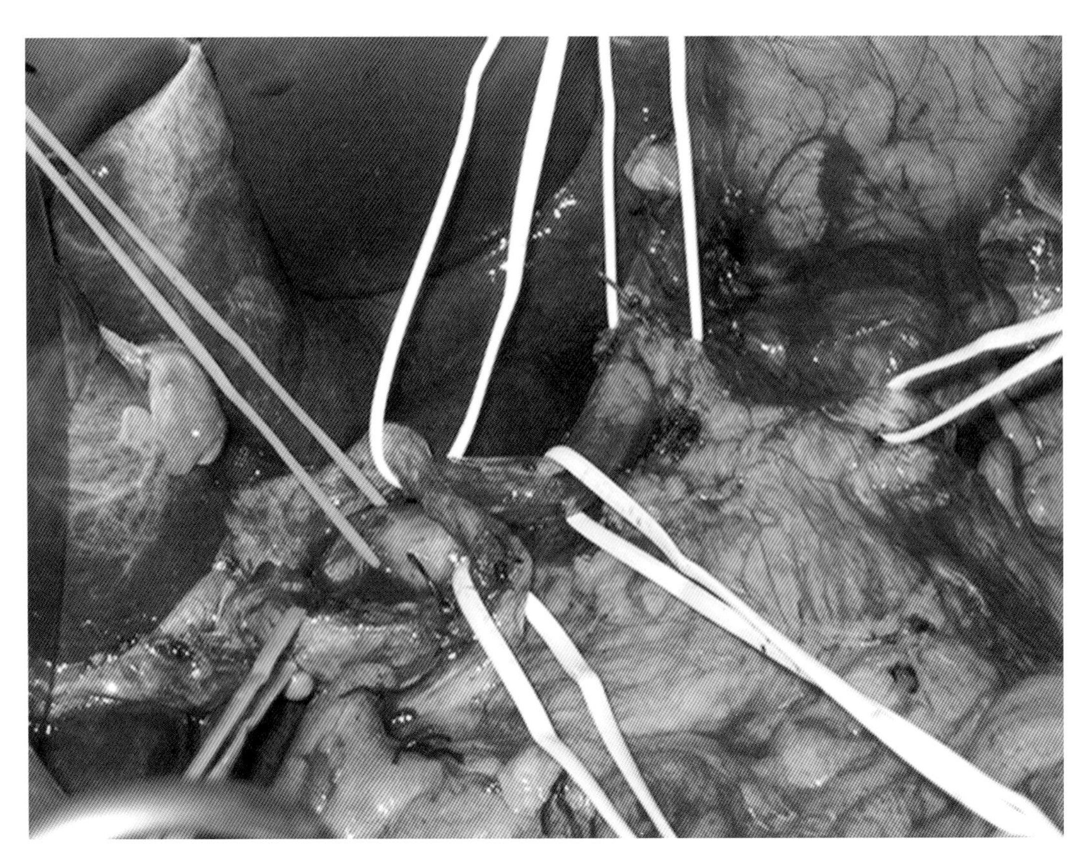

图8-24　清扫No.11组淋巴结。

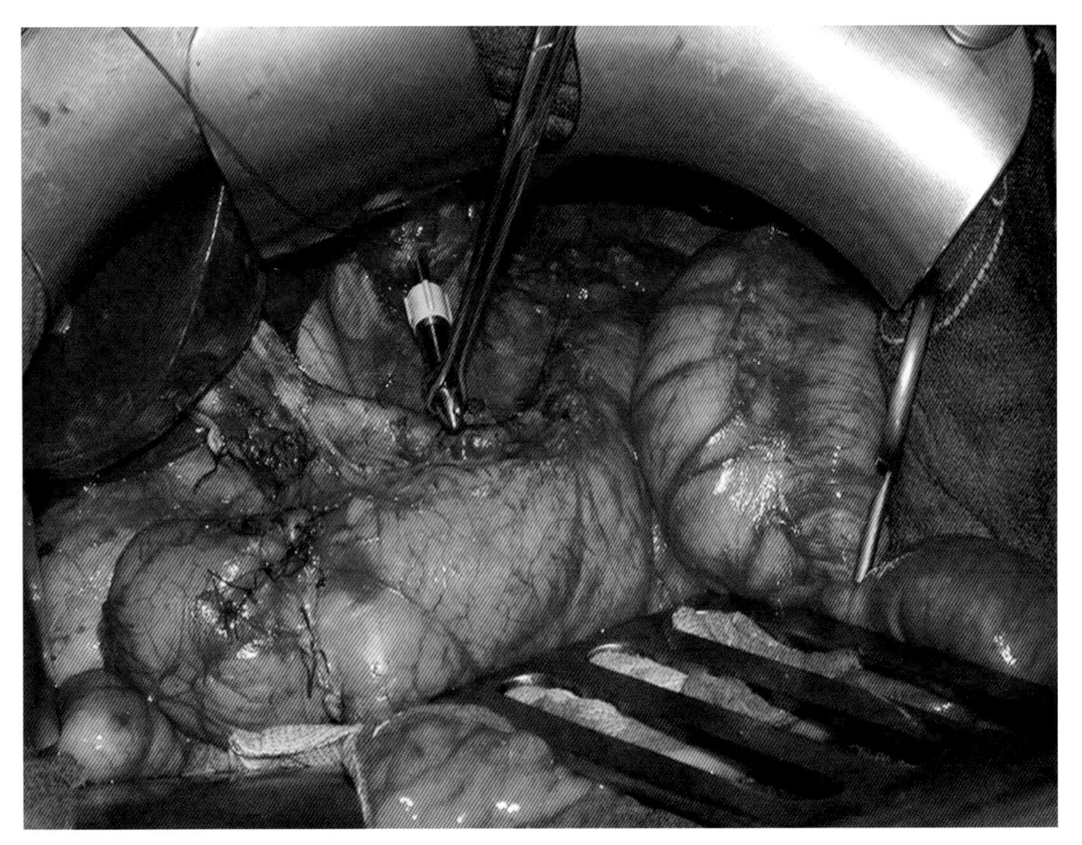

图8-25　清扫No.10组淋巴结。

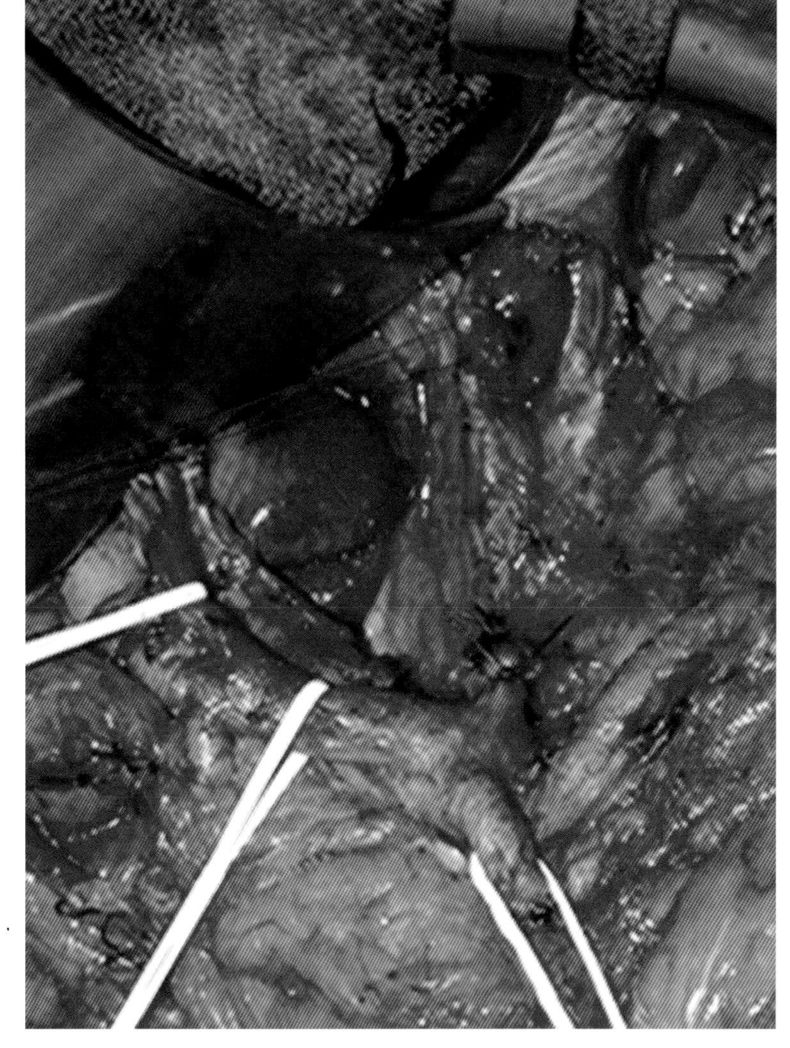

图8-26　No.10组及No.11组淋巴结清扫完毕。

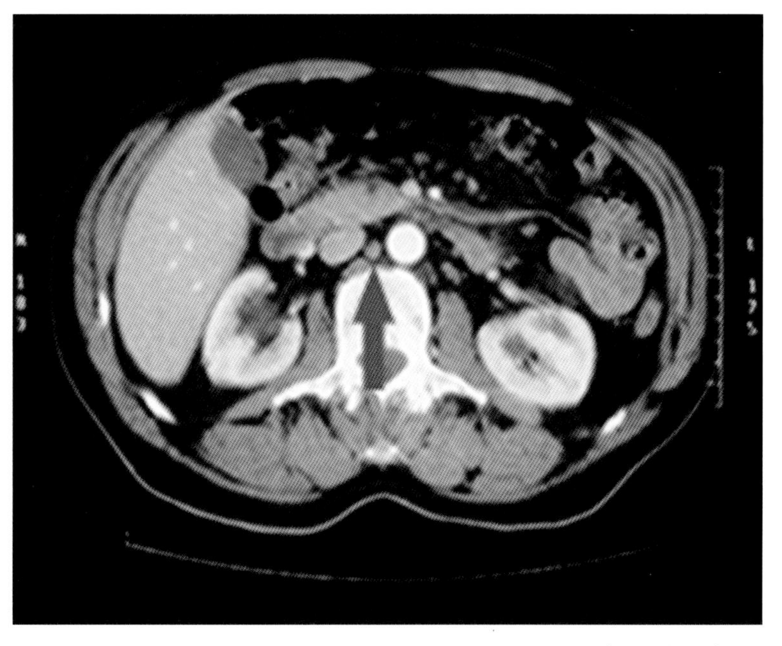

图8-27　腹主动脉与下腔静脉之间No.16组淋巴结肿大（红色箭头）。

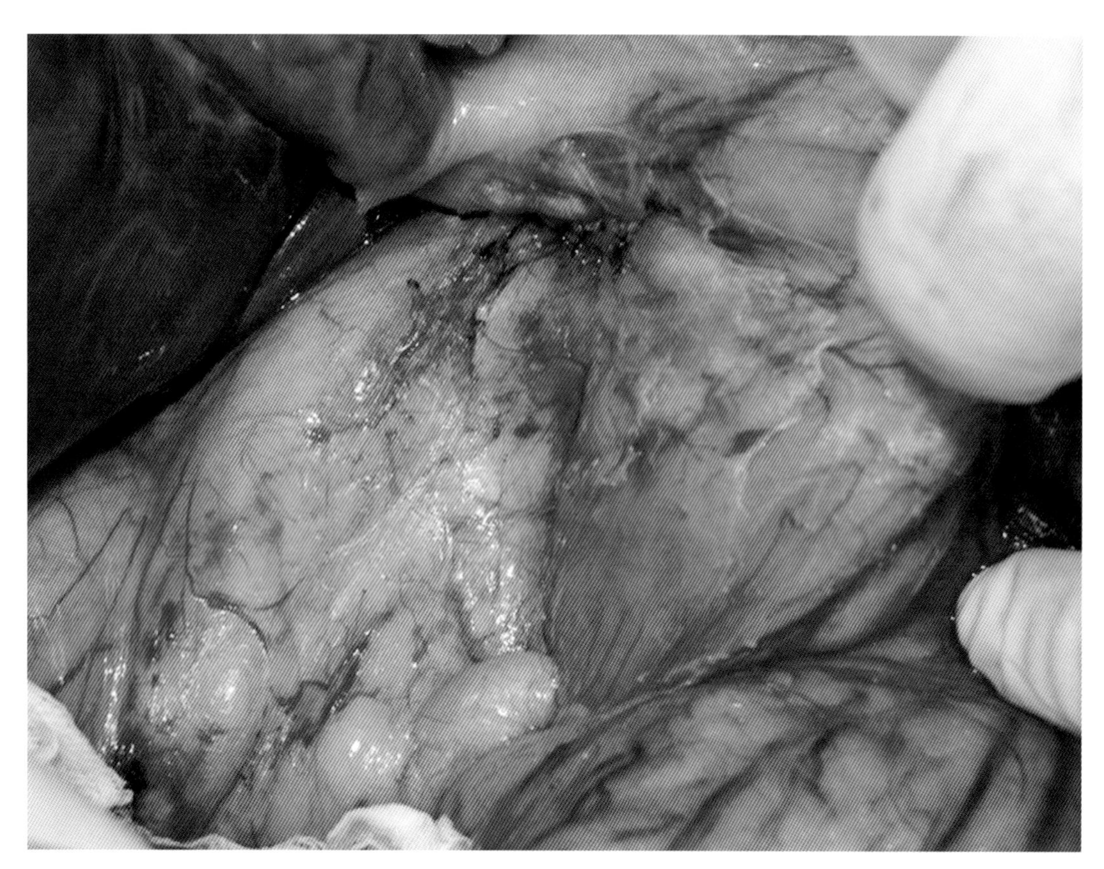

图8-28　切断十二指肠前，行Kocher切口，适度游离十二指肠和胰头部。

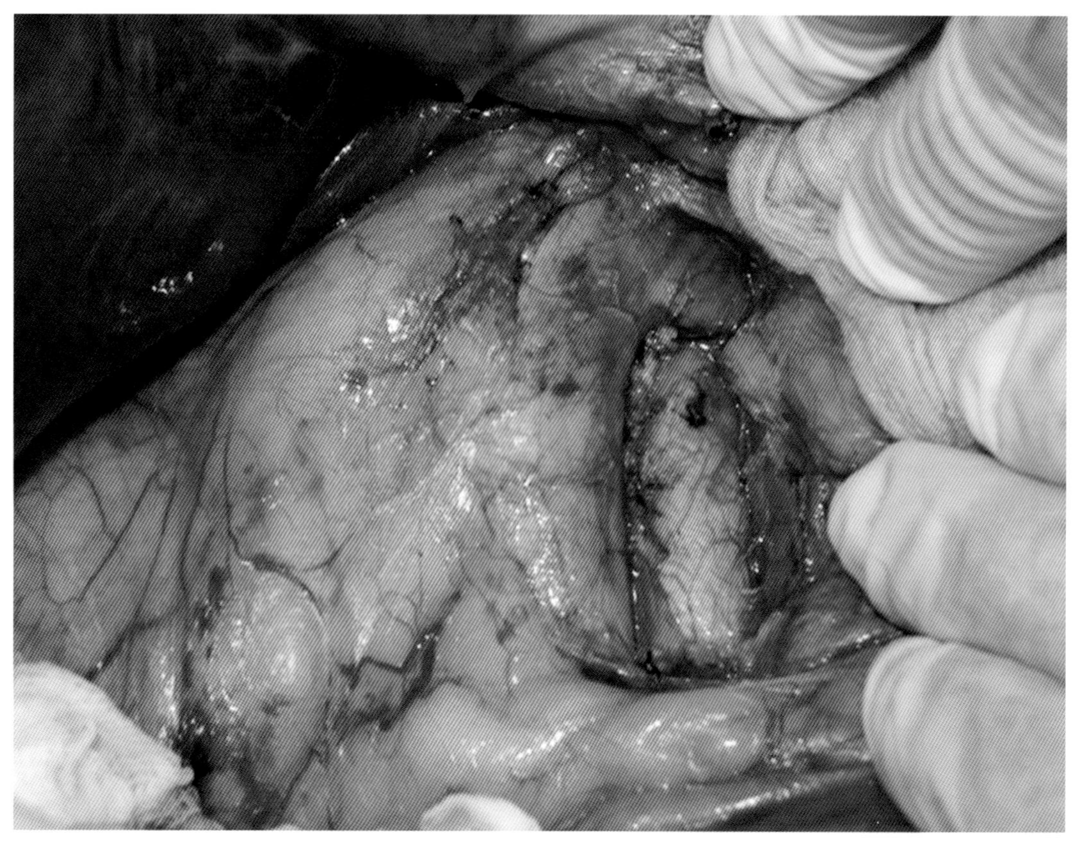

图8-29　清扫左肾静脉和肠系膜下动脉根部之间腹主动脉周围的淋巴脂肪组织。

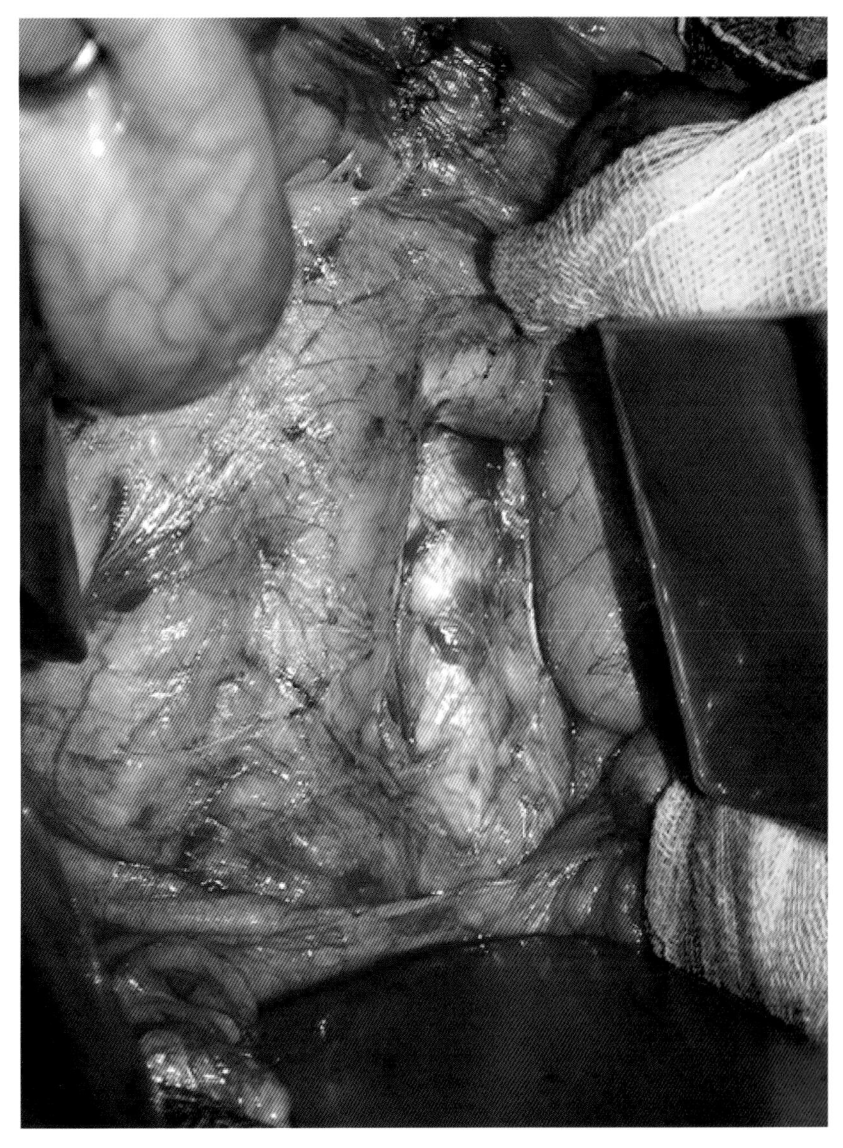

图8-30 No.16b1组淋巴结清扫完毕。

参考文献

[1] Nakajima T. Gastric cancer treatment guidelines in Japan [J]. Gastric Cancer, 2002, 5:1-5.

[2] Japanese Gastric Cancer Association. Japanese classifi cation of gastric carcinoma [J]. 3rd English edition. Gastric Cancer, 2011. doi: 10.1007/s10120-011-0041-5.

[3] Japanese Gastric Cancer Association. Japanese gastric cancer treatment guidelines 2010 [J]. 3rd ed. Gastric Cancer, 2011. doi: 10.1007/s10120-011-0042-4.

[4] Waddell T, et al. Gastric cancer: ESMO-ESSO-ESTRO Clinical Practice Guidelines for diagnosis, treatment and follow-up [J]. Annals of Oncology, 2013, 24 (Supplement 6): vi57-vi63.

[5] NCCN. Clinical Practice Guidelines in Oncology, 2015 [J]. 3rd ed. Gastric Cancer, 2015.

[6] De Manzoni, et al. The SIC-GIRCG 2013 Consensus Conference on Gastric Cancer [J]. Updates Surg, 2014, 66 (1): 1-6. doi: 10. 1007/s13304-014-0248-1.

第九章

术中特殊情况的处理

Emilio Feliciotti, Raffaella Ridolfo, Pierpaolo Stortoni, Walter Siquini

E. Feliciotti（通讯作者）
Department of Surgery,
"Ospedali Riuniti" University Hospital,
Ancona, Italy
e-mail: feliciotti@live. it

R. Ridolfo
Division of General Surgery, Senigallia
General Hospital, Senigallia, Italy
e-mail: raffaella. ridolfo@email. it

P. Stortoni
Division of General Surgery, "A. Murri"
Hospital, Fermo, Italy
e-mail: pierpaolostortoni@libero. it

W. Siquini
Division of General Surgery,
"Madonna del Soccorso" Hospital,
San Benedetto del Tronto, Italy
e-mail: walter. siquini@sanita. marche. it

W. Siquini (ed.), *Total, Subtotal and Proximal Gastrectomy in Cancer A Color Atlas*,
DOI 10.1007/978-88-470-5749-4_9, © Springer-Verlag Italia 2015

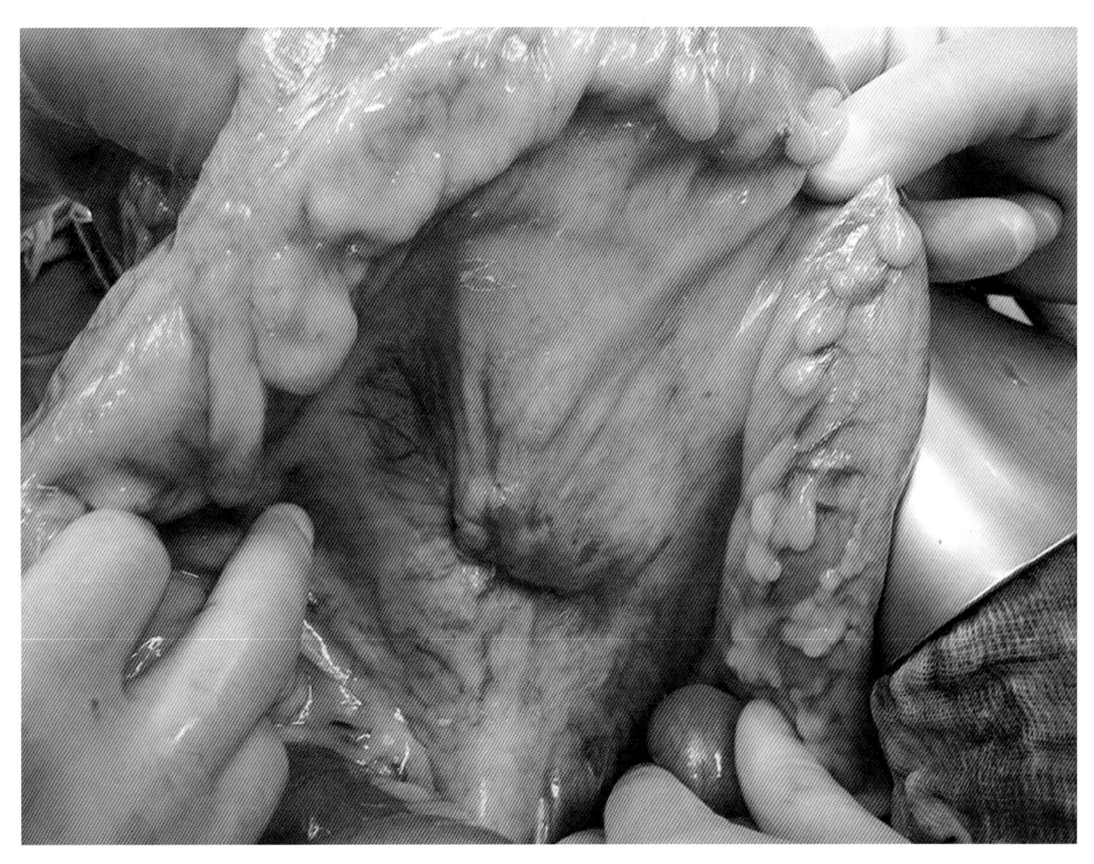

图9-1 局部进展期胃癌侵犯横结肠系膜，中结肠血管未受侵犯。

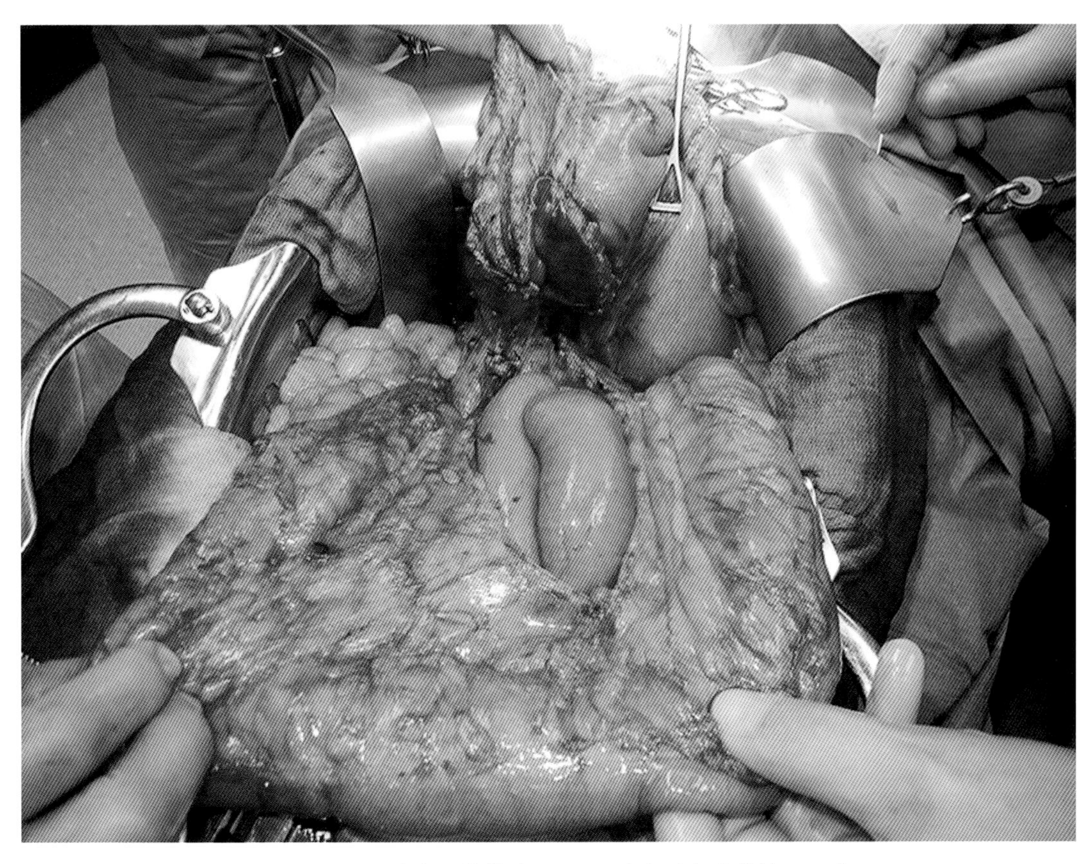

图9-2 图9-1患者，整体（en-bloc）切除部分横结肠系膜。

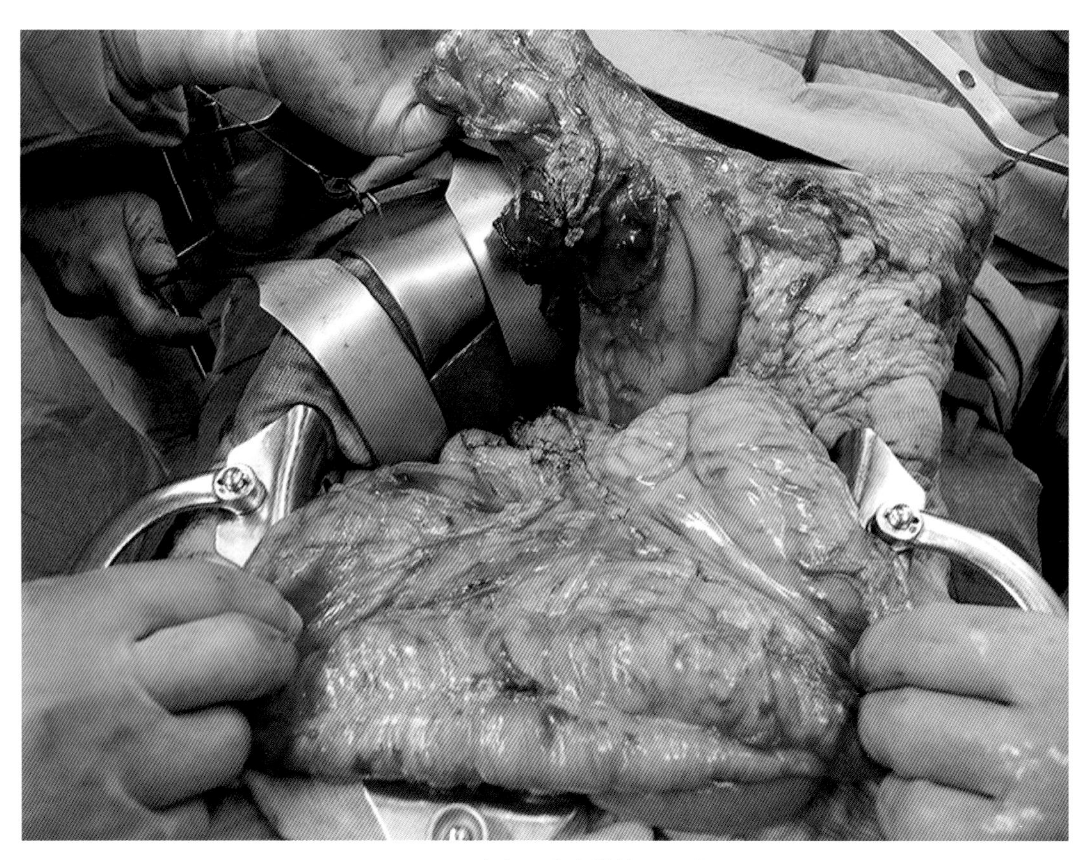

图9-3 图9-1患者，缝合横结肠系膜裂孔。

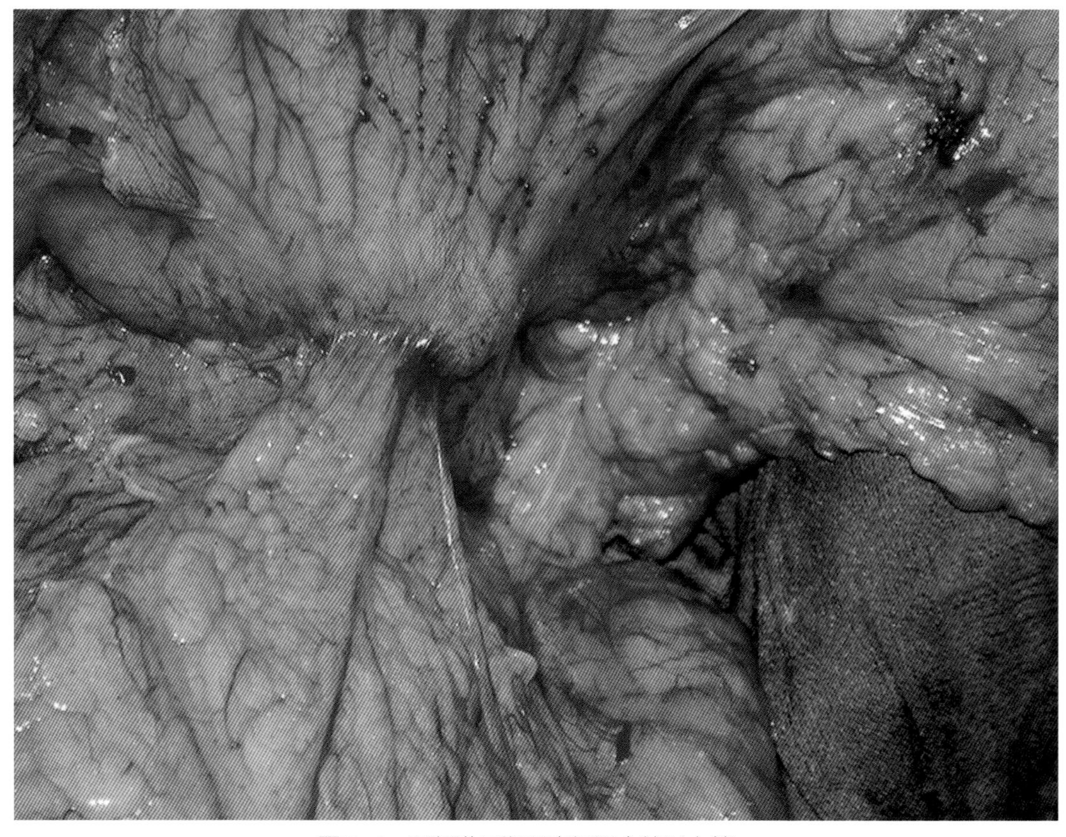

图9-4 局部进展期胃癌侵犯中结肠血管。

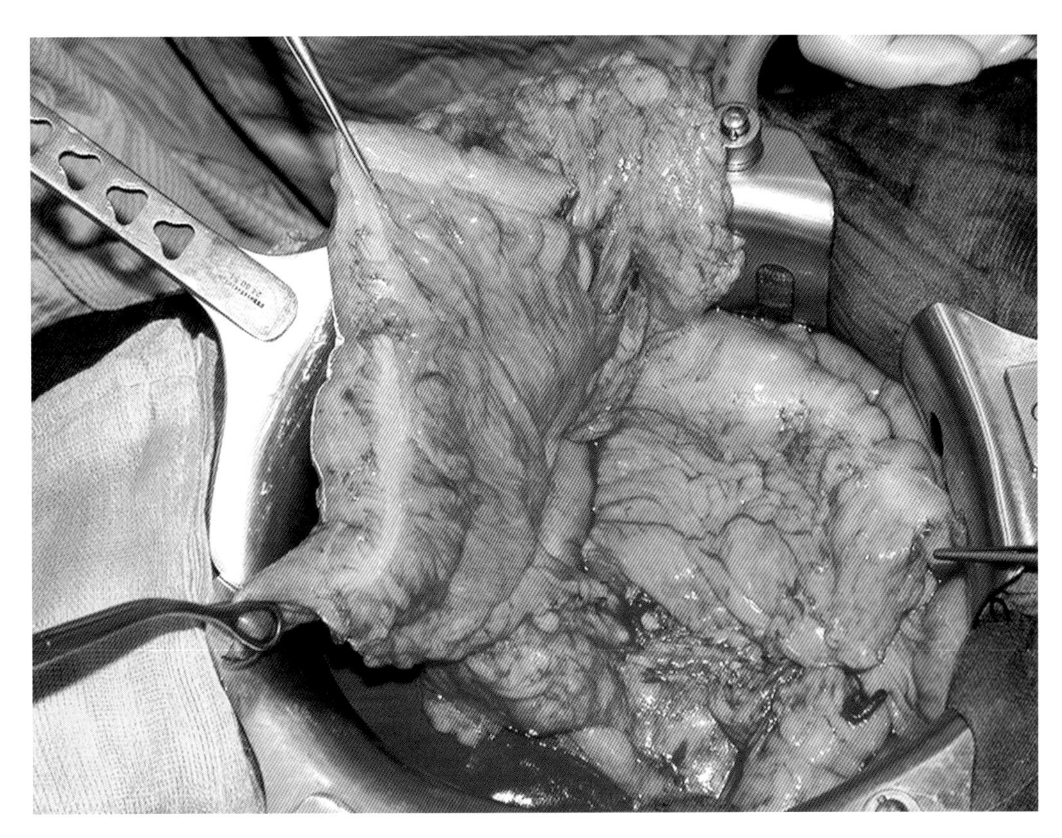

图9-5 图9-4患者，整体（en-bloc）切除部分横结肠。

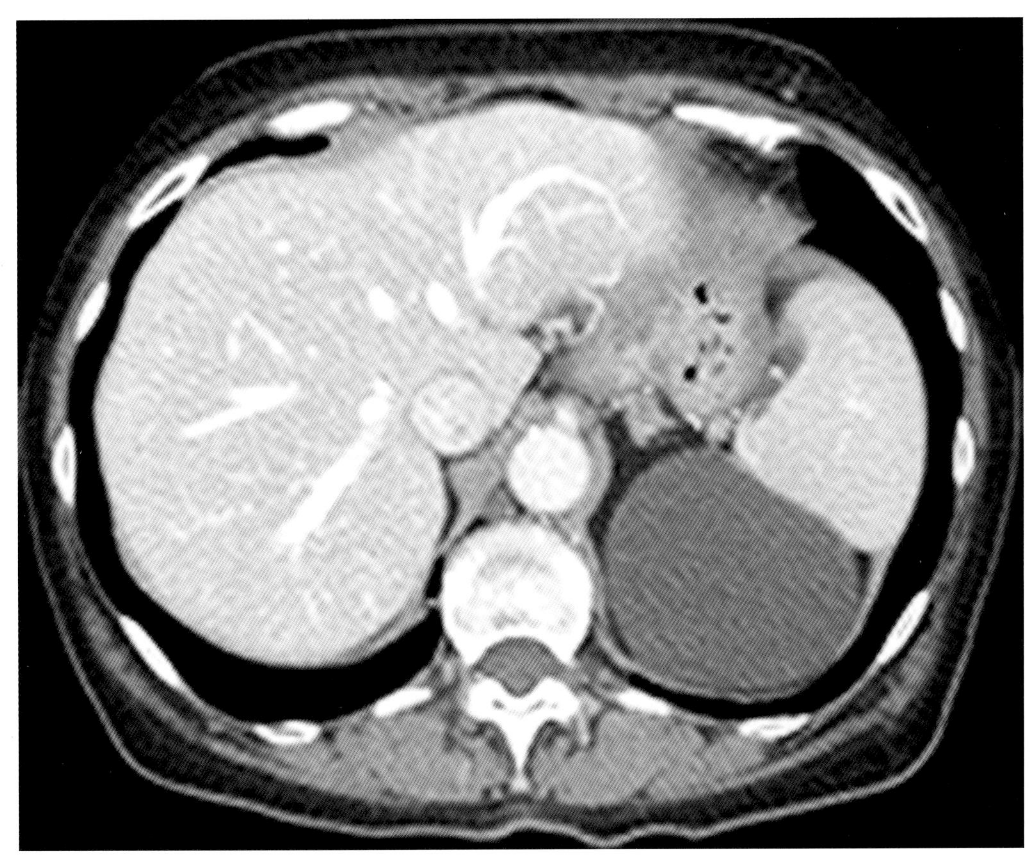

图9-6 胃癌胃次全切除D1淋巴结清扫术后淋巴结复发，侵犯肝S2~S3段与胃空肠吻合口。

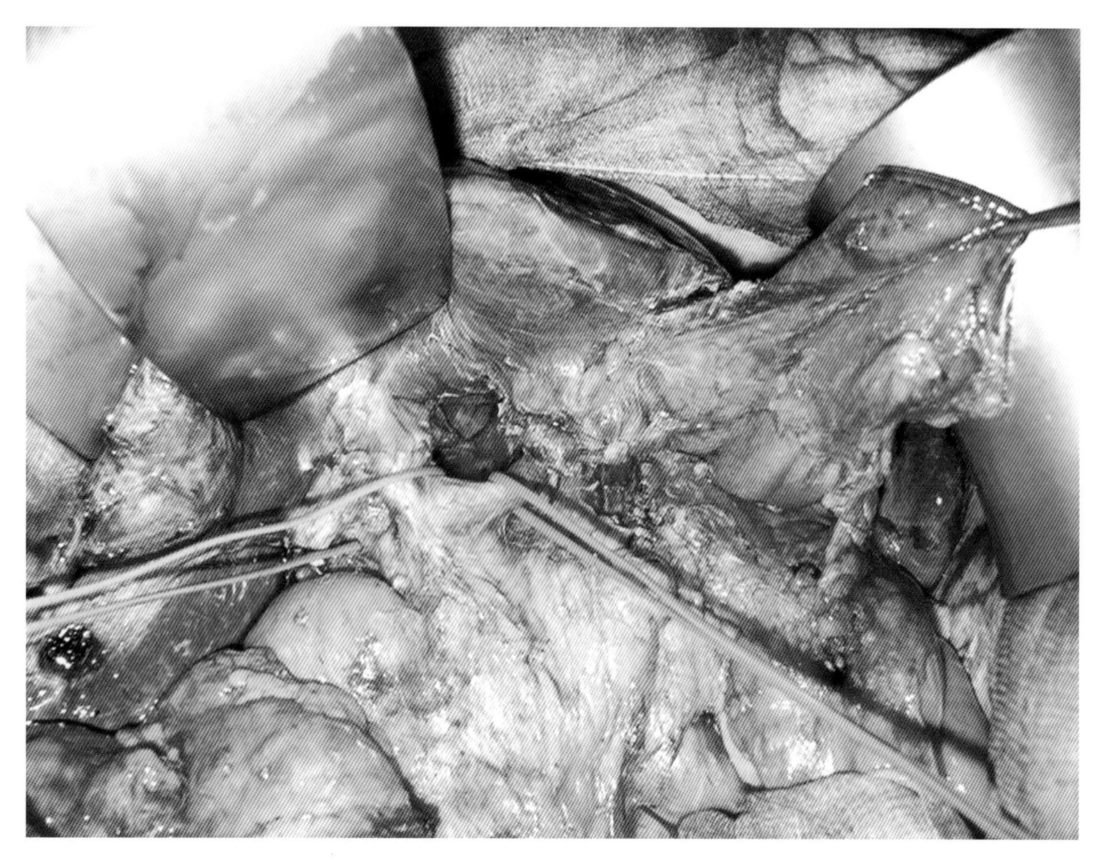

图9-7　图9-6患者术中所见。

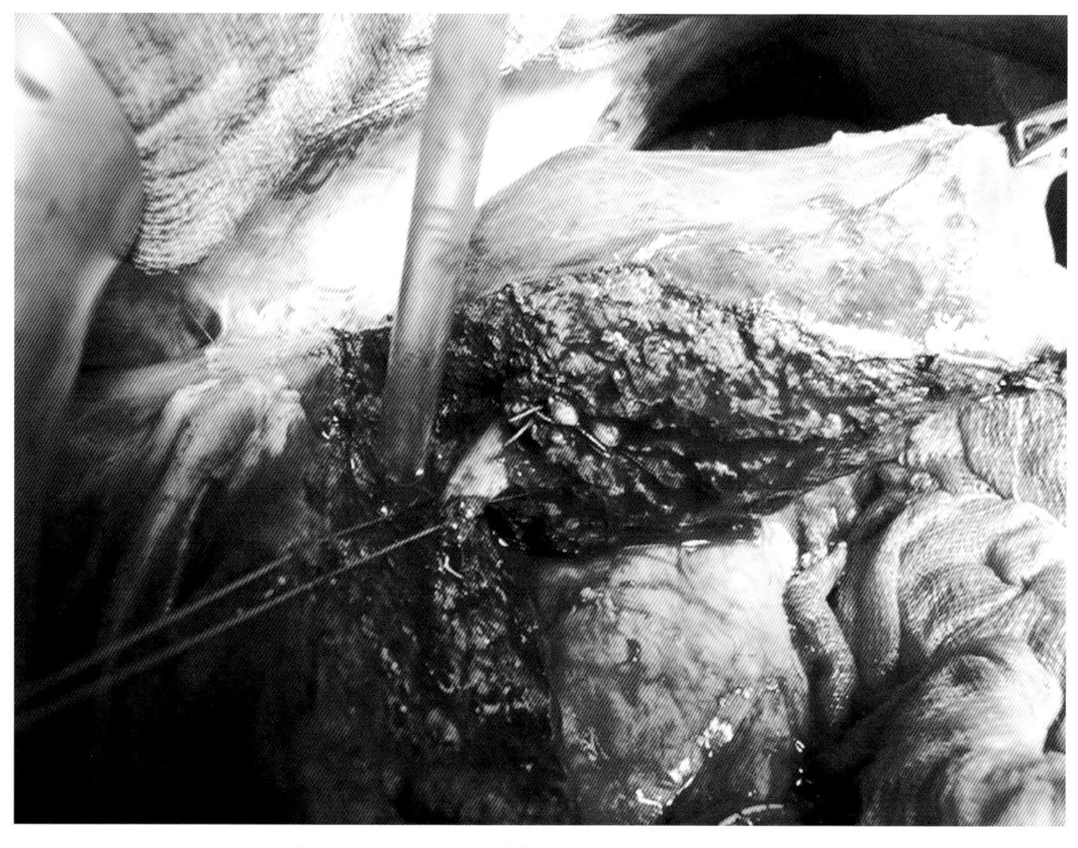

图9-8　胃癌侵犯肝S2～S3段，横断左外叶Glissonian血管及胆管系统。

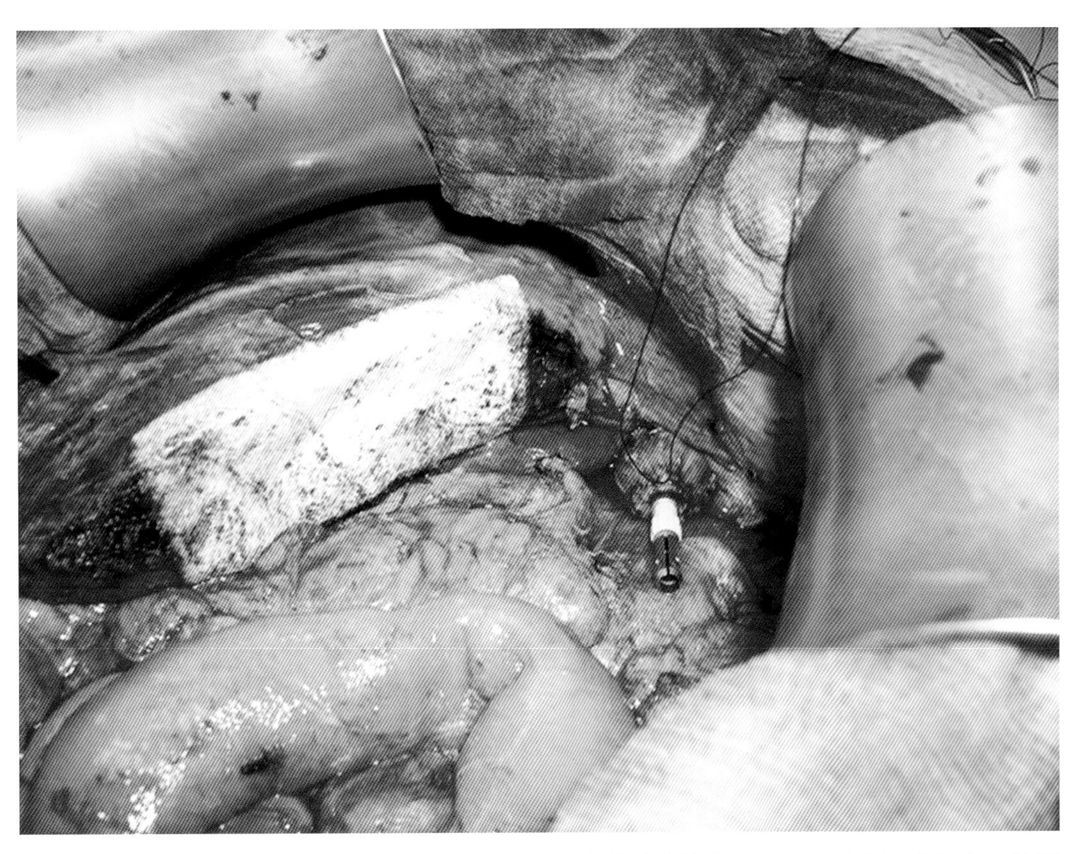

图9-9　图9-8患者行全胃切除D2淋巴结清扫联合肝左外叶整体（en-bloc）切除，肝脏创面使用TachoSil® 加强止血效果。

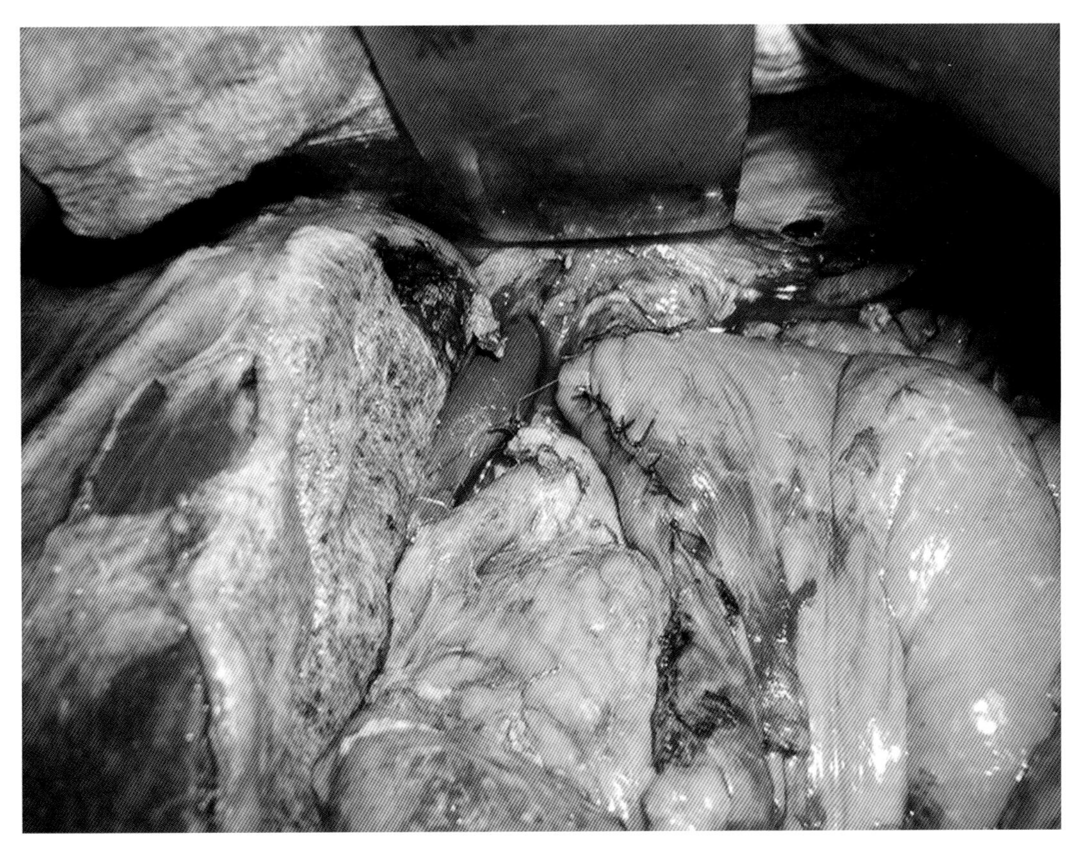

图9-10　图9-8患者消化道重建完毕。

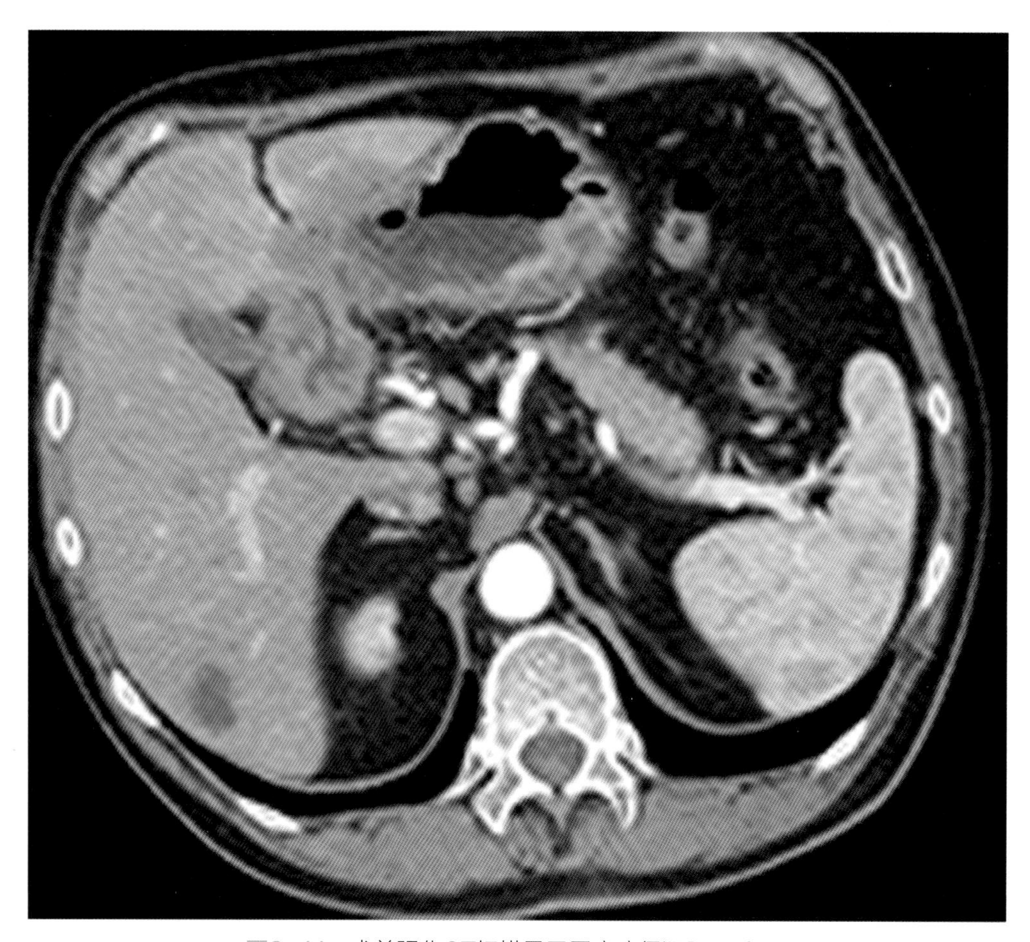

图9-11　术前强化CT扫描显示胃窦癌侵犯肝S3段。

图9-12　图9-11患者行肝S3段胃次全整体（en-bloc）切除。